LA ESPADA DEL DESTINO

Títulos de Andrzej Sapkowski

La Saga de Geralt de Rivia
El último deseo
La espada del destino
La sangre de los elfos
Tiempo de odio
Bautismo de fuego
La torre de la golondrina
La dama del lago
Estación de tormentas

Camino sin retorno

Trilogía de las Guerras Husitas
Narrenturm
Los guerreros de Dios
Lux perpetua

Víbora

Andrzej Sapkowski

La espada del destino

La saga de Geralt de Rivia
Libro II

Traducción de
José María Faraldo

 ARTIFEX

Título original: *Miecz przeznaczenia*
Traducción de José María Faraldo

Ilustración de cubierta: Víctor Manuel Leza Moreno
Diseño de cubierta: Alejandro Terán

Primera edición en Bibliópolis: junio de 2003
Primera reimpresión: septiembre de 2003
Segunda reimpresión: junio de 2005
Tercera reimpresión: marzo de 2006
Cuarta reimpresión: diciembre de 2007
Segunda edición y primera edición en Alamut (rústica): mayo de 2008
Primera reimpresión: marzo de 2010
Tercera edición y segunda edición en Bibliópolis: marzo de 2010
Cuarta edición y segunda edición en Alamut (cartoné): abril de 2010
Primera reimpresión de la tercera edición: febrero de 2011
Primera reimpresión de la cuarta edición: diciembre de 2013
Segunda reimpresión de la cuarta edición: octubre de 2015
Quinta edición y primera edición en Artifex: noviembre de 2015
Tercera reimpresión de la cuarta edición: mayo de 2016
Cuarta reimpresión de la cuarta edición: julio de 2017
Primera reimpresión de la quinta edición: abril de 2018
Quinta reimpresión de la cuarta edición: noviembre de 2018
Segunda reimpresión de la quinta edición: marzo de 2019

Las fronteras de lo posible

I

—No va a salir de ahí, sos digo —habló el caracañado, moviendo la cabeza con convicción—. Una hora y un cuarto hace que se metió dentro. Se lo han cargao.

Los burgueses, apiñados entre las ruinas, mantenían silencio, la vista clavada en un negro agujero abierto entre los escombros, la entrada arruinada a un subterráneo. Un gordo vestido con un jubón amarillo pasó el peso de una pierna a la otra, carraspeó, se quitó un arrugado birrete de la cabeza.

—Esperemos aún —dijo, limpiándose el sudor de unas cejas ralas.

—¿A qué? —resopló el caracañado—. Allá en las mazmorras vive un basilisco, ¿lo olvidasteis, alcalde? Quien ahí entra, ése la palmó. ¿Acaso han muerto pocos ahí dentro? ¿A qué esperar, entonces?

—Así lo habíamos acordado, ¿no? —murmuró inseguro el gordo.

—Con un vivo lo acordasteis, alcalde —dijo el compañero del caracañado, un gigante que llevaba un delantal de carnicero hecho de cuero—. Y que muerto está es tan seguro como que hay sol en el cielo. Era de prever que a su ruina caminaba, como tantos otros antes. Pues hasta sin espejo se metió allá, con la espada sólo. Y que sin un espejo no se puede cargar uno a un basilisco lo saben hasta los críos.

—Sos ahorrasteis unas perras, alcalde —añadió el caracañado—. Pues no hay a quién pagar por el basilisco. Veros tranquilo a casa. Y el caballo y los haberes del hechicero ya los tomaremos nosotros, pena da de dejar que se echen a perder.

—Así es —dijo el carnicero—. Buena es la jaca, y las albardas no están poco llenas. Vamos a echar el ojo dentro, a ver qué hay.

—¡Pero bueno! ¿Qué es esto?

—Callad, alcalde, y no sos metáis, porque todavía sos lleváis un soplamocos —le advirtió el de los granos.

—Buena jaca —repitió el carnicero.

—Deja ese caballo en paz, querido.

El carnicero se dio la vuelta despacio, en dirección al forastero que había entrado por un agujero en el muro, desde detrás de la gente que estaba congregada alrededor de la entrada a los calabozos.

El forastero tenía unos cabellos castaños rizados y muy poblados, llevaba una túnica marrón sobre un caftán forrado de guata, botas altas de montar. Y no portaba arma alguna.

—Aléjate del caballo —repitió, con una sonrisa maligna—. ¿Cómo es eso? Caballo ajeno, albardas ajenas, propiedad de otro. ¿Y tú pones en ella tus ojos legañosos, diriges hacia ella tu asquerosa zarpa? ¿Es eso honrado?

El caracañado deslizó poco a poco la mano en el seno del gabán, miró al carnicero. El carnicero le hizo un gesto de afirmación con la cabeza, luego un ademán al grupo, del que salieron otros dos mozos, fuertes, con el pelo corto. Ambos llevaban en la mano unos palos como los que se usan en los mataderos para entontecer a las bestias.

—¿Y quién hais de ser vos —preguntó el caracañado sin sacar la mano de debajo del seno— para decirnos lo que es honrado y lo que no?

—Eso no es asunto tuyo, querido.

—Armas no lleváis.

—Cierto. —El forastero sonrió aún más perversamente—. No llevo.

—Mala cosa. —El caracañado sacó la mano del seno junto con un largo cuchillo—. Muy mala cosa es que no llevéis.

El carnicero sacó también una hoja, larga como un cuchillo de monte. Los otros dos dieron un paso al frente al tiempo que levantaban los palos.

—No tengo que llevarlas —dijo el forastero sin moverse del sitio—. Mis armas andan conmigo.

Desde detrás de las ruinas acudieron dos jóvenes muchachas que caminaban con paso ligero, seguro. En un segundo la turba se abrió, retrocedió, se hizo más dispersa.

Las muchachas sonreían, brillaban sus dientes, relucían sus ojos, desde cuyos rabillos corrían hasta las orejas las amplias bandas azules de un tatuaje. Los músculos de los poderosos muslos, visibles bajo las pieles de lince que les rodeaban las caderas, y los de los brazos, desnudos y redondos por encima de unos guantes de malla de acero, resaltaban juguetones. Desde detrás de los hombros, también cubiertos de cota de malla, sobresalían las empuñaduras de sendos sables.

Lenta, muy lentamente, el caracañado dobló la rodilla, dejó el cuchillo en el suelo.

Del agujero en las ruinas surgió el sonido del estruendo de piedra contra piedra, un crujido, y luego unas manos salieron de las tinieblas y se aferraron a los mellados bordes del muro. Después de las manos aparecieron poco a poco una cabeza de blancos cabellos regados con polvo de ladrillo, una cara muy pálida, la empuñadura de una espada que sobresalía por detrás de los hombros. La multitud comenzó a murmurar.

El peloblanco se irguió y sacó del agujero una extraña forma, un raro cuerpecillo que estaba cubierto de polvo envuelto con sangre. Tirando del ser por una larga cola de salamandra, lo arrojó sin decir una palabra a los pies del gordo alcalde. El alcalde dio un salto atrás, se tropezó con un fragmento de muro, miró el torcido pico de pájaro, las alas membranosas, las garras en forma de hoz, las patas cubiertas de escamas. Vio el pescuezo hinchado, que alguna vez fue de color carmín y ahora era de un rojo sucio. Vio los ojos hundidos y vidriosos.

—Aquí está el basilisco —dijo el peloblanco, limpiándose el polvo de los pantalones—. Como acordamos. Mis doscientos lintares, si no os importa. Lintares de los buenos, no muy recortados. Los revisaré, os aviso.

El alcalde, con las manos temblorosas, extrajo un saquete. El peloblanco miró a su alrededor, detuvo un momento la vista sobre el caracañado, vio el cuchillo que yacía junto a sus pies. Miró al hombre de la túnica marrón, a las muchachas de las pieles de lince.

—Como de costumbre —dijo, mientras arrancaba la bolsa de las manos nerviosas del alcalde—. Me juego el cuello por vosotros a cambio de cuatro perras y, mientras tanto, me quitáis mis cosas. Nunca vais a cambiar, maldita sea.

—No las tocamos —murmuró el carnicero, retrocediendo. Los de los palos hacía tiempo ya que se habían escondido entre la gente—. No las tocamos, las cosas vuestras, señor.

—Me alegro. —El peloblanco sonrió. A la vista de la sonrisa que floreció en el pálido rostro como una herida que se abre, la muchedumbre comenzó a dispersarse rápidamente—. Y por ello, paisano, tampoco a ti te va a tocar nadie. Te irás en paz. Pero te irás a toda prisa.

El caracañado, de espaldas, también quiso irse. Los granos en su rostro repentinamente pálido se marcaban dándole un feo aspecto.

—Eh, espera —le dijo el hombre de la túnica marrón—. Te has olvidado de algo.

—¿De qué... señor?

—Has alzado un cuchillo contra mí.

La más alta de las muchachas, que estaba de pie con las piernas muy abiertas, giró sobre sus caderas. El sable, que había sacado no se sabía cuándo, relampagueó con violencia en el aire. La cabeza del caracañado voló hacia arriba, describiendo un arco, cayó al agujero del calabozo. El cuerpo rodó rígido y pesado, como un tronco recién cortado, entre cascotes de ladrillos. La multitud gritó con una sola voz. La otra muchacha, con la mano en la empuñadura, se volvió con agilidad, cubriendo las espaldas. Innecesariamente. La muchedumbre, tropezándose y cayendo sobre los escombros, desapareció en dirección a la ciudad lo más deprisa que les permitían sus pies. En la cabecera, dando unos saltos impresionantes, iba el alcalde, sólo un par de brazas por delante del gigantesco carnicero.

—Un hermoso golpe —comentó el peloblanco con frialdad, mientras se protegía los ojos del sol con la mano enguantada de negro—. Un hermoso golpe de un sable zerrikano. Me inclino ante la maestría y la belleza de unas guerreras libres. Soy Geralt de Rivia.

—Y yo soy Borch, llamado Tres Grajos. —El desconocido de la túnica marrón señaló un desteñido escudo en la parte delantera de su ropa que mostraba a tres pájaros color sable puestos en fila en el centro de un campo de oro de una sola pieza—. Y éstas son mis muchachas, Tea y Vea. Así las llamo, porque con sus nombres verdaderos se puede uno morder la lengua. Las dos, como has adivinado, son zerrikanas.

—Por lo que parece, gracias a ellas tengo todavía caballo y haberes. Gracias, guerreras. Os lo agradezco también a vos, señor Borch.

—Tres Grajos. Y guárdate lo de señor. ¿Algo te retiene en este villorrio, Geralt de Rivia?

—Antes al contrario.

—Perfecto. Tengo una proposición: no lejos de aquí, en la encrucijada junto al camino del puerto fluvial, hay una venta. Se llama El Dragón Pensativo. Su cocina no tiene par en todo el país. Me dirijo justamente allí con la idea de comer y pasar la noche. Sería un honor si quisieras hacerme compañía.

—Borch —el peloblanco se alejó del caballo, miró al desconocido a los ojos—, quisiera que las cosas estuvieran claras entre nosotros. Soy brujo.

—Lo había imaginado. Y lo has dicho con un tono como quien dice «tengo lepra».

—Hay quienes prefieren la compañía de un leproso a la de un brujo —dijo Geralt despacio.

—Y hay quienes prefieren tal compañía a la de las muchachas. En fin, sólo puedo compadecerlos, a los unos y a los otros. Renuevo mi propuesta.

Geralt se quitó el guante, apretó la mano que le tendían.

—Acepto, y me alegro de que nos hayamos conocido.

—En camino entonces, o me moriré de hambre.

II

El ventero limpió con un trapo la áspera mesa, se inclinó y sonrió. Le faltaban las dos paletas.

—Síí... —Tres Grajos contempló por un instante el techo cubierto de hollín y las arañas que lo recorrían—. En primer lugar... En primer lugar, cerveza. Para no tener que venir dos veces, un barrilete entero. Y para acompañar... ¿Qué nos propones para acompañar, querido?

—¿Queso? —se arriesgó el ventero.

—No. —Borch frunció el ceño—. El queso será el postre. Con la cerveza queremos algo ácido y picante.

—Muy bien. —El ventero adoptó una sonrisa aún más amplia. Las dos paletas no eran los únicos dientes que le faltaban—. Angulas al ajillo en aceite y vinagre o pimientos verdes rellenos en escabeche.

—Estupendo. Y una cosa y la otra. Y luego sopa, aquélla que ya comí aquí una vez, en la que nadaban diversos moluscos, peces y otros bichos deliciosos.

—¿Sopa de almadiero?

—Exacto. Y luego asado de cordero con cebolla. Y luego sesenta cangrejos. Echa tanto hinojo en la olla como quepa. Y luego queso de oveja y ensalada. Y luego ya veremos.

—Muy bien. ¿Para todos, cuatro veces, quiero decir?

La zerrikana más alta negó con la cabeza, señaló significativamente al talle envuelto en una ajustada camisa de lino.

—Lo olvidé. —Tres Grajos guiñó el ojo a Geralt—. Las muchachas se preocupan por guardar la línea. Jefe, carnero sólo para nosotros dos. La cerveza traedla ahora, junto con las angulas. Con el resto esperad un poco, para que no se enfríe. No hemos venido aquí a ponernos las botas, sino simplemente a hablar un rato.

—Entiendo. —El posadero se inclinó una vez más.

—La sagacidad es cosa importante en tu negocio. Tiende la mano, querido.

Tintinearon las monedas de oro. El posadero abrió el morro hasta los límites de lo posible.

—Esto no es una señal a cuenta —le comunicó Tres Grajos—. Esto es aparte. Y ahora corre a la cocina, buen hombre.

En el camaranchón hacía calor. Geralt se desabrochó el cinturón, se sacó el caftán y se remangó la camisa.

—Veo —dijo— que no te persigue la falta de liquidez. ¿Vives de las rentas del estamento de caballero?

—En parte —sonrió Tres Grajos sin entrar en detalles.

Rápidamente acabaron con las angulas y un cuarto del barrilete. Tampoco las zerrikanas le hicieron ascos a la cerveza, por lo que enseguida ambas estuvieron visiblemente más contentas. Se susurraban cosas la una a la otra. Vea, la más alta, estalló de pronto en una risa gutural.

—¿Las muchachas hablan la común? —preguntó Geralt en voz baja, mirándolas por el rabillo del ojo.

—Mal. Y no son muy habladoras. Lo que es de agradecer. ¿Qué te parece la sopa, Geralt?

—Mmmm.

—Bebamos.

—Mmmm.

—Geralt —Tres Grajos dejó la cuchara y dio un hipido con distinción—, volvamos un momento a lo que hablábamos antes. Por lo que he entendido, tú, brujo, vagabundeas de un confín del mundo al otro y por el camino, si te encuentras con algún monstruo, te lo cargas. Y así te ganas los garbanzos. ¿De esto trata la profesión de brujo?

—Más o menos.

—¿Y sucede que te llaman de algún lugar concreto? Para, por así decirlo, un trabajito especial. Y, entonces, ¿qué? ¿Vas y lo resuelves?

—Eso depende de quién llama y por qué.

—¿Y de por cuánto?

—También. —El brujo se encogió de hombros—. Todo sube de precio y hay que vivir, como acostumbra a decir una amiga mía, una hechicera.

—Una actitud bastante selectiva, muy práctica, me atrevería a decir. Y sin embargo en el fondo yace alguna idea básica, Geralt. El conflicto entre los Poderes del Orden y los del Caos, como acostumbra a decir cierto amigo mío, un hechicero. Me imagino que cumples tu misión, defiendes a la gente ante el mal, siempre y en todo lugar. Sin discriminar. Te sitúas a un lado claramente señalizado de la empalizada.

—Los Poderes del Orden, los Poderes del Caos. Unas palabras terribles de grandes, Borch. Por supuesto, quieres colocarme a un lado de la empalizada en un conflicto que, por lo que se mantiene a menudo, es eterno, comenzó largo tiempo antes de nosotros y continuará cuando haga mucho tiempo que no estemos. ¿De qué lado está el herrero que pone la herradura a un caballo? ¿Y nuestro ventero, que precisamente ahora viene con una olla de carnero? ¿Qué es, según tú, lo que marca la frontera entre el Caos y el Orden?

—Algo muy sencillo. —Tres Grajos le miró directamente a los ojos—. Lo que representa el Caos es una amenaza, es el lado de la agresión. El Orden, en cambio, es el lado amenazado, que necesita de defensa. Que necesita de defensores. Ah, vamos a beber. Y liémonos con el corderillo.

—De acuerdo.

Las zerrikanas guardianas de su línea hicieron una pausa en la comida que ocuparon bebiendo cerveza a una velocidad acelerada. Vea, apoyada en el hombro de su compañera, susurró algo de nuevo, al tiempo que barría la mesa con su trenza. Tea, la más baja, se rió en voz alta, meneando alegremente las mejillas tatuadas.

—Sí —dijo Borch, mordiendo un hueso—. Continuemos la conversación, si lo permites. He entendido que no tienes especial interés en situarte del lado de ninguno de los Poderes. Haces tu trabajo.

—Lo hago.

—Pero ante el conflicto entre el Caos y el Orden no puedes huir. Aunque has usado esa comparación, no eres un herrero. He visto cómo trabajas. Entras a un sótano en unas ruinas y sales de allí con un basilisco muerto. Hay, querido, una diferencia entre herrar a un caballo y matar a un basilisco. Has dicho que si la paga es adecuada, corres al otro lado del mundo y despachas al ser que te digan. Pongamos por caso que un dragón rabioso destruye...

—Mal ejemplo —le interrumpió Geralt—. Ves, enseguida se te ha ido todo al garete. Porque no mato dragones, por mucho que sin duda representen el Caos.

—¿Y cómo es eso? —Tres Grajos se chupó los dedos—. ¡Y nada menos que dragones! Pues si entre todos los monstruos es el dragón el más terrible, el más cruel y el más goloso. El reptil que da más asco. Ataca a la gente, vomita fuego y rapta, cómo se dice, vírgenes. ¿Has oído pocas historias sobre esto? No puede ser que tú, brujo, no tengas un par de dragones en tu cuenta.

—No cazo dragones —dijo Geralt con aspereza—. Doblecolas, por supuesto. Culebras de aire. Cometas. Pero no verdaderos dragones, verdes, negros o rojos. Acéptalo, simplemente.

—Me has dejado de una pieza —dijo Tres Grajos—. Bueno, vale, lo acepto. Basta en cualquier caso de hablar de dragones, porque veo en el horizonte algo rojo, que sin duda son nuestros cangrejos. ¡Bebamos!

Con un crujido comenzaron los dientes a quebrar los rojos caparazones, a extraer la blanca carne. El agua salada salpicaba y les corría hasta las muñecas. Borch sirvió más cerveza, sacándola ya con un cucharón del fondo del barrilete. Las zerrikanas se tornaron aún más alegres, ambas miraban de acá para allá por la taberna, con una sonrisa perversa, el brujo estaba seguro de que buscaban una ocasión para la pelea. Tres Grajos también debió de advertirlo, porque las amenazó con un cangrejo que sujetaba por la cola. Las muchachas se rieron y Tea, poniendo los labios como para besar, cerró los ojos: con su rostro tatuado esto produjo una impresión bastante macabra.

—Son salvajes como gatos monteses —murmuró Tres Grajos a Geralt—. Hay que tener cuidado con ellas. Si no, querido, tristrás y sin saber cómo, ya está todo el suelo lleno de tripas. Pero valen todo el oro del mundo. Si supieras lo que son capaces de hacer...

—Lo sé —afirmó Geralt con un ademán—. Mejor escolta no se puede encontrar. Las zerrikanas son guerreras natas, adiestradas para la lucha desde pequeñas.

11

—No me refiero a eso. —Borch escupió sobre la mesa una pata de cangrejo—. Me refería a cómo son en la cama.

Geralt echó un vistazo nervioso a las muchachas. Las dos sonrieron. Vea, con un rapidísimo, casi imperceptible movimiento, se lanzó sobre la cazuela. Miró al brujo con los ojos entrecerrados, mordió un caparazón con un crujido. Sus labios brillaban con el agua salada. Tres Grajos eructó con fuerza.

—Así que —dijo—, Geralt, tú no cazas dragones, verdes ni de otros colores. Lo acepté. ¿Y por qué, si se puede preguntar, sólo de esos tres colores?

—Cuatro, para ser exactos.

—Has dicho tres.

—Te interesan los dragones, Borch. ¿Por algún motivo especial?

—No. Simple curiosidad.

—Ajá. Y en lo que respecta a esos colores, así se describe normalmente a los verdaderos dragones. Aunque no son descripciones muy precisas. Los dragones verdes, los más populares, son más bien grisáceos, como culebras de aire normales y corrientes. Los rojos de verdad son rojizos o de color ladrillo. A los grandes dragones de color marrón oscuro se los ha dado en llamar negros. El más raro es el dragón blanco, nunca he visto a uno de éstos. Viven en el lejano norte. Se dice.

—Interesante. ¿Y sabes de qué otros dragones he oído hablar?

—Lo sé. —Geralt dio un sorbo de cerveza—. De los mismos que yo. De los dorados. No existen.

—¿En qué te basas para afirmarlo? ¿Porque no los has visto nunca? Parece que tampoco has visto nunca a un dragón blanco.

—No se trata de eso. En ultramar, en Ofir y Zangwebar, hay caballos blancos con rayas negras. Tampoco los he visto nunca, pero sé que existen. Mas los dragones dorados son seres míticos. Legendarios. Como el ave fénix, por dar otro ejemplo. El ave fénix y los dragones dorados no existen.

Vea, apoyada en los codos, le miraba interesada.

—Seguro que sabes lo que dices, tú eres el brujo. —Borch extrajo un poco de cerveza del barril—. Y sin embargo pienso que cada leyenda debe de tener una raíz. Y en esa raíz hay algo de verdad.

—Lo hay —confirmó Geralt—. Por lo general, sueños, deseos, nostalgias. La fe, que no conoce los límites de lo posible. Y a veces el azar.

—Precisamente, el azar. ¿No puede que haya habido alguna vez un dragón dorado, una mutación única, irrepetible?

—Si fue así, padeció la suerte de todo mutante. —El brujo volvió la cabeza—. Ser demasiado diferente como para perdurar.

—Ja —dijo Tres Grajos—. Estás rechazando las leyes de la naturaleza. Mi amigo el hechicero solía decir que en la naturaleza todo ser tiene su continuación y que perdura de una u otra forma. El fin de uno es el principio de otro, no hay límites de lo posible, al menos la naturaleza no los conoce.

—Un gran optimista, ese amigo tuyo el hechicero. No tuvo en cuenta, sin embargo, una cosa: los errores cometidos por la naturaleza. O por aquéllos que jugaron con ella. El dragón dorado y otros mutantes parecidos a él, si existieron, no podían perdurar. Lo impidió un límite de lo posible bastante natural.

—¿Qué límite?

—Mutantes... —Los músculos del rostro de Geralt le temblaron violentamente—. Los mutantes son estériles, Borch. Sólo en las leyendas puede perdurar lo que en la naturaleza perdurar no puede. Solamente la leyenda y el mito ignoran los límites de lo posible.

Tres Grajos guardó silencio. Geralt miró a las muchachas, a sus rostros que se habían quedado serios de pronto. Vea, inesperadamente, se inclinó hacia él, le pasó un brazo fuerte y musculoso por el cuello. Sintió en las mejillas los labios de ella, húmedos de la cerveza.

—Les gustas —dijo despacio Tres Grajos—. Que me cuelguen, les gustas a ellas.

—¿Qué hay de extraño en ello? —sonrió el brujo con tristeza.

—Nada. Pero hay que mojarlo. ¡Jefe! ¡Otro barrilete!

—No exageres. Como mucho una jarra.

—¡Dos jarras! —gritó Tres Grajos—. Tea, tengo que salir un momento.

La zerrikana se levantó, tomó el sable del banco, pasó por la sala una aguda mirada. Aunque algún par de ojos, como el brujo había advertido, había relampagueado antes a la vista de la bolsa bien repleta, nadie hizo gesto de salir detrás de Borch, que se tambaleaba ligeramente en dirección a la puerta del corral. Tea se encogió de hombros y salió detrás de su patrón.

—¿Cómo te llamas de verdad? —preguntó Geralt a la que se quedó en la mesa. Vea mostró sus blancos dientes. Tenía la camisa desabrochada, casi hasta los límites de lo posible. El brujo no dudó de que se trataba de otra provocación a la sala.

—Alveaenerle.

—Bonito. —El brujo estaba seguro de que la zerrikana pondría los labios en O y le guiñaría un ojo. No se equivocaba.

—¿Vea?

—¿Hum?

—¿Por qué vais con Borch? ¿Vosotras, guerreras libres? ¿Puedes responder?

—Hum.

—¿Hum, qué?

—Él es... —La zerrikana, arrugando la frente, buscó palabras—. Él es... el más... hermoso.

El brujo movió la cabeza. No por primera vez los criterios con los que las mujeres valoraban el atractivo de los hombres le resultaban un enigma.

Tres Grajos irrumpió en el camaranchón tirándose de los pantalones, encargó algo en voz alta al posadero. Tea se mantenía a dos pasos detrás de él, haciéndose la aburrida, pasó la vista por la taberna, y los mercaderes y los almadieros la rehuyeron esmeradamente. Vea chupaba otro cangrejo, y de vez en cuando echaba una significativa mirada al brujo.

—He pedido otra vez angulas, por cabeza, esta vez al horno. —Tres Grajos se sentó pesadamente, el cinturón desabrochado tintineó—. Me hinché de trabajar con estos cangrejos y me he quedado como con hambre. Y ya he arreglado que te quedes aquí, Geralt. No tiene sentido que andes por ahí de noche. Todavía nos vamos a divertir un rato. ¡A vuestra salud, muchachas!

—Vessekheal —dijo Vea, saludándole con el vaso. Tea guiñó un ojo y se desperezó, lo que, contra las expectativas de Geralt, no hizo que su atractivo busto rasgara la delantera de su camisa.

—Nos vamos a divertir. —Tres Grajos se inclinó por encima de la mesa y pellizcó a Tea en el trasero—. Nos vamos a divertir, brujo. ¡Eh, jefe! ¡Ven en persona!

El posadero acudió presto, limpiándose las manos en el mandil.

—¿Se encontrará por aquí una tina? ¿De ésas de lavar, sólida y grande?

—¿Cómo de grande, señor?

—Para cuatro personas.

—Para... cuatro... —El ventero se quedó con la boca abierta.

—Para cuatro —confirmó Tres Grajos, sacando del bolsillo la bolsa bien llena.

—Se encontrará. —El ventero se relamió.

—Estupendo —se rió Borch—. Manda que la suban arriba, a mi estancia, y que la llenen de agua caliente. Más ánimo, querido. Y cerveza también manda subir, hasta tres botijas.

Las zerrikanas se carcajearon y al mismo tiempo guiñaron los ojos.

—¿Cuál prefieres? —preguntó Tres Grajos—. ¿Eh? ¿Geralt?

El brujo se rascó la nuca.

—Sé que es difícil elegir —dijo Tres Grajos comprensivamente—. Yo mismo tengo problemas a veces. Bueno, lo pensaremos en la tina. ¡Eh, muchachas! ¡Ayudadme a subir las escaleras!

III

En el puente había una barrera. El camino estaba cerrado por una traviesa larga y sólida, puesta sobre unas estacas de madera. Delante de ella y detrás había unos alabarderos vestidos con almillas de cuero claveteadas y caperuzas de anillas de hierro. Sobre la traviesa ondeaba soñolienta una enseña púrpura con el emblema en plata de un grifo.

—¿Qué diablos? —se asombró Tres Grajos, y cabalgó al paso hasta acercarse—. ¿No se puede pasar?

—¿Salvoconducto tenéis? —preguntó el alabardero más cercano, sin sacarse de la boca el palito que mordisqueaba no se sabía bien si por hambre o para matar el tiempo.

—¿Qué salvoconducto? ¿Qué es esto, la peste? ¿Quizá una guerra? ¿De quién son las órdenes de bloquear el camino?

—Del rey Nedapaz, señor de Caingorn. —El guardia se pasó el palito a la otra comisura de la boca y señaló al estandarte—. Sin salvoconducto, para la sierra no pasa ni dios.

—Vaya una gilipollez —dijo Geralt con voz cansada—. Pues si esto no es Caingorn, sino los dominios de Holopole. Holopole y no Caingorn es quien cobra los peajes de los puentes del Braa. ¿Qué tiene que ver con esto Nedapaz?

—A mí no me digáis. —El guarda escupió el palito—. No es mi negocio. El salvoconducto controlar, ésa es mi tarea. Si queréis, darle el palique a nuestro decurión.

—¿Y dónde está?

—Allá, tras de la caseta de las aduanas, se tuesta al solecillo —dijo el alabardero, mirando no a Geralt, sino a los muslos desnudos de las zerrikanas, que se estiraban perezosamente en sus monturas.

Detrás de la caseta de aduanas, sentado sobre un montón de leños secos, el guardia pintaba en la arena, con la parte trasera de la alabarda, una hembra, o más bien una parte de ella vista desde una desacostumbrada perspectiva. Junto a él, rozando delicadamente las cuerdas de un laúd, estaba medio tumbado un hombre delgado que tenía un sombrero echado sobre los ojos. Era un sombrerillo de fantasía de color ciruela adornado con una hebilla de plata y una larga y nerviosa pluma de faisán.

Geralt ya había visto antes aquel sombrerito y aquella pluma, famosa desde el Buina hasta el Yaruga, conocida en palacios, castillos, ventas, tabernas y putiferios. Especialmente en los putiferios.

—¡Jaskier!

—¡El brujo Geralt! —De bajo el sombrerito asomaron unos alegres ojos azules—. ¡Pero qué es esto! ¿También aquí? ¿No tendrás por casualidad un salvoconducto?

—Pero, ¿qué queréis todos con ese salvoconducto? —El brujo saltó de la silla—. ¿Qué sucede aquí, Jaskier? Queríamos pasar a la otra orilla del Braa, yo y este caballero, Borch Tres Grajos, y nuestra escolta. Y no podemos, por lo que parece.

—Yo tampoco puedo. —Jaskier se levantó, se quitó el sombrerillo, se inclinó ante las zerrikanas con exagerada cortesía—. A mí tampoco me dejan pasar a la otra orilla. A mí, Jaskier, el más famoso ministril y poeta en mil millas a la redonda, no me deja pasar aquí este decurión, aunque sea artista también, como veis.

—A naide sin salvoconducto le dejo pasar —dijo el decurión triste, después de lo cual completó su dibujo con un detalle final, clavando la punta de madera de la alabarda en la arena.

—Pues qué se le va a hacer —dijo el brujo—. Iremos por la orilla izquierda. Este camino a Hengfors es más largo, pero no hay otro remedio.

—¿A Hengfors? —se asombró el bardo—. ¿Entonces tú, Geralt, no vas con Nedapaz? ¿No vas detrás del dragón?

—¿Detrás de qué dragón? —se interesó Tres Grajos.

—¿No sabéis? ¿De verdad no sabéis? Bueno, entonces tengo que contároslo todo, señores. De todos modos tengo que esperar aquí, puede que aparezca alguien con salvoconducto que me conozca y me permita unirme a él. Sentaos.

—Ahora —dijo Tres Grajos—. El sol casi a tres cuartos del cenit y estoy seco de la leche. No vamos a hablar con la garganta seca. Tea, Vea, al galope, de vuelta al pueblo y comprad un barrilete.

—Me gustáis, señor...

—Borch, llamado Tres Grajos.

—Jaskier, llamado el Incomparable. Por unas cuantas mozas.

—Cuenta, Jaskier —se impacientó el brujo—. No vamos a estar aquí hasta la noche.

El bardo rodeó con los dedos el mástil del laúd, golpeó con fuerza en las cuerdas.

—¿Cómo queréis, en discurso alargado o normal?

—Normal.

—Así sea. —Jaskier no soltó el laúd—. Escuchad entonces, nobles señores, lo que ocurrió hace una semana en una no lejana ciudad franca llamada Holopole. A la hora del pálido amanecer, cuando apenas el sol naciente había enrojecido los jirones de niebla que colgaban sobre los prados...

—Has dicho que iba a ser normal —le recordó Geralt.

—¿Y no lo es? Vale, bueno, bueno. Entiendo. Corto, sin metáforas. Sobre los pastos de Holopole voló un dragón.

—Eeeh —dijo el brujo—. De algún modo me parece todo esto algo improbable. Hace años que nadie ha visto a un dragón por estos al-

16

rededores. ¿No sería una simple culebra de aire? A veces hay culebras casi tan grandes...

—No me insultes, brujo. Sé de lo que hablo. Lo vi. Coincidió que precisamente entonces estaba en Holopole, en la feria, y vi todo con mis propios ojos. El romance ya está preparado, pero no quisisteis...

—Cuenta. ¿Era grande?

—Unos tres caballos de largo. De grupa, no más alto que un caballo, pero mucho más gordo. Gris como la arena.

—O sea, verde.

—Sí. Revoloteó inesperadamente, se tiró derecho al establo de las ovejas, asustó a los pastores, mató como a una docena de bestias, devoró a tres y se fue.

—Se fue... —Geralt movió la cabeza—. ¿Y punto final?

—Quiá. Porque a la mañana siguiente volvió de nuevo, esta vez más cerca de la ciudad. Hizo un picado sobre un grupo de mujeres que estaban lavando sábanas a la orilla del Braa. ¡No veas cómo gritaban, compadre! En la vida me he reído tanto. El dragón, luego, voló dos veces en círculo sobre Holopole y se fue a los pastos, allí se lió otra vez con las ovejas. Sólo entonces comenzó el guirigay y la turbamulta, porque la vez anterior pocos habían creído a los pastores. El burgomaestre movilizó a la milicia municipal y a la de los gremios, pero en lo que se formaban, la plebe tomó el asunto en sus manos y lo apañó.

—¿Cómo?

—Con un interesante método popular. El maestro zapatero de la villa, un tal Comecabras, inventó un método contra el reptil. Mataron a una oveja, la llenaron de eléboro, belladonna, beleño, azufre y pez de zapatero. Para estar seguros, el boticario local metió dentro dos cuartos de su mezcla para los forúnculos, y el sacerdote del santuario de Kreve echó unos rezos sobre el cadáver. Luego colocaron la oveja preparada en el centro del establo apoyada en un estaca. Nadie de verdad creía que el dragonzuelo se fuera a dejar engañar por una mierda que apestaba a una legua, pero la realidad superó nuestras expectativas. Pasando por alto a las ovejas vivas y balantes, el reptil se tragó el anzuelo junto con la estaca.

—¿Y qué? Habla ya, Jaskier.

—¿Y es que hago yo otra cosa? Si estoy hablando. Escuchad lo que sucedió después. No había pasado ni el tiempo que a un hombre bien entrenado le lleva desatarle el corsé a una dama, cuando el dragón comenzó a bramar y a soltar humo, por delante y por detrás. Dio una voltereta, intentó echar a volar, luego se quedo roque y dejó de moverse. Dos voluntarios se acercaron para comprobar si el bicho envenenado todavía respiraba. Eran ellos el sepulturero local y el tonto del pueblo, que había sido engendrado por la hija retrasada de un leñador y una subcompañía de piqueros mercenarios que habían pasado por Holopole todavía en tiempos de la revuelta del voievoda Ahoganutrias.

—Anda que no mientes, Jaskier.

—No miento, sólo coloreo, y esto es una diferencia.

—Bien pequeña. Cuenta, no pierdas el tiempo.

—Y bueno, como he dicho, el sepulturero y el valiente idiota allá se fueron en carácter de patrulla de reconocimiento. Después levantamos en su honor un túmulo, pequeño pero alegre para la vista.

—Ajá —dijo Borch—. Eso quiere decir que el dragón aún vivía.

—Y cómo —dijo Jaskier con alegría—. Vivía. Pero estaba tan débil que no se comió ni al sepulturero ni al cretino, sólo les lamió la sangre. Y luego, para preocupación general, echó a volar, despegando con bastantes trabajos. Cada legua y media se caía, se alzaba de nuevo. A veces caminaba, arrastrando las patas traseras. Aquéllos más atrevidos le siguieron, manteniendo contacto visual. ¿Y sabéis qué?

—Habla, Jaskier.

—El dragón se metió en una garganta de las montañas de los Milanos, cerca de donde mana el río Braa, y se escondió en una cueva.

—Ahora está todo claro —dijo Geralt—. El dragón seguramente estaba en esas cuevas desde hacía siglos, aletargado. He oído hablar de tales casos. Y allí debe de encontrarse su tesoro. Ahora sé por qué bloquean el puente. Alguien quiere poner la zarpa sobre ese tesoro. Y ese alguien es Nedapaz de Caingorn.

—Precisamente —confirmó el trovador—. Toda Holopole está que echa chispas por ello, porque se piensa allí que el dragón y el tesoro les pertenecen. Pero ellos vacilan en vérselas con Nedapaz. Nedapaz es un crío que todavía no ha comenzado a afeitarse, pero ya ha conseguido probar que no trae a cuenta el meterse con él. Y él necesita a este dragón como al diablo, por eso ha reaccionado tan pronto.

—Necesita el tesoro, quieres decir.

—De hecho necesita más al dragón que el tesoro. Porque, sabéis, a Nedapaz se le hace la boca agua a causa del principado vecino de Malleore. Allí, después de la muerte súbita y bastante extraña del príncipe, ha quedado una princesa en edad, por así decirlo, de merecer. Los nobles de Malleore miran con pocas ganas a Nedapaz y a otros competidores porque saben que un nuevo gobernante les va a sujetar las riendas bien cortas, no como una princesa mocosa. Así que desenterraron una vieja y polvorienta pragmática que dice que la mitra y la mano de la muchacha serán de aquél que venza a un dragón. Como hace siglos que nadie ve por aquí a un dragón, pensaron que iban a estar tranquilos. Nedapaz, por supuesto, se hubiera reído de la leyenda, se hubiera hecho con Malleore a mano armada y santas pascuas, pero cuando corrió la noticia del dragón de Holopole, se dio cuenta de que podría vencer a la nobleza malleorina con sus propias armas. Si apareciera por allí llevando la cabeza del dragón, el pueblo le recibiría como a monarca enviado por los dioses, y los magnates no se atreverían ni a abrir el pico. ¿Os asombráis entonces de que corra tras el dragón como el lobo tras la liebre? ¿Y encima de uno que apenas menea las patas? Esto es para él una verdadera ganga, la sonrisa de la fortuna, voto al diablo.

—Y mandó cerrar los caminos a la concurrencia.

—Pues claro. Y a los holopolacos. Aunque también envió por todos los alrededores caballos con salvoconductos. Para los que vayan a matar al dragón, porque Nedapaz no está precisamente ansioso por entrar él mismo en la cueva con la espada. En un pispás se han reunido los más famosos matadragones. A la mayoría seguro que los conoces, Geralt.

—Es posible. ¿Quién ha venido?

—Eyck de Denesle, en primer lugar.

—Que me... —El brujo silbó bajito—. Eyck, el temeroso de dios, el virtuoso, el caballero sin miedo ni mácula en persona.

—¿Lo conoces, Geralt? —preguntó Borch—. ¿De verdad se le dan tan bien los dragones?

—Y no sólo los dragones. Eyck se las arregla con cualquier monstruo. Ha matado incluso manticoras y grifos. También se ha cargado a algunos dragones, he oído decir. Es bueno. Pero me echa a perder el negocio, el cabrón, porque no cobra por ello. ¿Quién más, Jaskier?

—Los Sableros de Crinfrid.

—Puaf, entonces el dragón está ya muerto. Incluso si se hubiera curado. Estos tres son una banda estupenda, luchan poco limpiamente, pero son eficaces. Acabaron con todos los doblecolas y las culebras de aire de Redania, y de paso cayeron tres dragones rojos y uno negro, y esto ya es algo. ¿Son ésos todos?

—No. Se les sumaron además seis enanos. Cinco barbudos comandados por Yarpen Zigrin.

—No lo conozco.

—Pero del dragón Posupuesto del monte Quesoblanc habrás oído hablar.

—Oí hablar. Y vi las piedras que procedían de su tesoro. Había zafiros de colores nunca vistos y diamantes grandes como cerezas.

—Bueno, pues precisamente Yarpen Zigrin y sus enanos acabaron con Posupuesto. Hay un romance sobre esto, pero aburrido, porque no es mío. Si no lo has oído no te has perdido nada.

—¿Ésos son todos?

—Sí. Sin contar contigo. Has dicho que no sabías lo del dragón, quién sabe, puede que fuera verdad. Pero ahora ya lo sabes. ¿Y qué?

—Y nada. No me interesa ese dragón.

—¡Ja! Muy listo, Geralt. Como no tienes salvoconducto.

—No me interesa ese dragón, repito. ¿Y qué pasa contigo, Jaskier? ¿Qué es lo que tanto te atrae en esa dirección?

—Lo normal. —El trovador se encogió de hombros—. Hay que estar cerca de los acontecimientos y las atracciones. De la contienda con este dragón se oirá hablar mucho. Claro, podría componer un romance de oídas, pero sonará completamente distinto si lo canta alguien que vio la lucha con sus propios ojos.

—¿Lucha? —sonrió Tres Grajos—. Más bien algo así como una matanza del cerdo o el descuartizamiento de una carroña. Os escucho, y de mi asombro no puedo salir. Famosos guerreros que corren hacia acá todo lo aprisa que pueden sus caballos para rematar a un dragón medio muerto al que antes había envenenado un cabronazo. Dan ganas de reír y de vomitar.

—Te equivocas —dijo Geralt—. Si el dragón no cayó envenenado en el sitio, seguro que su organismo ya lo ha combatido y la bestia estará en posesión plena de sus fuerzas. Esto al fin y al cabo no importa demasiado. Los Sableros de Crinfrid lo matarán igual, sólo que sin lucha, si quieres saberlo, no podrá ser.

—¿Apuestas entonces por los Sableros, Geralt?

—Claro.

—De eso na —habló el guardia artista, que había mantenido silencio hasta entonces—. Los dragonzuelos son bestias mágicas y no se los mata si no es a hechizo limpio. Si alguien se las puede apañar, pues entonces sólo la hechicera ésa que pasó por acá ayer.

—¿Quién? —Geralt torció la cabeza.

—Una hechicera —dijo el guardia—. Como dije.

—¿Dio su nombre?

—Diolo, pero lo olvidé. Tenía salvoconducto. Mozuela era, guapetona, a su manera, pero los ojos... Vos sabéis, señores. Se te mete un frío por el cuerpo cuando una de ésas te mira.

—¿Sabes algo de esto, Jaskier? ¿Quién puede ser?

—No. —El bardo frunció el ceño—. Moza, guapa y esos ojos. Vaya unas señas. Todas son así. Ni una de las que conozco, y conozco a muchas, parece mayor de veinticinco o treinta, y algunas, por lo que he oído, hasta recuerdan los tiempos en los que el bosque estaba donde ahora está Novigrado. Pues si no, ¿para qué están los elixires de mandrágora? Y los ojos se los enjuagan también con mandrágora para que les brillen. Mujeres, al fin y al cabo.

—¿No era pelirroja? —preguntó el brujo.

—No, señor —dijo el decurión—. Moreneta.

—¿Y qué caballo llevaba? ¿Uno castaño con estrella blanca?

—No. Negro, como ella. Pues eso, señores, os digo, ella al dragón lo mata. Un dragón es faena para un hechicero. Los hombres no tienen poder para ello.

—Interesante lo que diría a esto el zapatero Comecabras —se rió Jaskier—. Si hubiera tenido a mano algo más fuerte que eléboro y belladonna, el pellejo del dragón estaría secándose ahora en las empalizadas de Holopole, el romance estaría listo y yo no me estaría asando aquí al sol...

—¿Y qué pasó que Nedapaz no te llevó con él? —preguntó Geralt mientras miraba torvamente al poeta—. Pues si estabas en Holopole cuando partió. ¿Acaso al rey no le gustan los artistas? ¿Cuál fue la causa de que estés aquí asándote en vez de tocar tus romances junto al estribo del rey?

—La causa fue una joven viuda —dijo Jaskier de mal humor—. Así se la lleve el diablo. Remoloneé un poco y al día siguiente Nedapaz y el resto ya estaban al otro lado del río. Se llevaron consigo hasta a ese Comecabras y a los batidores de la milicia holopolaca, sólo de mí se olvidaron. Se lo estoy explicando aquí al decurión y él a lo suyo...

—Hay salvoconducto, se pasa —dijo impasible el alabardero al tiempo que se apoyaba en la pared de la caseta de guardia—. No lo hay, no se pasa. Órdenes...

—Oh —le interrumpió Tres Grajos—. Las muchachas vuelven con la cerveza.

—Y no solas —añadió Jaskier, levantándose—. Mirad qué caballo. Como un dragón.

Desde un bosquecillo de abedules venían cabalgando a paso vivo las zerrikanas, flanqueando a un jinete que iba sobre un semental enorme, rebelde, nervioso.

El brujo también se levantó.

El jinete llevaba un caftán violeta de terciopelo con cordoncillos de seda y un corto abrigo con forro de marta. Erguido en su silla, les miraba orgulloso. Geralt conocía tal mirada. Y no era especialmente de su agrado.

—Os saludo, señores. Me llamo Dorregaray —se presentó el jinete mientras descabalgaba despacio y orgullosamente—. Maestro Dorregaray. Nigromante.

—Maestro Geralt. Brujo.

—Maestro Jaskier. Poeta.

—Borch, llamado Tres Grajos. Y a mis muchachas, las que están quitando el bitoque del barrilete, ya las conocéis, don Dorregaray.

—Cierto, de hecho —dijo el hechicero sin sonreír—. Intercambiamos saludos, yo y las hermosas guerreras de Zerrikania.

—Bueno, entonces, ¡salud! —Jaskier repartió los vasillos de cuero que había traído Vea—. Bebed con nosotros, señor hechicero. Don Borch, ¿le damos también al decurión?

—Claro. Ven acá con nosotros, soldadillo.

—Juzgo —dijo el nigromante, después de haber bebido un pequeño y distinguido trago— que a los señores les ha traído a la barrera del puente el mismo objetivo que a mí.

—Si os referís al dragón, don Dorregaray —dijo Jaskier—, así es. Quiero pasar allá y componer una balada. Por desgracia, aquí el decurión, persona por lo visto sin modales, no me deja pasar. Exige un salvoconducto.

—Mil perdones pido. —El alabardero bebió su cerveza y chasqueó la lengua—. Me mandaron no dejar a ninguno pasar sin salvoconducto, so pena de mi pescuezo. Y por lo visto Holopole toda entera ha juntado carros y quiere subir al monte a por el dragón. Prohibido tengo...

—Tus órdenes, soldado —Dorregaray frunció el ceño— se refieren a esa chusma, que podría mercadear, a las putas, que podrían sembrar el desenfreno y la repugnante flojera, a los ladrones, alborotadores y tunantes. Pero no a mí.

—No pasa nadie sin salvoconducto —se enfureció el decurión—. Maldita sea...

—No maldigas —le interrumpió Tres Grajos—. Mejor échate otro trago. Tea, sirve a este valiente soldado. Y sentémonos, señores. Beber de pie, a toda prisa y sin la solemnidad correspondiente no es propio de nobles caballeros.

Se sentaron en las vigas alrededor del barrilete. El alabardero, recién ordenado caballero, enrojeció de satisfacción.

—Bebe, valiente centurión —le animó Tres Grajos.

—Decurión soy, que no centurión. —El alabardero enrojeció aún más.

—Pero llegarás a centurión, seguro. —Borch sonrió—. Eres hombre de luces, ascenderás en un suspiro.

Dorregaray, rechazando otra ronda, se volvió hacia Geralt.

—En la ciudad aún se habla del basilisco, noble brujo, y tú ya vas detrás del dragón, por lo que veo —dijo en voz baja—. Interesante, ¿tan necesitado estás de dinero o es por simple gusto que matas a seres amenazados de extinción?

—Extraña curiosidad —respondió Geralt— por parte de alguien que se las pela para llegar a tiempo a la matanza del dragón y poder sacarle los dientes, valioso componente de pomadas y elixires hechiceriles. ¿Es acaso verdad, noble hechicero, que los que se arrancan a un dragón vivo son los mejores?

—¿Estás seguro de que por eso voy allí?

—Lo estoy. Pero ya se te ha adelantado alguien, Dorregaray. Una compañera tuya ha tenido ya tiempo de acudir con un salvoconducto que tú no tienes. Morena, si te interesa.

—¿En un caballo negro?

—Al parecer.

—Yennefer —dijo Dorregaray, abatido. Al brujo le recorrió un escalofrío que nadie percibió.

Cayó un silencio que fue interrumpido por un eructo del futuro centurión.

—Nadie... sin salvoconducto...

—¿Bastarían veinte lintares? —Geralt sacó con serenidad la bolsa que había recibido del gordo alcalde.

—Geralt —sonrió enigmáticamente Tres Grajos—, sin embargo...

—Perdóname, Borch. Lo siento, no voy con vosotros a Hengfors. Quizá otro día. Quizá volvamos a encontrarnos.

—Nada me obliga a ir a Hengfors —dijo despacio Tres Grajos—. Nada de nada, Geralt.

—Guardad ese saquete, señor —habló con voz amenazadora el futuro centurión—. Esto es corrompimiento normal y corriente. Ni por trescientos os dejaría pasar.

—¿Y por quinientos? —Borch sacó su bolsa—. Guarda tu saquete, Geralt. Yo pago el peaje. Ha empezado a divertirme esto. Quinientos, señor soldado. Cien por cabeza, contando a mis muchachas como una sola hermosa cabeza. ¿Qué?

—Ay, ay, ay —se lamentó el futuro centurión, guardando bajo el gabán la bolsa de Borch—. ¿Qué le diré al rey?

—Dile —habló Dorregaray, incorporándose y sacando del cinturón una varita de marfil muy adornada— que el miedo te paralizó cuando viste.

—¿Qué vi, señor?

El hechicero agitó la varita, gritó un encantamiento. Un pino que crecía en el talud de la orilla del río estalló en fuego, en un instante se cubrió de furiosas llamas completamente, desde el suelo hasta la copa.

—¡A los caballos! —Jaskier, levantándose, se colgó el laúd a la espalda—. ¡A los caballos, señores! ¡Y señoras!

—¡Fuera la barrera! —aulló a los alabarderos el rico decurión que tenía muchas posibilidades de convertirse en centurión.

En el puente, más allá de la barrera, Vea tiró de las riendas, el caballo bailoteó, golpeó con los cascos sobre las tablas. La muchacha agitó las trenzas y lanzó un agudo grito.

—¡Bravo, Vea! —repuso Tres Grajos—. ¡Adelante, nobles señores, al galope! ¡Iremos a la zerrikana, con lelilíes y estruendos!

—Va, y mirad —dijo el mayor de los Sableros, Boholt, enorme e imponente como tronco de viejo roble—. Nedapaz no os mandó a tomar los vientos, señores míos, aunque yo seguro estaba de que lo iba a hacer. En fin, no somos quiénes, las gentes del común, para cuestionar decisiones de reyes. Os invitamos a la lumbre. Haceos campamento, paisanos. Y así, entre nosotros, brujo, ¿de qué hablaste con el rey?

—De nada —dijo Geralt, mientras apoyaba la espalda cómodamente en una montura que estaba puesta junto a la hoguera—. Ni siquiera salió de la tienda a vernos. Nos envió sólo a su totumfactum, como se llame...

—Gyllenstiern —dijo Yarpen Zigrin, un enano rechoncho y barbado, mientras dejaba caer un enorme y resinoso tocón que había traído del bosque—. Un currutaco arrogante. Un guarro bien gordo. Cuando nos unimos a ellos, va y viene a mí, la nariz hasta las nubes, eh, eh, recordad las cosas, enanos, quién manda aquí, a quién hay que obedecer, aquí, el rey Nedapaz manda, y su palabra es ley y dale. Me levanté y le oí, y pensaba que iba a decirles a mis mozos que le tiraran al suelo y que me le iba a mear en la capa. Pero me retuvo, sabéis, el que pensé que otra vez iban a decir por ahí que si los enanos son malos, que si agresivos, que si hijos de puta y que si no es posible la... cómo se dice, joder... la coensistencia, o como coño se diga. Y que otra vez iba a haber algún pogromo en algún pueblo. Le oí, muy fino yo, movía la cabeza.

—Parece entonces que don Gyllenstiern no sabe decir otra cosa —dijo Geralt—. Porque a nosotros lo mismo nos dijo y también acabamos moviendo la cabeza.

—A mi entender —habló el segundo de los Sableros, colocando una pelliza sobre un montón de ramas—, malo ha sido que Nedapaz no sus haya echado. Tanta copia de gentes va a por ese dragón que hasta da miedo. Un hormiguero. Esto no es ya una partida de caza, sino un velatorio. Pelear entre tantas apreturas no me gusta.

—Calla, calla, Devastadón —dijo Boholt—. En compañía mejor se viaja. ¿Qué te pasa?, como si no hubieras ya cazado dragones. Tras los dragones siempre va una tupa de gentes, una feria casi, un lupanar con ruedas. Pero cuando el bicho aparezca, sabes quién quedará en el campo. Nosotros y no más.

Boholt calló por un instante, pegó un buen trago de una damajuana rodeada de mimbre, se sopló los mocos sonoramente, tosió.

—Otra cosa —siguió— es que la práctica nos enseña que más de una vez, después de apiolar al dragón, empieza la fiesta y la matanza, y ruedan cabezas como si fueran garbanzos. Cuando se parte el tesoro se tiran los cazadores al cuello unos a otros. ¿Qué, Geralt? ¿Eh? ¿Tengo razón? Brujo, a ti te digo.

—Conozco tales casos —confirmó Geralt muy seco.

—Conoces, dices. Seguro que de oídas, porque hasta mis orejas no llegó que hubieras matado a dragón alguno. En toda mi vida no oí que un brujo cazara dragones. Por eso, más raro que nada es el que hayas aparecido por aquí.

—Cierto —ceceó Kennet, llamado el Cortapajas, el más joven de los Sableros—. Raro es. Y nosotros...

—Espera, espera, Cortapajas. Estoy yo hablando —le cortó Boholt—. Y de todos modos, no pienso hablar largo. Si el brujo ya sabe de lo que trato. Yo lo conozco y él me conoce, hasta ahora en el camino no nos estorbamos y creo que así seguiremos. Porque, mirad, muchachos, si yo, es un suponer, le quisiera estorbar al brujo en su trabajo o arramplarle el botín ante sus narices, pues entonces el brujo me partiría en dos con su garrancha y con razón. ¿Me equivoco?

Nadie afirmó ni negó. No parecía que Boholt necesitara ni una cosa ni otra.

—Así pues —siguió—, en compañía mejor se viaja, como dije. Y en una compaña un brujo puede ser de provecho. Los alredores son selvas y despoblados, si se nos aparece un espanto o un girador, o una estrige, nos puede liar una buena. Y si Geralt está cerca, no habrá problema ninguno, porque ésta es su especialidad. Pero el dragón no es su especialidad. ¿Verdad?

De nuevo nadie afirmó ni negó.

—El señor Tres Grajos —siguió Boholt, pasando la damajuana al enano— está con Geralt y esto me basta y me sobra como garantía. Entonces, ¿quién os estorba, Devastadón, Cortapajas? ¿No será Jaskier?

—Jaskier —dijo Yarpen Zigrin, mientras le daba al bardo la garrafa— siempre aparece allá donde algo pasa y todos saben que no estorba, no ayuda y que la marcha no retrasa. Como una pulga en el rabo de un perro. ¿No, muchachos?

Los «muchachos», unos enanos cuadrados y barbudos, se rieron mesándose las barbas. Jaskier se echó su sombrerillo para atrás y pegó un trago de la damajuana.

—Oooooh, la puta —jadeó, tomó aire—. Hasta se le come a uno la voz. ¿De qué esta hecho, de escorpiones?

—Una cosa no me gusta, Geralt —dijo Cortapajas y aceptó la botija del ministril—. Que nos hayas traído aquí al hechicero ése. Se nos salen los hechiceros hasta por las orejas.

—Cierto —le tomó la palabra el enano—. Cortapajas con razón habla. Ese Dorregaray nos es aquí tan necesario como una montura a un puerco. Desde hace no mucho tenemos ya nuestra propia hechicera, la noble Yennefer, lagarto, lagarto.

—Sííí —dijo Boholt mientras se rascaba su nuca de toro, de la que hacía un instante había descolgado un collarín de cuero armado con tachuelas de acero—. Hechiceros aquí hay demasiados, señores míos. En concreto dos de más. Y demasiado se han pegado ellos a nuestro Nedapaz. Mirad sólo cómo nosotros estamos aquí, bajo las estrellas, a la lumbre, y ellos, señores míos, bien calentitos, en la tienda del rey, maquinan algo, las zorras astutas. Nedapaz, la maga, el hechicero y Gyllenstiern. Pero Yennefer es la peor. ¿Y os digo lo que traman? Cómo darnos por culo, eso es.

—Y corzo que comen, los tíos —añadió triste Cortapajas—. ¿Y qué hemos comido nosotros? ¡Marmota! ¿Y la marmota, os pregunto, qué es? Una rata, no otra cosa. Entonces, ¿qué es lo que hemos comido? ¡Una rata!

—Déjalo —habló Devastadón—. A poco probaremos cola de dragón. No hay nada como la cola de dragón asada a la parrilla.

—Yennefer —siguió Boholt— es una hembra malvada, perversa y deslenguada. No como vuestras muchachas, don Borch. Ellas calladitas son, y amables, oh, mirad, están sentadas al lado de los caballos, afilan el sable, y pasé al lado, les conté un chiste y se rieron, me mostraron sus dientecillos. Sí, me agradan, no como esa Yennefer que sólo trama y trama. Os digo, hay que andarse con cuidado, que si no, a la mierda nuestro acuerdo se irá.

—¿Qué acuerdo, Boholt?

—¿Qué, Yarpen, se lo decimos al brujo?

—No veo por qué no —dijo el enano.

—No queda orujo —se entrometió Cortapajas, poniendo la damajuana boca abajo.

—Pues trae más. Tú eres el más mozo, señores míos. Y el acuerdo, Geralt, nosotros nos lo pensamos, porque mercenarios o esbirros de pago no somos, y no nos va a mandar Nedapaz a por el dragón echándonos un par de piezas de oro a los pies. La verdad es que nosotros nos las apañamos con el dragón sin Nedapaz, pero Nedapaz sin nosotros no se las apaña. Y así está claro quién vale más y a quién la parte más sustanciosa le corresponde. Y pusimos el asunto honradamente: aquéllos que a una lucha mano a mano vayan y al dragón cacen, se llevan la mitad del tesoro. Nedapaz, a causa de su nacimiento y sus títulos, se lleva un cuarto, lo quiera o no. Y el resto, si acaso ayudaran, se parten entre ellos el cuarto que sobra, a partes iguales. ¿Qué piensas de esto?

—¿Y qué es lo que piensa Nedapaz?

—No dijo ni que sí ni que no. Pero más le vale no ponerse en medio, el criajo. Os digo, él solo contra el dragón no se va a echar, tiene que dejárselo a los profesionales, es decir, a nosotros, Sableros, y Yarpen y sus muchachos. Nosotros, y no otros, nos echamos al dragón a distancia de espada. El resto, incluidos los hechiceros, si prestan ayuda honradamente, se partirán entre sí un cuarto del tesoro.

—Además de los hechiceros, ¿a quién contáis entre ese resto? —se interesó Jaskier.

—Por supuesto que no a musicantes ni juntaversos —se rió Yarpen Zigrin—. Incluimos a aquéllos que trabajan con hachas y no con laúdes.

—Ajá —dijo Tres Grajos, mirando al cielo estrellado—. ¿Y con qué trabajan el zapatero Comecabras y su patulea?

Yarpen Zigrin escupió al fuego, murmurando algo en enanés.

—La milicia de Holopole conoce estas putas sierras y hace de guía —dijo en voz baja Boholt—, así que de justicia es dejarlos tomar parte en el botín. El zapatero, sin embargo, es cosa aparte. Sabéis, no estaría bien que la bellaquería entera tornara a creer que si aparece un dragón en el vecindario, en vez de mandar buscar a los profesionales, se le puede echar un venenillo como el que no quiere la cosa y seguir guerreando con las mozas en el pajar. Si tal proceder se generalizase, íbamos a acabar teniendo que ir a mendigar. ¿No?

—Cierto —añadió Yarpen—. Por eso os digo, a ese zapatero le tiene que pasar algo malo por pura casualidad, antes de que el cabronazo entre en la leyenda.

—Le tiene que pasar y le pasará —dijo Devastadón con énfasis—. Dejádmelo a mí.

—Y Jaskier —se le ocurrió al enano— le va a sajar el culo en un romance, en ridículo lo va a poner. Para que le alcancen la vergüenza y la ignominia por los siglos de los siglos.

—Os habéis olvidado de alguien —dijo Geralt—. Hay aquí uno que os puede aguar la fiesta. Uno que no hará partición alguna ni acuerdos. Hablo de Eyck de Denesle. ¿Habéis hablado con él?

—¿De qué? —inquirió Boholt, mientras arreglaba el fuego con un palo—. Con Eyck, Geralt, no se puede hablar. Él no entiende de negocios.

—Según nos acercamos a vuestro campamento —dijo Tres Grajos—, nos lo encontramos. Estaba de rodillas sobre una piedra, con toda la armadura, y miraba como bobo al cielo.

—Él siempre hace así —habló Cortapajas—. Medita o hace rezos. Dice que tiene que hacerlo, porque los dioses le mandaron proteger a la gente del mal.

—Allá en mi tierra, en Crinfrid —murmuró Boholt—, a los tales se los guarda en los establos, atados a una cadena, y se los da un cacho de carbón, y entonces ellos pintan cosas raras en las paredes. Pero basta ya de mormurar del prójimo, de negocios estábamos hablando.

En el círculo de la luz entró sin hacer ruido una joven no muy alta de cabellos negros sujetos con una red de oro y envuelta en una capa de lana.

—¿Qué es lo que apesta tanto aquí? —preguntó Yarpen Zigrin, fingiendo como que no la veía—. ¿No será azufre?

—No. —Boholt, mirando a un lado, aspiró aire por la nariz, desafiante—. Es almizcle o puede que otro perfumillo.

—No, creo que es... —El enano frunció el ceño—. ¡Ah! ¡Es la noble doña Yennefer! ¡Bienvenida, bienvenida!

La hechicera recorrió con la mirada lentamente a los allí reunidos, detuvo por un momento sus ojos relampagueantes sobre el brujo. Geralt sonrió suavemente.

—¿Permitís que me siente?

—Pero por supuesto, benefactora nuestra —dijo Boholt y soltó un hipido—. Sentaos aquí, en la montura. Menea el culo, Kennet, y dale a la hermosa hechicera la silla.

—Los señores hablan aquí de negocios, por lo que oigo. —Yennefer se sentó, echando hacia adelante unas agraciadas piernas embutidas en medias negras—. ¿Sin mí?

—No nos atrevimos —dijo Yarpen Zigrin— a importunar a persona de tanta importancia.

—Tú, Yarpen —Yennefer entrecerró los ojos, volvió la cabeza hacia el enano—, mejor cállate. Desde el primer día me desafías tratándome como si fuera aire, así que sigue haciendo lo mismo en adelante, no te molestes. Porque a mí eso tampoco me molesta.

—Pero qué decís, señora. —Yarpen mostró sus dientes irregulares en una sonrisa—. Que se me coman las pulgas si no os trato mejor que al aire. Al aire, por ejemplo, lo jodo a veces, lo que con vos no me atrevería a hacer en ningún caso.

Los barbados «muchachos» risotearon a grandes voces, pero se callaron a la vista del aura azulada que súbitamente rodeó a la hechicera.

—Una sola palabra más y de ti no quedará más que un poco de aire jodido, Yarpen —dijo Yennefer con una voz en la que resonaba el metal—. Y una mancha negra en la hierba.

—Pues eso. —Boholt carraspeó, descargando el silencio que había caído—. Calla, Zigrin. Escuchemos qué tiene que decirnos doña Yennefer. Se quejó ahora mismo de que sin ella de negocios hablamos. De lo que resuelvo que tiene para nosotros alguna propuesta. Escuchemos, señores míos, qué propuesta sea. Salvo que nos propusiera que ella sola, con hechizos, se cargara al dragón.

—¿Y qué? —Yennefer alzó la cabeza—. ¿Piensas que es imposible, Boholt?

—Y puede que posible. Pero a nosotros no nos traería cuenta, porque seguro que entonces pediríais la mitad del tesoro dragonero.

—Cómo mínimo —dijo con frialdad la hechicera.

—Bueno, entonces vos misma veis que esto para nosotros no es negocio. Nosotros, señora, pobres guerreros somos, si el botín se nos escapa, nos veremos en los brazos del hambre. Nosotros, de acederas y armuelles nos alimentamos...

—Una fiesta es cuando alguna vez una marmota cazamos —dijo Yarpen Zigrin con voz triste.

—... y agua de la fuente bebemos. —Boholt echó un trago de la damajuana y se estremeció ligeramente—. Para nosotros, doña Yennefer, no hay salida. O el botín o helarse en invierno junto a una cerca. Y las posadas son caras.

—Y la cerveza —añadió Devastadón.

—Y las hembras de mal vivir —dijo, soñador, Cortapajas.

—Por eso —Boholt miró al cielo—, nosotros, sin encantamientos y sin vuestra ayuda, mataremos al dragón.

—¿Estás seguro? Recuerda que hay límites de lo posible, Boholt.

—Puede ser, pero yo nunca los encontré. No, señora. Lo digo otra vez, solos mataremos al dragón, sin encantamiento alguno.

—Sobre todo —añadió Yarpen Zigrin—, porque los encantamientos también seguro que tienen sus límites de lo posible, los cuales, a diferencia de los nuestros, no conocemos.

—¿Tú solito has pensado eso —preguntó despacio Yennefer—, o alguien te lo ha dicho? ¿No es la presencia del brujo en este noble círculo lo que os permite estar tan confiados?

—No —dijo Boholt, mientras miraba a Geralt, que fingía echar una cabezada, tumbado sobre la manta y con la cabeza apoyada en la montura—. El brujo no tiene nada que ver con esto. Escuchad, noble Yennefer. Propusimos algo al rey, no nos honró con una respuesta. Esperaremos pacientemente hasta el alba. Si el rey el trato acepta, seguiremos juntos hacia adelante. Si no, nos volvemos.

—Nosotros también —bramó el enano.

—Regateo no habrá —continuó Boholt—. O todo o nada. Repetidle nuestras palabras a Nedapaz, doña Yennefer. Y os diré: el trato es bueno para vos también, y para Dorregaray, si os ponéis con él de acuerdo. A nosotros, sea dicho, el cadáver del dragón no nos es necesario, sólo la cola nos llevaremos. Y el resto será vuestro, tomad y coged lo que queráis. No os escatimaremos ni los dientes ni el cerebro, nada de lo que os sea necesario para vuestras hechicerías.

—Por supuesto —añadió Yarpen, riéndose—. La carroña será para vos, hechiceros, nadie os la quitará. A no ser que sean algotros buitres.

Yennefer se levantó, echándose la capa sobre los hombros.

—Nedapaz no va a esperar hasta el amanecer —dijo enfadada—. Acepta vuestras condiciones desde ahora mismo. En contra, sabedlo, de mi consejo y del de Dorregaray.

—Nedapaz —fue diciendo poco a poco Boholt— muestra un buen juicio que asombra en tan joven rey. Porque para mí, doña Yennefer, el buen juicio significa, entre otras cosas, la capacidad de dejar que entren por un oído y salgan por el otro los consejos idiotas o falsarios.

Yarpen Zigrin se mesó la barba.

—Ya diréis otra cosa —la hechicera puso los brazos en jarras— cuando mañana el dragón os aplaste, os agujeree y os rompa la crisma. Me vendréis a besar las botas y a suplicar ayuda. Como siempre. Que bien os conozco, que bien conozco a los que son como vosotros. Hasta la náusea os conozco.

Se dio la vuelta, se introdujo en las tinieblas, sin despedirse.

—En mis tiempos —dijo Yarpen Zigrin—, los hechiceros vivían en torres, leían libros de ciencia y removían los crisoles con la badila. No se les metían entre las patas a los guerreros, no se mezclaban en nuestros asuntos. Y no meneaban el culo delante de los muchachos.

—Culo, para ser sincero, que no es gran cosa —dijo Jaskier, templando el laúd—. ¿Qué, Geralt? ¿Geralt? Eh, ¿dónde se ha metido el brujo?

—¿Y qué nos importa a nosotros? —murmuró Boholt, echando más leña al fuego—. Se fue. Quizá a cambiar el agua a las aceitunas, señores míos. Asunto suyo.

—Seguro —aceptó el bardo y pasó la mano por las cuerdas—. ¿Os canto algo?

—Canta, joder —dijo Yarpen Zigrin y escupió—. Pero no pienses que te voy a dar ni un céntimo por tus berridos. Aquí, chaval, no estamos en un palacio real.

—Eso se ve —movió la cabeza afirmativamente el trovador.

V

—Yennefer.

Se dio la vuelta, como sorprendida, aunque el brujo no dudaba de que ya de lejos había escuchado sus pasos. Puso sobre la tierra el cubo de madera, se irguió, retiró de la frente los cabellos que se escapaban bajo la redecilla de oro, los rizos retorcidos que caían sobre los hombros.

—Geralt.

Como de costumbre, sólo llevaba dos colores, negro y blanco. Negros cabellos, negras y largas pestañas que obligaban a adivinar el color de los ojos escondidos por ellas. Una falda negra, un corto caftán negro con cuello de piel blanca. Una camisa del más fino lino. En el cuello una cinta negra de terciopelo adornada con una estrella de obsidiana cuajada de diamantes.

—No has cambiado nada.

—Tú tampoco. —Yennefer frunció los labios—. Y en ambos casos es lo normal. O, si prefieres, lo anormalmente normal. De cualquier modo, decir esto, aunque pueda ser una buena forma para comenzar una conversación, es absurdo. ¿No es cierto?

—Cierto —afirmó él con un ademán de la cabeza, miró a un lado, en dirección a la tienda y las hogueras de los arqueros reales, medio escondidas detrás de las negras siluetas de los carromatos. Desde el fuego más alejado les alcanzaba la sonora voz de Jaskier cantando "Estrellas en el camino", uno de sus romances de amor más conseguidos.

—En fin, ya hemos dejado atrás la introducción —dijo la hechicera—. Escuchemos lo que sigue.

—Ves, Yennefer...

—Veo —le cortó con fuerza—. Pero no comprendo. ¿Por qué has venido aquí, Geralt? ¿Seguro que no es por el dragón? Supongo que en este aspecto no habrás cambiado.

—No. No he cambiado.

—Entonces, pregunto, ¿por qué te has unido a nosotros?

—Si dijera que a causa tuya, ¿lo creerías?

Lo miró en silencio, y en sus ojos relampagueantes brillaba algo que no le gustaba.

—Te creo, por qué no —dijo por fin—. A los hombres les gusta encontrarse con sus antiguas amantes, les gusta revivir los recuerdos. Les gusta imaginarse que los antiguos arrebatos amorosos les dan algo así como un derecho perpetuo de propiedad sobre la mujer. Esto influye positivamente sobre su estado de ánimo. No eres una excepción. Pese a todo.

—Pese a todo. —Sonrió—. Tienes razón, Yennefer. El verte influye maravillosamente sobre mi estado de ánimo. En otras palabras, me alegro de verte.

—¿Y eso es todo? Bueno, digamos que yo también me alegro. Alegrados ya, te deseo buenas noches. Me voy, como ves, a dormir. Antes de ello tengo intenciones de lavarme, y para esta actividad tengo la costumbre de desnudarme. Así que vete, para concederme al menos la cortesía de un mínimo de discreción.

—Yen. —Desplazó una mano hacia ella.

—¡No me llames así! —gritó ella con rabia, saltando, y de los dedos que apuntó en dirección a él salieron chispas rojas y azules—. Si me tocas te quemaré los ojos, canalla.

El brujo retrocedió. La hechicera, algo más tranquila, se retiró de nuevo los cabellos de la frente, se puso frente a él con los puños apoyados en las caderas.

—¿Qué te pensabas, Geralt? ¿Que íbamos a charlotear alegremente, que íbamos a recordar viejos tiempos? ¿Que quizá después de terminar con la charla nos íbamos a ir juntos al carro e íbamos a hacer el amor, así, para reavivar los recuerdos? ¿Qué?

Geralt, sin estar seguro de si la hechicera le leía el pensamiento por medio de la magia o si sólo lo había adivinado acertadamente, calló, adoptó una sonrisa torcida.

—Estos cuatro años han hecho lo suyo, Geralt. Ya se me ha pasado y única y exclusivamente por ello no te escupí a los ojos cuando te vi hoy. Pero no te dejes engañar por mi cortesía.

—Yennefer...

—¡Calla! Te di a ti más que a cualquier otro hombre, maldito seas. Y tú... Oh, no, querido mío. No soy una puta ni una elfa encontrada en el bosque, a la que se pueda abandonar por la mañana, irse sin despertarla, dejando sobre la mesa un ramito de violetas. A la que se puede dejar al hazmerreír. ¡Ten cuidado! ¡Si dices ahora siquiera una palabra lo vas a lamentar!

Geralt no dijo ni palabra, percibió claramente cómo le volvía el enfado a Yennefer. La hechicera se retiró de nuevo de la frente los cabellos desobedientes, le miró a los ojos desde cerca.

—Nos hemos encontrado, qué se le va a hacer —dijo en voz baja—. No vamos a dar un espectáculo ante todos éstos. Vamos a mantener el tipo. Fingiremos ser buenos conocidos. Pero no cometas un error, Geralt. Entre tú y yo no hay ya nada. Nada, ¿entiendes? Y alégrate porque esto significa que he rechazado ciertos proyectos que todavía no hace mucho tenía con respecto a ti. Pero esto no significa que te haya perdonado. No te perdonaré, brujo. Nunca.

Se dio la vuelta con brusquedad, agarró el cubo, derramando agua, se fue hacia el carro.

Geralt espantó a un mosquito que le zumbaba junto al oído, caminó con lentitud hacia el fuego ante el que unas escasas palmas recompensaban la actuación de Jaskier. Miró al cielo granate por encima de la dentada y negra cadena de cumbres. Tenía ganas de reír. No sabía por qué.

VI

—¡Cuidado allí! ¡Atentos estad! —gritaba Boholt mientras se daba la vuelta sobre el pescante, en dirección a la columna—. ¡Más cerca de las peñas! ¡Estad atentos!

32

Los carros se seguían unos a otros tropezando sobre las piedras. Los carreteros maldecían, azotaban a los caballos con las riendas, se inclinaban, atisbaban a ver si las ruedas estaban a suficiente distancia de los límites del talud junto al que corría un camino estrecho y desigual. Abajo, en el fondo del precipicio, se amontonaba la espuma blanca entre las rocas del río Braa.

Geralt sujetó al caballo, acercándose a la pared de piedra cubierta de un ralo musgo de color bronce y unas florescencias blancas que tenían aspecto de herpes. Dejó que le adelantara el furgón de los Sableros. Desde la cabeza de la columna acudió galopando Cortapajas, que estaba dirigiendo la caravana junto con los batidores de Holopole.

—¡Está bien! —gritó—. ¡Moved el culo! ¡Por delante hay más sitio!

El rey Nedapaz y Gyllenstiern, ambos montados en potrancos y rodeados de algunos arqueros también a caballo, llegaron a la altura de Geralt. Detrás de ellos traqueteaba el carro de la impedimenta real. Aún más lejos les seguía el carro de los enanos conducido por Yarpen Zigrin, quien gritaba sin descanso.

Nedapaz, un escuchimizado y esbelto mozo con un abriguillo de piel de color blanco, pasó al brujo, lanzándole una mirada paciente pero visiblemente aburrida. Gyllenstiern se irguió, sujetó al caballo.

—Perdonad, señor brujo —le dijo, imperioso.

—Decid. —Geralt dio a la yegua con los tacones, se dirigió con lentitud hacia el canciller, detrás del carro. Se asombró de que, teniendo una tripa tan impresionante, Gyllenstiern prefiriera la silla a un cómodo viaje en el carro.

—Ayer —Gyllenstiern tiró ligeramente de las riendas que estaban cubiertas de botones dorados, se echó sobre los hombros el capote turquesa—, ayer dijisteis que no os interesa el dragón. ¿Qué os interesa entonces, señor brujo? ¿Por qué vais con nosotros?

—Éste es un país libre, señor canciller.

—De momento. Pero en este cortejo, don Geralt, todos deben saber dónde está su lugar. Y el papel que han de cumplir de acuerdo con la voluntad del rey Nedapaz. ¿Lo comprendéis?

—¿Qué es lo que queréis, don Gyllenstiern?

—Os lo diré. He oído decir que últimamente es difícil ponerse de acuerdo con vosotros, brujos. La cosa es que si se le muestra al brujo un monstruo que matar, el brujo, en vez de tomar la espada y darle un tajo, comienza a meditar si esto se debe hacer, si no sobrepasa los límites de lo posible, si no está en contra del código y si el monstruo es de verdad un monstruo, como si esto no se pudiera ver al primer golpe de vista. Me da la sensación de que se os ha empezado a dar demasiado bien. En mis tiempos los brujos no apestaban a dinero sino a peal. No le daban vueltas, se cargaban a lo que se les señalara, les daba igual que fuera un lobizón, un dragón o un cobrador de impuestos. Lo único que contaba era si los cachitos eran suficientemente pequeños. ¿Qué, Geralt?

—¿Tenéis alguna tarea para mí, Gyllenstiern? —preguntó seco el brujo—. Decid entonces lo que queréis. Entonces nos lo pensaremos. Y si no tenéis, para qué cansarnos abriendo el pico, ¿no es cierto?

—¿Tarea? —suspiró el canciller—. No, no tengo. Aquí se trata de un dragón y esto sobrepasa claramente tus límites de lo posible, brujo. Prefiero a los Sableros. Quería simplemente aconsejarte. Advertirte. Yo y el rey Nedapaz podemos tolerar los antojos de los brujos, que residen en dividir a los monstruos en buenos y malos, pero no deseamos escucharlos, ni mucho menos ver cómo son realizados. No te mezcles en los asuntos del rey. Y no hagas migas con Dorregaray.

—No tengo por costumbre hacer migas con hechiceros. ¿De dónde sacáis esas suposiciones?

—Dorregaray —dijo Gyllenstiern— sobrepasa en antojos hasta a los brujos. No le basta con dividir a los monstruos en buenos y malos. Afirma que todos son buenos.

—Exagera un poco.

—Indudablemente. Pero defiende sus ideas con asombrosa vehemencia. De verdad, no me asombraría si le pasara algo. Y como se unió a nosotros en extraña compañía...

—No soy compañía para Dorregaray. Ni él para mí.

—No me interrumpas. La compañía es extraña. Un brujo que está tan lleno de escrúpulos como una piel de lince de piojos. Un hechicero que repite las tonterías de los druidas sobre el equilibrio de la naturaleza. Un callado caballero, Borch Tres Grajos, y su escolta de zerrikanas, país, como es sabido, donde se realizan ofrendas delante de una imagen de dragón. Y todos ellos de pronto se unen a la caza. Extraño, ¿no es cierto?

—Si así lo decís, será verdad.

—Sabe, pues —dijo el canciller—, que los problemas más enigmáticos encuentran, como confirma la práctica, las soluciones más sencillas. No me obligues, brujo, a que eche mano de ellas.

—No entiendo.

—Entiendes, entiendes. Gracias por la conversación, Geralt.

Geralt se detuvo. Gyllenstiern azuzó al caballo, se unió al rey junto al carro de la impedimenta. Junto a ellos pasó Eyck de Denesle con un caftán calado de piel blanca con marcas de la armadura, tirando de un caballo de carga sobre el que iban la armadura, un sólido escudo de plata y una lanza enorme. Geralt le saludó alzando una mano, pero el caballero andante miró para otro lado, apretó sus anchos labios, golpeó al caballo con las espuelas.

—No le gustas demasiado —dijo Dorregaray, acercándose—. ¿No, Geralt?

—Por lo visto.

—¿Competencia, verdad? Ambos lleváis a cabo una actividad parecida. Sólo que Eyck es un idealista y tú un profesional. Escasa diferencia, sobre todo para aquéllos a los que matáis.

—No me compares con Eyck, Dorregaray. Los diablos sabrán a quién insultas con esa comparación, a él o a mí, pero no nos compares.

—Como quieras. Para mí, hablando con sinceridad, ambos sois igualmente repugnantes.

—Gracias.

—No hay de qué. —El hechicero acarició el cuello de su caballo, que estaba nervioso a causa de los gritos de Yarpen y sus enanos—. Para mí, brujo, llamar caza al asesinato es repugnante, malvado e idiota. Nuestro mundo está en equilibrio. El exterminio, el asesinato de cualquier ser que habita este mundo, altera ese equilibrio. Y la falta de equilibrio es un paso más hacia el holocausto, el holocausto y el fin del mundo tal y como lo conocemos.

—La teoría de los druidas —afirmó Geralt—. La conozco. Me la explicó una vez un viejo hierofante, aún en Rivia. Dos días después de nuestra conversación le hicieron pedazos unos ratizones. No pareció haber una alteración del equilibrio.

—El mundo, te repito —Dorregaray le miró indiferente—, está en equilibrio. Un equilibrio natural. Cada género tiene sus enemigos naturales, cada uno es enemigo natural de otros géneros. Esto comprende también a los seres humanos. El exterminio de los enemigos naturales del ser humano, al que te dedicas, y que ya comienza a observarse, amenaza con llevar a la degeneración de la raza.

—Sabes qué, hechicero —se enfureció Geralt—, echa un vistazo alguna vez a una madre cuyo hijo fue devorado por un basilisco y dile que debiera alegrarse porque gracias a eso la raza humana se salvó de la degeneración. Verás lo que te contesta.

—Un buen argumento, brujo —dijo Yennefer cabalgando hacia ellos por detrás en su enorme caballo negro—. Y tú, Dorregaray, ten cuidado con lo que dices.

—No tengo por costumbre ocultar mis ideas.

Yennefer cabalgaba entre ellos. El brujo se dio cuenta de que la redecilla dorada de sus cabellos había sido sustituida por una cinta hecha con un pañuelo blanco enrollado.

—Pues comienza a ocultarlas cuanto antes, Dorregaray —dijo ella—. Sobre todo delante de Nedapaz y los Sableros, que ya sospechan que tienes intenciones de impedir que maten al dragón. Mientras te limites a charlotear, te tratarán como a un maniaco inofensivo. Pero si intentas hacer algo, te retorcerán el pescuezo antes de que alcances a respirar.

El hechicero sonrió despectivamente.

—Y aparte de eso —siguió Yennefer—, cuando expresas esas ideas hundes la reputación de nuestra profesión y vocación.

—¿Y cómo es eso?

—Tus teorías pueden referirse a toda clase de seres y monstruosidades. Pero no a los dragones. Porque los dragones son los peores enemigos naturales del ser humano. Y no se trata de la degeneración de la raza, sino de su pervivencia. Para pervivir, hay que librarse de los enemigos, de aquéllos que pueden impedir tu pervivencia.

—Los dragones no son enemigos del ser humano —introdujo Geralt.

La hechicera lo miró y sonrió. Sólo con los labios.

—En esta cuestión —dijo—, déjanos valorar a nosotros, los humanos. Tú, brujo, no estás hecho para valorar. Tú estás para el trabajo a pie de obra.

—¿Como un golem programado y sin voluntad?

—La comparación es tuya, no mía —le repuso con frialdad Yennefer—. Pero, en fin, acertada.

—Yennefer —dijo Dorregaray—. Para una mujer de tu educación y de tu edad hablas de un modo extraordinariamente necio. ¿Por qué precisamente los dragones se han convertido para ti en los principales enemigos de la humanidad? ¿Por qué no otros seres cien veces más peligrosos, ésos que tienen en su conciencia cien veces más víctimas que los dragones? ¿Por qué no las hirikas, doblecolas, manticoras, amfisbenos o grifos? ¿Por qué no los ladrones?

—Te diré por qué. La supremacía del ser humano sobre otras razas y géneros, su lucha por encontrar un lugar en la naturaleza, un espacio vital, será realidad sólo cuando se elimine definitivamente el nomadismo, los desplazamientos de un sitio a otro en busca de alimento, como ordena el calendario de la naturaleza. En caso contrario no se alcanzará el crecimiento de población necesario, el niño humano depende de otros durante demasiado tiempo. Sólo la seguridad detrás de los muros de una ciudad o fortaleza permite a la mujer dar a luz al ritmo adecuado, es decir, cada año. La fertilidad, Dorregaray, es el progreso, es la condición para sobrevivir y dominar. Y aquí llegamos a los dragones. Sólo un dragón, ningún otro monstruo, puede llegar a ser una amenaza para una ciudad o una fortaleza. Si no se extermina a los dragones, los humanos se dispersarán buscando seguridad, en lugar de unirse, porque el fuego de dragón en un asentamiento densamente edificado es una pesadilla, significa cientos de víctimas, significa un terrible holocausto. Por eso los dragones han de ser destruidos hasta el último, Dorregaray.

Dorregaray la miró con una extraña sonrisa en sus labios.

—Sabes, Yennefer, no quisiera llegar a vivir el momento en que se realizara tu idea de la dominación del ser humano, cuando los tuyos ocupen el lugar que les corresponda en la naturaleza. Por suerte, nunca se llegará a eso. Antes os cortaréis el cuello los unos a los otros, os envenenaréis, os pudriréis con el tabardillo y el tifus, porque son la suciedad y las pulgas lo que amenaza a vuestras maravillosas ciudades, en las que las mujeres dan a luz cada año, pero sólo un niño de cada diez vive más de diez días. Sí, Yennefer, fertilidad, fertilidad y otra vez fertilidad. Dedícate, querida mía, a dar a luz niños, porque ésa es una tarea más natural para ti. Esto te ocupará el tiempo que ahora pierdes estérilmente en imaginarte tonterías. Adiós.

El hechicero azuzó al caballo, galopó en dirección a la cabeza de la columna. Geralt miró de reojo al rostro blanco y torcido en una rabiosa mueca de Yennefer y comenzó a compadecer a Dorregaray por adelantado. Sabía de qué se trataba. Yennefer, como la mayoría de las hechiceras, era estéril. Pero se mortificaba por ello como pocas hechiceras y a la mención de este hecho reaccionaba con verdadera locura. Dorregaray seguramente lo sabía. Lo que no sabía probablemente era lo vengativa que ella era.

—Va a tener problemas —siseó Yennefer—. Oh, los va a tener. Cuidado, Geralt. No pienses que, si algo pasa y tú no te muestras razonable, te vaya a defender yo.

—No tengas miedo. —Sonrió—. Nosotros, es decir, los brujos y golems sin voluntad propia, actuamos siempre de modo razonable. Al fin y al cabo los límites de lo posible entre los que nosotros nos podemos mover están clara e inequívocamente marcados.

—Vaya, vaya, miradle. —Yennefer dirigió sus ojos hacia él, estaba pálida aún—. Te has enfadado como una muchachita a la que se le acusa de falta de virtud. Eres un brujo, no puedes cambiar ese hecho. Tu vocación...

—Déjate ya de esa vocación, Yen, porque me están entrando ganas de vomitar.

—No me llames así, te he dicho. Y tus vómitos poco me interesan. Como todas las otras reacciones del limitado repertorio de reacciones de los brujos.

—Sin embargo, verás alguna de ellas si no dejas de agasajarme con tus historias de enviados de los cielos y lucha por el bien de la humanidad. Y sobre los dragones, esos terribles enemigos de la tribu humana. Yo lo sé mejor.

—¿Sí? —entrecerró los ojos la hechicera—. ¿Y qué es lo que sabes, brujo?

—Por ejemplo —Geralt ignoró los violentos temblores de aviso del medallón del cuello—, que si los dragones no tuvieran tesoros, no se interesaría por ellos ni la madre que los parió, y desde luego no los hechiceros. Interesante que en cada cacería de dragones siempre anda revolviendo algún hechicero muy ligado con el gremio de los joyeros. Como tú. Y aunque luego debiera salir al mercado un verdadero torrente de piedras, como que no llegan, y los precios no bajan. Así que no me cuentes historias de vocaciones ni de lucha por preservar la raza. Demasiado tiempo y demasiado bien te conozco ya.

—Demasiado tiempo —repitió ella, deformando los labios de la rabia—. Por desgracia. Pero no pienses que bien, hijo de perra. Su puta madre, cuidado que fui idiota... ¡Ah, al diablo! ¡No puedo ni verte!

Gritó, hizo encabritarse al caballo, galopó a toda velocidad hacia adelante. El brujo sujetó a su montura, dejó pasar el carro de los enanos, que gritaban, maldecían y silbaban con unos silbatos de hueso. Entre ellos, echado sobre unos sacos de piel de oveja y rasgueando el laúd, yacía Jaskier.

—¡Hey! —gritó Yarpen Zigrin sentado en el pescante, señalando a Yennefer—. ¡Hay algo negro en la trocha! ¿Qué será? ¡Parece una yegua!

—¡Sin duda! —repuso Jaskier, echándose para atrás el gorrillo color ciruela—. ¡Es una yegua! ¡Un yegua sobre un castrado! ¡Increíble!

Los muchachos de Yarpen agitaron las barbas con una risa a coro. Yennefer fingió que no los oía.

Geralt detuvo al caballo, dejó pasar a los arqueros de Nedapaz. Detrás de ellos, a cierta distancia, cabalgaba lento Borch, y detrás de él las zerrikanas, que formaban la retaguardia de la columna. Geralt esperó hasta que se acercaron, colocó a su yegua al lado del caballo de Borch. Cabalgaron en silencio.

—Brujo —habló de pronto Tres Grajos—. Quiero hacerte una pregunta.

—Hazla.

—¿Por qué no te das la vuelta?

El brujo le miró un instante sin decir nada.

—¿De verdad quieres saberlo?

—Quiero —dijo Tres Grajos volviendo hacia él la cara.

—Voy con ellos porque soy un golem sin voluntad propia. Porque soy un arbusto de estopa que el viento arrastra a lo largo del camino. ¿Adónde, dime, podría ir? Aquí por lo menos se han reunido algunos con los que tengo de qué hablar. Algunos que no cortan la conversación cuando me acerco. Algunos que, incluso si no les gusto, me lo dicen a la cara, no tirándome piedras por la espalda. Voy con ellos por la misma razón que fui contigo hasta la taberna de los almadieros. Porque todo me da igual. No hay ningún lugar al que podría querer dirigirme. No tengo meta que debiera hallarse al final del camino.

Tres Grajos carraspeó.

—Siempre hay una meta al final de cada camino. Todo el mundo la tiene. Incluso tú, aunque te parezca que eres tan diferente.

—Ahora yo te hago una pregunta.

—Hazla.

—¿Tienes una meta esperando al final de tu camino?

—La tengo.

—Tienes suerte.

—No es cuestión de suerte, Geralt. Es una cuestión de en qué crees y a lo que te consagras. Nadie debiera saberlo mejor que un... un brujo.

—Todo el día de hoy estoy oyendo hablar algo de la vocación —suspiró Geralt—. La vocación de Nedapaz es arramplar con Malleore. La vocación de Eyck de Denesle es defender a la gente de los dragones. Dorregaray se siente llamado a algo completamente opuesto. Yennefer, a causa de ciertos cambios a los que se sometió su organismo, no puede cumplir su vocación y se martiriza horriblemente por ello. Rayos, sólo los Sableros y los enanos no tienen ninguna vocación y no quieren más que ponerse las botas. ¿Puede ser que por eso me sienta más cercano a ellos?

—No es por su cercanía por lo que estás aquí, Geralt de Rivia. No soy ciego ni sordo. No fue al oír su nombre que tomaste tu bolsa. Pero me parece que...

—No necesitas que te parezca nada —dijo el brujo sin ira.

—Perdón.

—No necesitas pedir perdón.

Detuvieron a los caballos, apenas a tiempo de no chocarse con la columna de arqueros de Caingorn, que se había quedado quieta de pronto.

—¿Qué ha pasado? —Geralt se puso de pie sobre los estribos—. ¿Por qué nos hemos detenido?

—No sé. —Borch volvió la cabeza. Vea, con el rostro extrañamente tenso, dijo algunas palabras muy rápidas.

—Iré adelante —dijo el brujo— y veré qué pasa.

—Quédate.

—¿Por qué?

Tres Grajos calló por un segundo, la vista dirigida hacia el suelo.

—¿Por qué? —repitió Geralt.

—Ve —dijo Borch—. Puede que sea mejor.

—¿El qué será mejor?

—Ve.

El puente, que unía las dos vertientes del precipicio, parecía sólido, estaba construido de gruesas traviesas de pino, apoyadas en un pilar cuadrangular contra el que se abría la corriente, rugiendo, formando largas hileras de espuma.

—¡Hey, Cortapajas! —gritó Boholt, acercándose con el carro—. ¿Por qué te has parado?

—¿Y cómo sé yo cómo este puente es?

—¿Por qué tomamos ese camino? —preguntó Gyllenstiern y cabalgó más cerca—. No me gusta nada tener que pasar sobre esos palos con los carros. ¡Eh, zapatero! ¿Por qué vas por ahí y no por el sendero? El sendero sigue adelante, hacia el oeste.

El heroico envenenador de Holopole se acercó, se quitó su gorrilla de badana. Tenía un aspecto muy cómico, vistiendo sobre su abrigo de sayal una coraza pasada de moda, forjada seguramente todavía en tiempos del rey Sambuk.

—Este camino es más corto, nobre señor —dijo, no al canciller, sino directamente a Nedapaz, cuyo rostro aún mostraba una expresión de terrible aburrimiento.

—¿Lo qué? —preguntó Gyllenstiern con el ceño fruncido. Nedapaz no se dignó dirigir al zapatero ni una mirada más atenta.

—Éstas —dijo Comecabras, y señaló tres melladas cumbres que dominaban los alrededores— son Chiava, Pústula y el Diente Saltarín. El camino pasa junto a las ruinas de la vieja fortaleza, rodea Chiava por el norte, tras de las fuentes del río. Y el puente nos puede acortar camino. Por la garganta pasaremos a la raña entre los montes. Y si allá huellas del dragón no halláramos, pues nos iremos adelante al este, veremos qué hay en los barrancos. Y aún más allá al oriente hay unos pastos bien llanos, de allí a Caingorn, vuestros, señor, dominios, es todo recto.

—¿Y de dónde coño tú, Comecabras, tal conocimiento de estos montes sacaste? —preguntó Boholt—. ¿De las hormas?

—No, señor. Las ovejas de joven cuidaba por aquí.

—¿Y este puente aguantará? —Boholt se puso de pie en el pescante, miró hacia abajo, a la espumeante corriente—. El barranco tiene unas cuarenta brazas de hondo.

—Aguantará, señor.

—¿Y qué es lo que hace un puente así en este despoblado?

—Este puente —dijo Comecabras— lo construyeron los trolles antiguamente, el que lo pasaba tenía que pagarles el oro y el moro. Pero como raramente lo pasaba nadie, los trolles se fueron con sus hatos al hombro. Y el puente quedó.

—Repito —dijo Gyllenstiern con rabia—, los carros llevan herramientas y heno, nos podemos quedar atrancados en los malos trechos. ¿No sería mejor ir por el camino?

—Se puede también —el zapatero se encogió de hombros—, pero es un camino más largo. Y el rey decía que el dragón le corría más prisa que a un muerto un encierro.

40

—Un entierro.

—Como queráis, pues un entierro —se mostró de acuerdo Comecabras—. Pero igualemente por el puente será más corto.

—Bueno, entonces, adelante, Comecabras —se decidió Boholt—. Tira por delante, tú y tu gente. Es la costumbre en nuestra tierra dejar pasar delante a los más bravíos.

—No más que un carro por vez —advirtió Gyllenstiern.

—Vale. —Boholt azuzó al caballo, el carro empezó a traquetear sobre las vigas del puente—. ¡Detrás de nosotros, Cortapajas! ¡Atento a ver si las ruedas van por igual!

Geralt detuvo al caballo, los arqueros de Nedapaz vestidos con sus caftanes púrpura y amarillo estaban apelotonados sobre la cabecera de piedra del puente y le cerraban el camino.

La yegua del brujo relinchó.

La tierra comenzó a moverse. Las montañas temblaron, el borde dentado de la pared de piedra desapareció de pronto ante el fondo del cielo y la propia pared dejó escapar un retumbar sordo y perceptible.

—¡Cuidado! —gritó Boholt, ya al otro lado del puente—. ¡Cuidado allá!

Las primeras piedras, al principio pequeñas, comenzaron a rodar y a rebotar por el talud mientras éste se retorcía espasmódicamente. Ante los ojos de Geralt, una parte del camino se abrió en una negra grieta que crecía a una velocidad terrible, se hundió, cayó con un estruendo ensordecedor en el abismo.

—¡Azuzad a los caballos! —gritó Gyllenstiern—. ¡Noble señor! ¡Al otro lado!

Nedapaz, con la cabeza apoyada en la crin del caballo, se dirigió hacia el puente, detrás de él saltaron Gyllenstiern y algunos arqueros. Les siguió, traqueteando sobre las temblorosas tablas, el carro real con la enseña del grifo que ondeaba al aire.

—¡Es una avalancha! ¡Fuera del camino! —aulló desde atrás Yarpen Zigrin mientras golpeaba con la tralla las posaderas de sus caballos, adelantaba al segundo carro de Nedapaz y obligaba a quitarse de en medio a los arqueros—. ¡Fuera del camino, brujo! ¡Fuera del camino!

Junto al carro de los enanos galopaba Eyck de Denesle, estirado y tieso. Si no fuera por su rostro mortalmente pálido y por sus labios apretados en una mueca temblorosa, podría haberse pensado que el caballero andante no advertía las piedras y peñas que caían sobre el camino. Por detrás, desde el grupo de arqueros, alguien gritó salvajemente, relincharon caballos.

Geralt tiró de las riendas, picó al caballo con las espuelas, frente a él la tierra hervía de rocas que caían. El carro de los enanos traqueteaba por sobre las piedras, saltó delante del puente, cayó con estrépito sobre un lado, con un eje roto. La rueda atravesó la balaustrada y voló hacia abajo, hacia el remolino de las aguas.

La yegua del brujo, herida por agudas astillas de piedra, se encabritó. Geralt quiso saltar, pero se le enganchó la hebilla de la bota en el estribo, cayó de lado, al camino. La yegua relinchó y se lanzó hacia adelante, directamente hacia el puente que se balanceaba sobre el abismo. Por el puente corrían los enanos, gritando y blasfemando.

—¡Más deprisa, Geralt! —gritó Jaskier corriendo detrás de él, al verlo.

—¡Salta, brujo! —gritó Dorregaray, revolviéndose en la silla y sujetando con esfuerzo a su enloquecida montura.

Por detrás de ellos, todo el camino se sumergió en una nube de polvo provocada por las rocas que caían, el carro de Nedapaz estalló en pedazos. El brujo agarró con sus dedos las cinchas de las albardas del hechicero. Escuchó un grito.

Yennefer cayó junto con su caballo, rodó hacia un lado, lejos de los cascos que golpeteaban a ciegas, se apretó contra el suelo, protegiéndose la cabeza con las manos. El brujo soltó la silla, corrió hacia ella, se sumergió en el diluvio de piedras, saltó las grietas que se abrían a sus pies. Yennefer, que estaba herida en los hombros, se puso de rodillas. Tenía los ojos completamente abiertos, de una ceja abierta fluía una línea de sangre que ya le alcanzaba hasta el borde de la oreja.

—¡Levanta, Yen!

—¡Geralt! ¡Cuidado!

Un enorme y plano bloque del risco, que resbalaba con estruendo y ruido a lo largo de la pared de piedra, se deslizó, voló, directamente hacia ellos. Geralt se dejó caer, cubrió con su cuerpo a la hechicera. En el mismo momento el bloque estalló, se desgajó en millones de pedazos que cayeron sobre ellos, pinchándoles como si fueran avispas.

—¡Más rápido! —les gritó Dorregaray. Agitando su varita, montado sobre el caballo que no cesaba de balancearse, convertía en polvo los peñascos que seguían desgajándose de la montaña—. ¡Al puente, brujo!

Yennefer movió una mano, doblando los dedos, gritó algo incomprensible. Las piedras golpearon contra una semiesfera azulada que había surgido de pronto sobre su cabeza y comenzaron a desaparecer como gotas de lluvia sobre un tejado de cinc caliente.

—¡Al puente, Geralt! —gritó la bruja—. ¡Cerca de mí!

Corrieron, alcanzaron a Dorregaray y a algunos arqueros que le seguían. El puente se balanceó y tembló, las traviesas se arqueaban en todas direcciones, golpeando de balaustrada a balaustrada.

—¡Más deprisa!

De pronto el puente se vino abajo con un penetrante crujido, la mitad que ya habían dejado atrás se desprendió, se hundió tronante en el abismo, y junto con ella el carro de los enanos, que se destrozó contra los dientes de piedra entre los relinchos del caballo enloquecido. La parte en la que ellos se encontraban resistía, pero Geralt se dio cuenta de pronto de que corrían ya bajo la superficie, por una pendiente cada vez más pronunciada. Yennefer lanzó una maldición jadeante.

—¡Tírate, Yen! ¡Agárrate!

El resto del puente rechinó, crujió y cayó como una rampa. Cayeron, aferrando con los dedos las rendijas entre las traviesas. Yennefer no se sostuvo. Lanzó un agudo chillido y resbaló. Geralt, sujeto con una mano, sacó el estilete, metió la hoja entre dos tablas, agarró con las dos manos la empuñadura. Las articulaciones de sus codos temblaron cuando Yennefer tiró de él hacia abajo, al colgarse del talabarte y la vaina de la espada que llevaba a la espalda. El puente crujió de nuevo y se inclinó aún más, casi verticalmente.

—Yen —gimió el brujo—. Haz algo... ¡Maldita sea, haz un hechizo!

—¿Cómo? —escuchó su jadeo furioso y apagado—. ¡No ves que estoy colgada!

—¡Suelta una mano!

—No puedo...

—¡Eh! —gritó desde arriba Jaskier—. ¿Estáis sujetos? ¡Eh!

Geralt no creyó necesario confirmarlo.

—¡Echad la cuerda! —pidió Jaskier—. ¡Deprisa, joder!

Junto al trovador aparecieron los Sableros, los enanos y Gyllenstiern. Geralt escuchó las quedas palabras de Boholt.

—Espera, músico. Ahora caerá ella. Entonces subiremos al brujo.

Yennefer siseó como una serpiente, retorciéndose sobre la espalda de Geralt. El cinturón le cortó dolorosamente en el pecho.

—¿Yen? ¿Puedes tomar apoyo? ¿Con los pies? ¿Puedes hacer algo con los pies?

—Sí —gimió—. Patalear.

Geralt miró hacia abajo, hacia el río, que bramaba entre las afiladas peñas, sobre las que daban vueltas, giraban, unos cuantos fragmentos del puente, algunos caballos y cadáveres con los chillones colores de Caingorn. Más allá de las rocas descubrió, en unas profundas y claras aguas de color verde esmeralda, los cuerpecillos ahusados de unas enormes truchas, moviéndose perezosamente entre la corriente.

—¿Aguantas, Yen?

—Todavía... sí...

—Sube. Tienes que encontrar apoyo...

—No... puedo...

—¡Dadme la cuerda! —gritó Jaskier—. ¿Qué es lo que hacéis, os habéis vuelto idiotas? ¡Van a caer los dos!

—¿Y no será mejor así? —reflexionó un invisible Gyllenstiern.

El puente tembló y se hundió aún más. Geralt comenzó a perder tacto en los dedos que apretaban la empuñadura del estilete.

—Yen...

—Cállate... y deja de moverte...

—¿Yen?

—No me llames así.

—¿Aguantas?

—No —dijo con frialdad. No luchaba ya, le colgaba sobre los hombros como un peso muerto y sin fuerza.

—¿Yen?

—Cállate.

—Yen. Perdóname.

—No. Nunca.

Algo reptó hacia abajo por las tablas. Rápido. Como una serpiente.

Una cuerda que emanaba una fría luz azul, retorciéndose y doblándose como si estuviera viva, tocó con su punta movediza la nuca de Geralt, se deslizó por sus axilas, se unió en un nudo holgado. La hechicera, por debajo de él, gimió, tomó aire. Él estaba seguro de que iba a romper en sollozos. Se equivocaba.

—¡Atención! —gritó desde arriba Jaskier—. ¡Vamos a subiros! ¡Devastadón! ¡Kennet! ¡Arriba con ellos! ¡Tirad!

Una sacudida, el doloroso y asfixiante abrazo de la tensa cuerda. Subieron hacia arriba, rápidamente, rozando con su barriga en las toscas tablas.

Arriba, Yennefer fue la primera en levantarse.

VII

—De toda la comitiva —dijo Gyllenstiern—, hemos salvado solamente un furgón, mi rey, sin contar el de los Sableros. Del destacamento sólo han quedado siete arqueros. Al otro lado del precipicio no hay camino ya, sólo rocas y la pared lisa, tan largo como nos permite ver la revuelta de la garganta. No sabemos si se salvó alguien de los que se quedaron cuando el puente se hundió.

Nedapaz no contestó. Eyck de Denesle, erguido, estaba de pie ante el rey, hincando en él unos brillantes y febriles ojos.

—Nos persigue la ira de los dioses —dijo levantando la mano—. Hemos pecado, rey Nedapaz. Ésta era una empresa sagrada, una empresa contra el mal. Porque el dragón es el mal, sí, todo dragón es el mal encarnado. Yo al mal no lo dejo pasar con indiferencia, yo lo aplasto bajo mis pies... Lo destruyo. Del modo que mandan los dioses y el Libro Sagrado.

—¿Qué mormura? —se enfureció Boholt.

—No sé —dijo Geralt, mientras arreglaba los jaeces de la yegua—. No he entendido ni palabra.

—Estaos calladitos —dijo Jaskier—. Intento recordarlo, quizá se lo pueda utilizar, si se le encuentra rima.

—¡Dice el Libro Sagrado —Eyck se dejó llevar— que surgirá de una sima una sierpe, dragón terrible, de siete cabezas y diez cuernos! ¡Y sobre sus lomos una mujer sentada, vestida de púrpura y de escarlata, y dorada con oro, y adornada de piedras preciosas y de perlas, un cáliz de oro habrá en su mano lleno de abominaciones y de la suciedad de su fornicación, y en su frente una señal escrita, señal de toda abominación última!

—¡La conozco! —se alegró Jaskier—. ¡Es Cilia, la mujer del alcalde Sommerhalder!

—Alegraos, señor poeta —dijo Gyllenstiern—. ¡Y vos, caballero Denesle, hablad más claro, si no os importa!

—¡Contra el mal, mi rey —dijo en voz alta Eyck— hay que enfrentarse con el corazón y la conciencia limpios, con la cabeza alta! ¿Y a quién vemos aquí? ¡Enanos, que son paganos, les paren en las tinieblas y se arrodillan ante oscuros poderes! ¡Hechiceros herejes, que usurpan los derechos divinos, sus fuerzas y privilegios! Un brujo, que es una repugnante rareza, una criatura innatural y maldita. ¿Os asombráis entonces de que cayera sobre nosotros el castigo? ¡Rey Nedapaz! ¡Alcanzamos los límites de lo posible! No pongamos a prueba la piedad divina. Os conmino, rey, a que limpiéis de inmundicia nuestras filas, antes de...

—Y sobre mí ni palabra —dijo Jaskier apesadumbrado—. Ni una palabra sobre los poetas. Y yo que lo he intentado tanto.

Geralt sonrió en dirección a Yarpen Zigrin, quien estaba acariciando con lentos movimientos la hoja del hacha que portaba al cinto. El enano, divertido, enseñó los dientes. Yennefer se dio la vuelta ostentosamente, fingiendo que su falda rasgada hasta la cadera le molestaba más que las palabras de Eyck.

—Exageramos un poquito, ¿no, don Eyck? —habló con enfado Dorregaray—. Aunque sin duda con nobles intenciones. Considero innecesario el que nos hayáis puesto en conocimiento de vuestra opinión acerca de hechiceros, enanos y brujos. Aunque, a mi juicio, estamos ya todos acostumbrados a tales opiniones, no es cortés ni caballeresco el declararlas, don Eyck. Y nos resulta completamente incomprensible después de ver cómo vos, y no otro, corréis y echáis una cuerda mágica de los elfos a un brujo y una hechicera al borde de la muerte. Por lo que decís, antes debierais haber rezado para que cayeran.

—¡Maldita sea! —susurró Geralt a Jaskier—. ¿Él nos echó la cuerda? ¿Eyck? ¿No Dorregaray?

—No —murmuró el bardo—. Fue Eyck, de verdad fue él.

Geralt movió la cabeza con incredulidad. Yennefer maldijo para sí, se irguió.

—Caballero Eyck —dijo con una sonrisa que cualquiera, excepto Geralt, podía haber tomado por amable y amigable—. ¿Cómo es esto? ¿Soy una inmundicia y vos me salváis la vida?

—Sois una dama, doña Yennefer. —El caballero se inclinó rígidamente—. Y vuestro hermoso y sincero rostro permite confiar en que renunciaréis algún día a la maldita nigromancia.

Boholt resopló.

—Os lo agradezco, caballero —dijo seca Yennefer—. Y el brujo Geralt también os lo agradece. Agradéceselo, Geralt.

—Antes me partirá un rayo —declaró el brujo con una sinceridad desarmante—. ¿Agradecer el qué? Soy una rareza inmunda y mi feo rostro no predice esperanza alguna de mejora. El caballero Eyck me sacó del precipicio sin quererlo, sólo porque me aferraba con todas mis fuerzas a una hermosa dama. Si hubiera estado solo, Eyck no habría movido ni un dedo. No me equivoco, ¿verdad, caballero?

—Os equivocáis, don Geralt —dijo el caballero andante con mucha tranquilidad—. Nunca le niego socorro a nadie que lo precise. Ni siquiera a un brujo.

—Agradéceselo, Geralt. Y pide perdón —habló Yennefer con dureza—. En caso contrario nos confirmas a todos que, al menos en lo que se refiere a ti, Eyck tenía razón por completo. No eres capaz de convivir con los seres humanos. Porque eres distinto. Tu participación en esta empresa es un error. Te ha traído aquí una meta sin sentido. Lo juicioso ahora sería partir. Pienso que tú mismo ya lo has entendido. Y si no, ya va siendo hora.

—¿De qué meta habláis, señora? —metió baza Gyllenstiern. La hechicera lo miró, no respondió. Jaskier y Yarpen Zigrin se sonrieron el uno al otro significativamente, pero de tal modo que la hechicera no pudiera verlo.

El brujo miró a los ojos de Yennefer. Eran fríos.

—Pido perdón y doy gracias, caballero Denesle —inclinó la cabeza—. A todos los presentes también. Por el rápido socorro prestado sin vacilar. Escuché mientras colgaba cómo los unos y los otros os apresurabais a ayudar. A todos los presentes les pido perdón. Exceptuando a la noble Yennefer, a quien doy gracias sin pedirle nada. Me despido. La inmundicia deja la partida de propia voluntad. Porque la inmundicia está ya harta de vosotros. Adiós, Jaskier.

—Hey, hey, Geralt —gritó Boholt—. No te portes como un crío, ni hagas de un grano de arena una montaña. Al diablo con...

—¡Genteeee!

46

Desde la boca de la garganta venían corriendo Comecabras y algunos milicianos holopolacos que habían sido enviados como avanzada.

—¿Qué pasa? ¿Por qué tiembla éste así? —Devastadón alzó la cabeza.

—Gentes... Nobles... señores... —jadeó el zapatero.

—Suelta la lengua, hombre —dijo Gyllenstiern, metiendo los pulgares en su cinturón dorado.

—¡El dragón! ¡Allá, el dragón!

—¿Dónde?

—Al otro lado de la garganta... En la raña... Señor, él...

—¡A los caballos! —ordenó Gyllenstiern.

—¡Devastadón! —aulló Boholt—. ¡Al carro! ¡Cortapajas, al caballo y detrás de mí!

—¡A los zapatos! —tronó Yarpen Zigrin—. ¡A los zapatos, su perra madre!

—¡Eh, esperadme! —Jaskier se echó el laúd al hombro!—. ¡Geralt! ¡Llévame en tu caballo!

—¡Sube!

La garganta se terminaba en una aglomeración de claros riscos, que iban poco a poco raleando, y formaban un círculo irregular. Detrás de ellos el terreno caía ligeramente hacia una montuosa pradera cubierta de hierba, rodeada por todas partes por una pared caliza en la que se abrían miles de orificios. Tres angostos cañones, las bocas de tres arroyuelos secos, cortaban la pradera.

Boholt, que había llegado galopando el primero hasta la barrera de peñascos, detuvo de súbito al caballo, se puso de pie sobre los estribos.

—Oh, diablos —dijo—. Oh, diablos del infierno. ¡No... no puede ser!

—¿Qué? —preguntó Dorregaray acercándose. Junto a él, Yennefer saltó del carro de los Sableros, apoyó el pecho en un bloque de roca, miró, retrocedió, se frotó los ojos.

—¿Qué? ¿Qué pasa? —gritó Jaskier, inclinándose desde detrás de Geralt—. ¿Qué pasa, Boholt?

—Ese dragón... es dorado.

No más allá de cien pasos de la boca de la garganta de la que habían salido, en el camino hacia el cañón que conducía en dirección al norte, sobre una pequeña colina de forma graciosamente ovalada, estaba la criatura. Estaba sentada allí, el largo y esbelto cuello doblado en un arco regular, la aplastada cabeza apoyada sobre el pecho abombado, la cola sobre las patas delanteras, que tenía estiradas.

Había en aquella criatura, en la posición en la que estaba sentada, una especie de gracia indescriptible, algo felino, algo que contradecía su evidente procedencia reptiliana. Innegablemente reptiliana. Pues aquella criatura estaba cubierta de escamas, claramente dibujadas, que brillaban hasta herir los ojos con los tonos de un claro y dorado oro. Porque la criatura que estaba sentada en la colina era dorada, dorada desde la punta de las garras clavadas en la tierra hasta el final de la larga cola, que se agitaba ligera entre los cardos. Al tiempo que los miraba a ellos con grandes ojos amarillos, la criatura desplegó unas anchas y amarillentas alas de murciélago y se quedó inmóvil, ordenándoles que la admiraran.

—Un dragón dorado —susurró Dorregaray—. Es imposible... ¡Una leyenda viviente!

—No existen, su puta madre, dragones dorados —advirtió Devastadón y escupió—. Sé lo que me digo.

—¿Entonces qué es lo que está sentado en la colina? —preguntó Jaskier con aire razonable.

—Alguna estafa.

—Una ilusión.

—Esto no es una ilusión —dijo Yennefer.

—Es un dragón dorado —habló Gyllenstiern—. Un verdadero dragón dorado.

—¡Los dragones dorados existen sólo en las leyendas!

—Dejadlo ya —se entremetió de pronto Boholt—. No hay por qué alterarse. Hasta un gelipollas ve que es un dragón dorado. ¿Y qué diferencia hay, señores míos, si es dorado, azul, de color mierda o a cuadros? Grande no es, nos lo cargaremos en un decir amén. Cortapajas, Devastadón, descargar el carro, sacar las herramientas. Qué me importará a mí la diferencia entre dorado o no.

—Hay diferencia, Boholt —dijo Cortapajas—. Y muy principal. Éste no es el dragón al que damos caza. No es ése al que envenenaron en Holopole, sentadito en su madriguera sobre oros y joyas. Éste de aquí, sobre el culo sólo se sienta. Entonces, ¿para qué coño lo queremos?

—Este dragón es dorado, Kennet —aulló Yarpen Zigrin—. ¿Has visto alguna vez algo así? ¿No entiendes? Por su piel nos darán más de lo que nos sacaríamos con un tesoro normal.

—Y esto sin reventar el mercado de piedras preciosas —añadió Yennefer, sonriendo feamente—. Yarpen tiene razón. El trato sigue existiendo. ¿Hay botín que repartirse o no?

—¿Eh, Boholt? —gritó Devastadón desde el carro, donde andaba revolviendo ruidosamente en el equipo—. ¿Qué nos colocamos nosotros y los caballos? ¿Qué puede escupir el bicho dorado ése? ¿Fuego? ¿Ácido? ¿Vapor?

—El diablo sabrá, señores míos. —Boholt se mostró preocupado—. ¡Eh, hechiceros! ¿Acaso las leyendas sobre dragones dorados dicen cómo matarlos?

—¿Cómo matarlos? ¡Pues normal! —gritó de pronto Comecabras—. No hay qué meditar, traed presto algún animal. Lo atestamos de algo venenoso y se lo echamos al bicho, que reviente.

Dorregaray miró al zapatero de reojo, Boholt escupió, Jaskier volvió la cabeza con un gesto de asco. Yarpen Zigrin se rió a grandes carcajadas, echándose hacia un lado.

—¿Qué miráis? —preguntó Comecabras—. Vamos al tajo, hay que decidir con qué rellenamos el cebo, para que el bicho la palme cuando antes. Ha de ser algo que sea muy venenoso, tóxico o corrompido.

—Ajá —habló el enano, todavía sonriéndose—. Algo que sea venenoso, asqueroso y apestoso. ¿Sabes qué, Comecabras? Resulta que eso eres tú.

—¿Lo qué?

—Mierda. Lárgate de aquí, jodealbarcas, que mis ojos no te vean.

—Don Dorregaray —dijo Boholt, acercándose al hechicero—. Mostrad que sois de utilidad. Recordad leyendas y tradiciones. ¿Qué sabéis acerca de los dragones dorados?

El hechicero sonrió, se irguió orgulloso.

—¿Preguntas que qué sé sobre los dragones dorados? Poco, pero suficiente.

—Entonces escuchamos.

—Pues escuchad, y escuchad con atención. Allá, delante de nosotros, está sentado un dragón dorado. Una leyenda viviente, puede que el último y el único de su género que se ha salvado de vuestra locura asesina. No se mata a una leyenda. Yo, Dorregaray, no os permitiré tocar a ese dragón. ¿Entendido? Podéis hacer el equipaje, recoger los bártulos y volver a casa.

Geralt estaba convencido de que iba a estallar una pelea. Se equivocaba.

—Poderoso hechicero —le interrumpió la voz queda de Gyllenstiern—. Cuidad bien de qué y a quién habláis. El rey Nedapaz os puede ordenar a vos, Dorregaray, que recojáis las tiendas y os vayáis al diablo. Pero no al contrario. ¿Está claro?

—No —dijo el hechicero con orgullo—. No lo está. Porque yo soy el maestro Dorregaray y no voy a obedecer a alguien cuyo reino abarca un territorio que se ve desde la altura de la empalizada de una asquerosa, sucia y apestosa fortaleza. ¿Acaso no sabéis, don Gyllenstiern, que si pronuncio un encantamiento y realizo un movimiento de mi mano os convertiréis en un pastel de ternera y ese vuestro rey menor de edad en algo infinitamente peor? ¿Está claro?

Gyllenstiern no alcanzó a responder, pues Boholt, que se había ido acercando a Dorregaray, lo agarró por los brazos y lo volvió hacia sí.

Devastadón y Cortapajas, callados y sombríos, salieron de por detrás de Boholt.

—Escuchad, señor mago —dijo el gigantesco Sablero—. Antes de que comencéis a realizar esos vuestros movimientos de mano, escuchad. Podría explicaros mucho tiempo, señores míos, lo que hago yo con tus prohibiciones, tus leyendas y tu hablar de mierda. Pero no me apetece. Así que esto habrá de bastarte como respuesta.

Boholt carraspeó, metió un dedo en la nariz y, desde corta distancia, lanzó un moco a la punta de las botas del hechicero.

Dorregaray palideció, pero no se movió. Veía —como todos— la maza de armas, ligada con una cadena a un palo de un codo de largo que sujetaba Devastadón en su mano tendida hacia abajo. Sabía —como todos— que necesitaba más tiempo para lanzar un hechizo que el que necesitaba Devastadón para romperle la cabeza en pedacitos.

—Bueno —dijo Boholt—. Y ahora poneos a un lado como buen muchacho, señores míos. Y si te vuelve a venir gana de abrir el pico, te metes en la boca bien presto un puñado de yerba. Porque si vuelvo a escuchar tus gimoteos, te juro que te vas a acordar de mí.

Boholt se dio la vuelta, se frotó las manos.

—Va, Devastadón, Cortapajas, al tajo, que todavía se nos va a escapar el bicho.

—No parece como que tenga intenciones de huir —dijo Jaskier, que estaba contemplando el suceso—. Miradlo si no.

El dragón dorado, sentado en la colina, abrió la boca, removió la cabeza, agitó las alas, barrió el suelo con la cola.

—¡Rey Nedapaz y vos, caballeros! —gritó con una voz que sonaba como una trompa de latón—. ¡Soy el dragón Villentretenmerth! Por lo que veo, no os retuvo a todos la avalancha que yo, valga la inmodestia, hice caer sobre vuestras cabezas. Llegasteis hasta aquí. Como sabéis, de este valle hay sólo tres salidas. Al oriente, hacia Holopole, y a poniente, hacia Caingorn. De estos caminos podéis hacer uso. El camino del norte, señores, no lo recorreréis, porque yo, Villentretenmerth, os lo prohíbo. Si alguien hay que no quiera respetar mi prohibición, le reto a combate, a un honorable duelo de caballeros. Con armas convencionales, sin hechizos, sin escupir fuego. Una lucha hasta la completa capitulación de una de las partes. ¡Espero la respuesta a través de vuestro heraldo, como manda la costumbre!

Todos se quedaron con la boca abierta.

—¡Habla! —resopló Boholt—. ¡Increíble!

—¡Y además con mucha ciencia! —dijo Yarpen Zigrin—. ¿Alguien sabe lo que es un arma confesional?

—Normal, que no es mágica —habló Yennefer arrugando las cejas—. A mí sin embargo me interesa otra cosa. No se puede hablar articuladamente con la lengua bífida. El bellaco usa telepatía. Tened cuidado, esto funciona en ambas direcciones. Puede leer vuestros pensamientos.

—¿Y qué, que está grillado o qué? —se puso nervioso Kennet Cortapajas—. ¿Un duelo honorable? ¿Con un bicho estúpido? ¡Estaría bueno! ¡Vamos a por él, todos a una! ¡En la unión está la fuerza!

—No.

Miraron a su alrededor.

Eyck de Denesle, ya a caballo, con la armadura al completo, con la lanza apoyada en el estribo, aparecía mucho mejor que a pie. Desde debajo de la visera de su yelmo, que tenía levantada, ardían dos ojos febriles y destellaba su pálida faz.

—No, señor Kennet —repitió el caballero—. A no ser que sea por encima de mi cadáver. No permitiré que se ofenda en mi presencia el honor de la caballería. Quien se atreva a quebrantar las leyes del duelo...

Eyck hablaba cada vez más alto, su voz exaltada se le rompía y temblaba a causa del entusiasmo.

—... quien atenta contra el honor atenta contra mí, y su sangre o la mía regarán esta cansada tierra. ¿Quiere la bestia un duelo? ¡Bien, entonces! ¡Que el heraldo anuncie mi nombre! ¡Que decida el juicio de los dioses! De parte del dragón están la fuerza de sus garras y dientes, y la maldad del infierno, y de mi parte...

—Vaya un cretino —murmuró Yarpen Zigrin.

—... de mi parte la justicia, la fe, las lágrimas de las doncellas que este reptil...

—¡Termina, Eyck o vomito! —gritó Boholt—. ¡Adelante, al campo! ¡Líate con el dragón, en vez de parlotear!

—Eh, Boholt, espera —dijo de pronto el enano, mesándose la barba—. ¿Te olvidaste del acuerdo? Si Eyck tumba al bicho, se lleva la mitad...

—Eyck no se llevará nada —sonrió Boholt—. Le conozco. Le basta con que Jaskier apañe una canción sobre él.

—¡Silencio! —anunció Gyllenstiern—. Que así sea. Va a salir a luchar contra el dragón el bravo caballero Eyck de Denesle, que lo hará bajo los colores de Caingorn como lanza y espada del rey Nedapaz. ¡Ésta es la decisión real!

—Ahí tienes. —Yarpen Zigrin echaba espuma por la boca—. Lanza y espada de Nedapaz. Nos la ha jugado el reyecito caingorniano. ¿Y ahora qué?

—Nada. —Boholt escupió—. ¿No creo que quieras porfiar con Eyck, Yarpen? Hablará como un tonto, pero si se monta a caballo y se pone en marcha, lo mejor es quitarse de en medio. Que vaya, joder, y se cargue al dragón. Y luego ya veremos.

—¿Quién va a ser el heraldo? —preguntó Jaskier—. El dragón quería un heraldo. ¿Puede que yo?

—No. No se trata de cantar cancioncillas, Jaskier. —Boholt frunció el ceño—. Que sea Yarpen Zigrin el heraldo. Tiene una voz como un toro.

—Vale, qué más da —dijo Yarpen—. Dadme un pendón con la señal, para que todo sea como ha de ser.

—Sólo que hablad bien, señor enano. Y cortesmente —le recordó Gyllenstiern.

—No me enseñéis cómo tengo que hablar. —El enano metió orgulloso la tripa—. Yo ya era mensajero cuando vosotros todavía le decíais al pan «tan» y a las moscas «toscas».

El dragón seguía tranquilamente sentado sobre la colina, agitaba la cola con alegría. El enano trepó a la peña más grande, carraspeó y escupió.

—¡Eh, tú, allá! —gritó, con los brazos en jarras—. ¡Dragón de mierda! ¡Escucha lo que te dice el heraldo! ¡Es decir, yo! ¡Como primer honorable se va a liar contigo el caballero mangante Eyck de Denesle! ¡Y te va meter la lanza en la tripa, según usos sagrados, para jodienda tuya y para alegría de pobres doncellas y del rey Nedapaz! ¡La lucha ha de ser honorable y según las reglas, escupir fuego no vale, y sólo confesionalmente se puede atizar el uno al otro, en tanto este otro no suelta el espíritu o no la espicha! ¡Cosa que te deseamos desde lo más hondo de nuestros corazones! ¿Lo captaste, dragón?

El dragón abrió la boca, agitó las alas y luego bajó al suelo, rápidamente descendió desde la colina a terreno llano.

—¡Te he entendido, honorable heraldo! —repuso—. ¡Que salga entonces al campo el noble Eyck de Denesle! ¡Yo estoy listo!

—Vaya un belén. —Boholt escupió, dirigió una funesta mirada a Eyck, que cabalgaba al paso a través de la barrera de rocas—. Vaya una comedia de mierda...

—Cierra la boca, Boholt —gritó Jaskier, frotándose las manos—. Mira. ¡Eyck va a la carga! ¡Ah, su perra madre, será un bonito romance!

—¡Hurra! ¡Viva Eyck! —gritó uno del grupo de arqueros de Nedapaz.

—Pues yo —saltó sombrío Comecabras—, yo, no ostante, para estar seguros, le hubiera inflado de azufre.

Eyck, ya en el campo, saludó al dragón bajando la lanza, se cerró la visera del yelmo y pinchó al caballo con las espuelas.

—Vaya, vaya —dijo el enano—. Puede que sea tonto, pero en cuestión de cargas sabe lo que se hace. ¡Miradlo!

Eyck, inclinado, apoyado en la silla, bajó la lanza a pleno galope. El dragón, en contra de lo que Geralt esperaba, no saltó, no se movió en círculo, sino que, aplastado contra la tierra, corrió directamente hacia el caballero que le atacaba.

—¡Mátalo! ¡Mátalo, Eyck! —aulló Yarpen.

Eyck, aunque empujado hacia adelante por el galope, no le golpeó directamente, a ciegas. En el último segundo cambió hábilmente la dirección, y tiró con la lanza por encima de la cabeza del caballo. Mientras pasaba al lado del dragón, embistió con todas sus fuerzas, de pie sobre los estribos. Todos gritaron con una sola voz. Geralt no se unió al coro.

El dragón evitó la embestida con una finta delicada, hábil, llena de gracia y revolviéndose como una banda de oro viva, introdujo la pata, rápida pero suavemente, casi como un gato, debajo de la barriga del caballo. El caballo relinchó, alzó las patas delanteras, el caballero se balanceó sobre la silla, pero no soltó la lanza. En el momento en el que el animal casi había dado con los ollares en el suelo, el dragón tiró a Eyck de la silla con un violento empujón de la pata. Todos vieron el resplandor de la armadura que volaba hacia arriba girando, todos escucharon el tintineo y el estrépito con el que el caballero cayó en la tierra.

El dragón, tomando asiento, derrumbó al caballo con una pata, bajó la mandíbula llena de dientes. El caballo relinchó penetrantemente, se sacudió y se quedó callado.

En el silencio que cayó, se escuchó la profunda voz del dragón Villentretenmerth.

—Se puede retirar del campo al bravo Eyck de Denesle, está incapacitado para continuar la lucha. El siguiente, por favor.

—Oh, mierda —dijo Yarpen Zigrin en el silencio que siguió.

VIII

—Las dos —dijo Yennefer secándose las manos en una toallita de lino—. Y creo que algo en la columna. La armadura estaba clavada en la espalda como si le hubieran dado con un martinete. Y los pies, por la propia lanza. Va a tardar mucho en subirse a un caballo. Si acaso llegara a poder.

—Gajes del oficio —dijo Geralt.

La hechicera frunció el ceño.

—¿Eso es todo lo que tienes que decir?

—¿Y qué más querrías escuchar, Yennefer?

—Este dragón es increíblemente rápido. Demasiado rápido para que pueda luchar con él un ser humano.

—Entiendo. No, Yen. Yo no.

—¿Por principios? —sonrió ella venenosamente—. ¿O el miedo normal, común y corriente? ¿Es el único sentimiento humano que no te arrancaron?

—Lo uno y lo otro —aceptó inexpresivamente el brujo—. ¿Qué diferencia hay?

—Precisamente. —Yennefer se acercó—. Ninguna. Los principios se pueden romper, el miedo se puede vencer. Mata a ese dragón, Geralt. Para mí.

—¿Para ti?

—Para mí. Quiero a ese dragón. Entero. Quiero tenerlo sólo para mí.

—Utiliza tus hechizos y mátalo.

—No. Mátalo tú. Y con mis hechizos detendré a los Sableros y a los otros, para que no molesten.

—Habrá muertos.

—¿Desde cuándo te molesta eso? Tú ocúpate del dragón y yo de los humanos.

—Yennefer —dijo con voz fría el brujo—. No puedo entenderlo. ¿Para qué necesitas a ese dragón? ¿Hasta ese punto te ciega el color dorado de sus escamas? Pues si tú no eres pobre, tienes incontables fuentes de ingreso, eres famosa. Entonces, ¿de qué se trata? Sólo no me digas que de la vocación, por favor.

Yennefer guardó silencio, por fin, con el ceño fruncido, dio una patada con mucha fuerza a una piedra que yacía sobre la hierba.

—Hay alguien que me puede ayudar. Al parecer eso... sabes de lo que hablo... al parecer eso no es incurable. Hay una posibilidad. Podré por fin tener... ¿Entiendes?

—Entiendo.

—Es una operación complicada, costosa. Pero a cambio de un dragón dorado... ¿Geralt?

El brujo callaba.

—Cuando estábamos colgados del puente —dijo la hechicera—, me pediste algo. Cumpliré tu deseo. Pese a todo.

El brujo sonrió triste, rozó con el índice la estrella de obsidiana en el cuello de Yennefer.

—Demasiado tarde, Yen. Ya no estamos colgados. Ya he dejado de necesitarlo. Pese a todo.

Se esperaba lo peor, una cascada de fuego, una bofetada repentina en el rostro, insultos, maldiciones. Se asombró cuando vio solamente un contenido temblor de los labios. Yennefer se volvió lentamente. Geralt lamentó sus palabras. Lamentó el sentimiento que ella le producía. El límite de lo posible, traspasado, estalló como la cuerda de un laúd. Miró a Jaskier, vio cómo el trovador volvía la cabeza con rapidez, cómo evitaba sus ojos.

—Bueno, pues ya nos hemos quitao de la cabeza el asunto del honor caballeresco, señores míos —gritó Boholt, ya armado, delante de Nedapaz, quien seguía sentado en la piedra con una invariable expresión de aburrimiento en el rostro—. El honor caballeresco está allá tendido y gime despacito. Mala era esta estrategia, noble Gyllenstiern, la de dejar salir a Eyck como vuestro caballero y vasallo. No pienso señalar con el dedo, eh, pero sabemos a quién le debe Eyck las patas rotas. Sí, así de un golpe se resolvieron dos problemas. El de un loco que en su locura quería revivir las leyendas del atrevido caballero que vence en combate mano a mano a un dragón. Y el de un cretino que quería ganar dinero a su costa. Sabéis de quién hablo, Gyllenstiern, ¿no? Estupendo. Y ahora, nosotros movemos ficha. Ahora el dragón es nuestro. Ahora nosotros, los Sableros, vamos a dar cuenta del dragón. Pero a nuestro beneficio.

—¿Y el acuerdo, Boholt? —dijo el canciller entre dientes—. ¿Qué pasa con el acuerdo?

—El culo me limpio con el acuerdo éste.

—¡Esto es inédito! ¡Esto es un insulto a su majestad! —pataleó Gyllenstiern—. El rey Nedapaz...

—El rey, ¿qué? —gritó Boholt apoyándose en un enorme mandoble—. ¿Quizá el rey tiene ganas de ir a por el dragón él solo? ¿Y puede que vos, su fiel canciller, os arremetáis en la armadura vuestra tripilla y salgáis al campo? Por qué no, venga, nosotros esperamos aquí, señores míos. Vuestra oportunidad tuvisteis, Gyllenstiern, si Eyck se hubiere cargado al dragón, vos lo habríais tenido para vos solo, no nos hubiera tocado nada, ni una escama de oro de sus lomos. Pero ya es demasiado tarde. Echad un vistazo. No hay nadie ya para luchar por los colores de Caingorn. No encontraréis a otro tan tonto como Eyck.

—¡No es verdad! —El zapatero se echó a los pies del rey, todavía absorto en la observación de un punto en el horizonte sólo conocido de él—. ¡Señor rey! ¡Esperar sólo un poquino, que los nuestros de Holopole nos agarren, y ya verán éstos! ¡Escupir a los listillos de la nobleza, echarlos de acá! ¡Veréis quién es bravo de veras, quién en el puño es fuerte y no en la lengua!

—Cierra el pico —dijo Boholt con tranquilidad mientras limpiaba una mancha de óxido de la coraza—. Cierra el pico, cabronazo, porque si no te lo voy a cerrar yo de tal modo que te vas a tragar los dientes.

Comecabras, viendo cómo se acercaban Kennet y Devastadón, retrocedió deprisa y se escondió detrás de los rastreadores de Holopole.

—¡Rey! —gritó Gyllenstiern—. Rey, ¿qué ordenáis?

La expresión de hastío desapareció de pronto del rostro de Nedapaz. El niño monarca arrugó una nariz orgullosa y se levantó.

—¿Que qué ordeno? —dijo con voz aguda—. Por fin preguntas por ello, Gyllenstiern, en vez de decidir por mí y hablar por mí y en mi nombre. Me alegro mucho. Y que así continúe, Gyllenstiern. Desde este momento vas a callar y obedecer órdenes. Ésta es la primera de ellas. Recoge a la gente, manda colocar en el carro a Eyck de Denesle. Volvemos a Caingorn.

—Señor...

—Ni una palabra, Gyllenstiern. Doña Yennefer, nobles señores, me despido. He perdido algo de tiempo en este asunto, pero he ganado muchas cosas. Mucho he aprendido. Os agradezco vuestras palabras, doña Yennefer, don Dorregaray, don Boholt. Y gracias por vuestro silencio, don Geralt.

—Rey —habló Gyllenstiern—. ¿Cómo es eso? El dragón está aquí, aquí mismo. Sólo hay que alargar la mano. Rey, vuestro sueño...

—Mi sueño —repitió ensimismado Nedapaz—. Todavía no lo tengo. Y si me quedo aquí... puede que entonces no lo vaya a tener nunca.

—¿Y Malleore? ¿Y la mano de la princesa? —El canciller no se resignó, agitaba las manos—. ¿Y el trono? Rey, aquel pueblo os reconocerá...

—Me limpio el culo con aquel pueblo, como dice don Boholt —sonrió Nedapaz—. El trono de Malleore es mío en cualquier caso, porque tengo en Caingorn trescientos coraceros y mil quinientos soldados de infantería contra mil de sus despreciables escuderos. Y reconocerme me van a reconocer en cualquier caso. Voy a mandar colgar, descabezar y descuartizar tanto tiempo como sea necesario hasta que me reconozcan. Y su princesilla es un ternerillo gordo y me cago en su mano, sólo necesito su chocho, que me dé un heredero y luego ya la envenenaré. Con el método del maestro Comecabras. Basta de hablar, Gyllenstiern. Procede a ejecutar las órdenes recibidas.

—Ciertamente —susurró Jaskier a Geralt—. Mucho ha aprendido.

—Mucho —confirmó Geralt mirando a la colina, en la que el dragón dorado, con la cabeza triangular bien baja, lamía con su lengua bífida y escarlata algo que se encontraba en la hierba, junto a él—. Pero no quisiera ser su súbdito, Jaskier.

—¿Y qué pasará ahora, qué piensas?

El brujo miró sereno al pequeño ser verdegrís, que agitaba unas alitas de murciélago junto a las garras doradas del dragón.

—¿Y qué dices tú de todo esto, Jaskier? ¿Qué piensas de todo esto?

—¿Y qué importa lo que yo piense? Soy un poeta, Geralt. ¿Acaso tiene alguna importancia mi opinión?

—La tiene.

—Pues entonces te la diré. Yo, Geralt, cuando veo un reptil, una culebra, pongamos por caso, o una salamanquesa, entonces las tripas se me revuelven, tanto asco me dan y tanto miedo esas asquerosidades. Pero este dragón...

—¿Sí?

—Él... él es hermoso, Geralt.

—Gracias, Jaskier.

—¿Por qué?

Geralt volvió la cabeza, con un lento movimiento se echó mano a la hebilla del talabarte que le cruzaba el pecho al bies, lo apretó dos agujeros más. Alzó la mano derecha, comprobando si el puño de la espada estaba en la posición correcta. El poeta le miró con los ojos muy abiertos.

—¡Geralt! Tú tienes intenciones de...

—Sí —dijo tranquilo el brujo—. Hay una frontera de lo posible. Estoy harto de todo esto. ¿Te vas con Nedapaz o te quedas, Jaskier?

El trovador se agachó, colocó cuidadosa y cariñosamente el laúd bajo una piedra, se irguió.

—Me quedo. ¿Cómo has dicho? ¿La frontera de lo posible? Me reservo ese título para un romance.

—Puede que sea tu último romance.

—¿Geralt?

—¿Ajá?

—No mates... ¿Podrás?

—Una espada es una espada, Jaskier. Si se la desenvaina...

—Inténtalo.

—Lo intentaré.

Dorregaray rió, se dio la vuelta en dirección a Yennefer y los Sableros, señaló al cortejo real que se alejaba.

—Allá —dijo— parte el rey Nedapaz. No da ya más órdenes por boca de Gyllenstiern. Parte mostrando buen juicio. Bien que estés aquí, Jaskier. Te propongo que comiences a componer un romance.

—¿Sobre qué?

—Sobre cómo —el hechicero sacó de bajo la capa su varita— el maestro Dorregaray, nigromante, mandó a casa a los bellacos que querían matar al modo de los bellacos al último dragón dorado que quedaba en el mundo. ¡No te muevas, Boholt! ¡Yarpen, las manos lejos del hacha! ¡Ni pestañees, Yennefer! Adelante, bellacos, tras el rey, como el perro tras el amo. Venga, a los caballos, a los carros. Os aviso, quien haga un movimiento incorrecto, de él no quedará más que un tufo y una mancha en la arena. No estoy bromeando.

—¡Dorregaray! —susurró Yennefer.

—¡Noble hechicero! —dijo Boholt conciliador—. Entonces se debe...

—Calla, Boholt. Dije que no tocaréis a ese dragón, no se mata a una leyenda. Daos la vuelta y a tomar por saco.

La mano de Yennefer se disparó de pronto hacia adelante, y la tierra alrededor de Dorregaray explotó en un fuego celeste, borbotó en una tormenta de arena y hierbas. El hechicero se sacudió, rodeado de llamas. Devastadón, de un salto, le golpeó en el rostro con el canto del puño. Dorregaray cayó, de su varita surgió un rayo rojo que se apagó sin causar daño sobre las rocas. Cortapajas, acercándose a toda prisa desde el otro lado, dio una patada al hechicero que seguía en el suelo, tomó impulso para repetir el golpe. Geralt se lanzó entre ellos, empujó a Cortapajas hacia atrás, tomó la espada, dio un golpe plano, apuntando al lugar que dividía la coraza y la espaldera. Se lo impidió Boholt, quien paró el golpe con la ancha hoja de su mandoble. Jaskier le echó la zancadilla a Devastadón, pero sin efecto. Devastadón se agarró al jubón coloreado del bardo y le golpeó con el puño entre los ojos. Yarpen Zigrin, apareciendo por detrás, le levantó los pies a Jaskier dándole con el mango del hacha en el hueco de la rodilla.

Geralt giró haciendo unas piruetas, para escapar de la espada de Boholt, dio un corto golpe a Cortapajas que saltaba hacia él, destrozándole el guantelete de acero. Cortapajas retrocedió, dio un traspiés, cayó. Boholt jadeó mientras balanceaba la espada como si fuera una guadaña. Geralt avanzó hacia la silbante hoja, le atizó un golpetazo a Boholt en la coraza con la empuñadura de la espada, lo empujó, lanzó un tajo, apuntando a la mejilla. Boholt, como veía que no iba a ser capaz de parar tan pesada hoja, se tiró hacia atrás, cayendo de espaldas. El brujo se acercó a él y en ese momento sintió cómo la tierra desaparecía bajo sus piernas paralizadas. Vio cómo el horizonte se convertía de horizontal en vertical. En vano intentó colocar los dedos en una Señal de protección, se golpeó pesadamente de lado contra la tierra, dejando escapar la espada de sus manos inmovilizadas. Los oídos le retumbaban y le silbaban.

—Atadlos mientras actúa el hechizo —dijo Yennefer desde algún lugar alto y lejano—. A los tres.

Dorregaray y Geralt, anestesiados e inmóviles, se dejaron maniatar y sujetar al carro sin resistencia y sin decir palabra. Jaskier se revolvió y maldijo, así que todavía mientras lo maniataban le dieron unas buenas tortas.

—Para qué atarlos, traidores, hijos de perra —habló Comecabras al acercarse a ellos—. Apiolarlos y listos.

—Tú mismo eres hijo y no de perra —dijo Yarpen Zigrin—. No insultes aquí a los perros. Vete a la mierda, ponesuelas.

—Muy bravos sois —ladró Comecabras—. Veremos si tanta bravura tenéis cuando los míos lleguen de Holopole, en cuantito los veáis. Vere...

Yarpen, doblándose con una habilidad inesperada para su apostura, le atizó con el mango del hacha en la testa. Devastadón, que estaba al lado, le hizo unas correcciones a puntapiés. Comecabras voló unas cuantas brazas y hundió las narices en la hierba.

—¡Os acordaréis! —gritó a cuatro patas—. Todos vosotros...

—¡Muchachos! —aulló Yarpen Zigrin—. ¡A por el puto zapatero, metedle el cabo por el culo! ¡Píllalo, Devastadón!

Comecabras no esperó. Se levantó y al trote se encaminó en dirección al cañón oriental. Detrás de él, a hurtadillas, salieron corriendo los rastreadores holopolacos. Los enanos, riéndose, les tiraron piedras.

—De pronto parece como si el aire se hubiera puesto más fresquito —sonrió Yarpen—. Va, Boholt, pongámonos con el dragón.

—Despacio. —Yennefer alzó la mano—. Poner podéis, pero los pies. En polvorosa. Todos tal y como estáis aquí.

—¿Lo qué? —Boholt se incorporó y los ojos le relampagueaban con un brillo de rabia—. ¿Qué decís, noble y piadosa señora hechicera?

—Largaos de aquí siguiendo las huellas del zapatero —repitió Yennefer—. Todos. Yo misma me las apañaré con el dragón. Con armas no convencionales. Y según os vayáis podéis darme las gracias. Si no hubiera sido por mí, habríais probado la espada del brujo. Venga ya, deprisa, Boholt, antes de que me ponga nerviosa. Os advierto, conozco un encantamiento con el cual puedo convertiros en sementales. Basta con que mueva una mano.

—Oh, no —rezongó Boholt—. Mi paciencia alcanzó los límites de lo posible. No me voy a dejar tomar por tonto. Cortapajas, arráncale el timón al carro. Que yo también voy a necesitar de armas no convencionales, me parece. Ahora aquí alguien se va a cargar con la cruz, señores míos. No quiero señalar con el dedo, pero ahora mismo se va a cargar con la cruz cierta asquerosa hechicera.

—Ni lo intentes, Boholt. Alégrame el día.

—Yennefer —dijo lleno de reproches el enano—. ¿Por qué?

—¿Y puede ser que simplemente no me guste compartir, Yarpen?

—En fin —sonrió Yarpen Zigrin—. Profundamente humano. Tan humano, que casi es de enanos. Es agradable ver tus propios rasgos de carácter en una hechicera. Porque a mí tampoco me gusta compartir, Yennefer.

Se dobló en un relampagueante y corto disparo. Una bola de acero, no se sabe de dónde ni cuándo la había sacado, aulló en el aire y golpeó a Yennefer en el centro de la frente. Antes de que la hechicera se diera cuenta, colgaba ya en el aire, sus manos sujetas por Cortapajas y Devastadón mientras Yarpen le ataba los dedos con una soga. Yennefer gritó con rabia, pero uno de los muchachos de Yarpen, que estaba de pie a su lado, le echó unas riendas en la cabeza, apretó con fuerza, colocando la correa sobre la boca abierta, apagó el grito.

—Bueno, y qué, Yennefer —dijo Boholt, acercándose—. ¿Cómo quieres hacer de mí un semental? ¿Si no puedes ni menear una mano?

Boholt le rasgó el cuello de su jubón, rompió y le arrancó la camisa. El chillido de Yennefer fue ahogado por las correas.

—Tiempo no tengo ahora —dijo Boholt, mientras la toqueteaba impúdicamente entre las carcajadas de los enanos—, pero espera un poco, hechicera. En cuanto nos carguemos al dragón, nos vamos a montar una fiesta. Atádmela bien a las ruedas, muchachos. Las dos patas a los aros, de modo que ni un dedo menear pueda. Y ahora, su puta madre, que no la toque nadie, señores míos. El orden lo estableceremos según cada uno se porte en el combate contra el dragón.

—Boholt —habló Geralt, en voz baja, sereno y enojado—. Ten cuidado. Te encontraré hasta en el fin del mundo.

—Me asombras —respondió el Sablero, también sereno—. Yo en tu lugar me estaría calladito. Te conozco y tomo en serio tu amenaza. No tendré salida. Puede que no sobrevivas, brujo. Volveremos aún a este negocio. Devastadón, Cortapajas, a los caballos.

—Y ya la tenemos liada —gimió Jaskier—. ¿Por qué diablos me habré mezclado en esto?

Dorregaray, con la cabeza agachada, contemplaba las densas gotas de sangre que le fluían lentamente desde la nariz a la barriga.

—¡Podrías dejar de mirarme! —le gritó a Geralt la hechicera, retorciéndose como una serpiente en sus ligaduras, intentando en vano cubrir sus desnudas bellezas. El brujo volvió obediente la cabeza. Jaskier no.

—Para esto que estoy viendo —se rió el bardo— habrás usado por lo menos un barril entero de elixir de mandrágora, Yennefer. Una piel como una quinceañera, que me ahorquen.

—¡Cierra el pico, hideputa! —gritó la hechicera.

—¿Cuántos años tienes de verdad? —Jaskier persistía—. ¿Unos doscientos? Bueno, pongamos ciento cincuenta. Y te comportaste como...

Yennefer estiró el cuello y le escupió, aunque sin acertarle.

—Yen —habló lleno de reproche el brujo, mientras se limpiaba la oreja ensuciada contra el hombro.

—¡Que deje de mirarme!

—De eso nada —dijo Jaskier sin quitar ojo de la alegre vista que representaba la despechugada hechicera—. Es por su culpa que nos vemos así. Y nos pueden rebanar la garganta. Y a ella como mucho la van a violar, lo que a su edad...

—Cállate, Jaskier —le interrumpió el brujo.

—De eso nada. Justo ahora tengo intenciones de componer un romance sobre dos tetas. Por favor, no me molestéis.

—Jaskier. —Dorregaray sorbió la sangre de la nariz—. Pórtate seriamente.

—Me estoy portando seriamente, joder.

Boholt, al que sujetaban los enanos, se encaramó con esfuerzo sobre la silla, pesado y rígido a causa de la armadura y de los cueros protectores colocados sobre ella. Devastadón y Cortapajas estaban ya montados en los caballos, con un enorme mandoble colocado de través sobre la silla.

—Vale —gruñó Boholt—. Vamos a por él.

—No —dijo una voz profunda que sonaba como una trompa de latón—. ¡Soy yo el que viene a por vosotros!

Desde detrás del anillo de rocas surgió un largo morro, refulgente y dorado, un esbelto cuello armado con una fila de placas triangulares y dentadas, unas patas con garras. Unos ojos malvados, de reptil, con una pupila vertical, miraban bajo unos párpados córneos.

—No podía aguantar más esperando en el campo —dijo el dragón Villentretenmerth mirando a su alrededor—, así que he venido yo. Por lo que veo, cada vez hay menos gente con ganas de pelea.

Boholt tomó las riendas con la boca y el mandoble con ambos puños.

—Bahta yah —dijo confusamente, mientras sujetaba los correajes con los dientes—. ¡Ponhte en juahdia, bisho!

—Lo estoy —dijo el dragón doblando el lomo en arco y levantando injuriosamente la cola.

Boholt miró a los lados. Devastadón y Cortapajas despacio, aparentemente tranquilos, rodearon al dragón desde ambos lados. Por detrás esperaban Yarpen Zigrin y sus muchachos con hachas en las manos.

—¡Aaaaargh! —gritó Boholt, azuzó al caballo con los talones y alzó la espada.

El dragón se hizo un ovillo, se tiró al suelo y por arriba, por encima de su propio lomo, como un escorpión, golpeó con la cola, apuntando no a Boholt, sino a Devastadón, que atacaba por un lado. Devastadón se derrumbó junto con el caballo, entre tintineos, crujidos y relinchos. Boholt, entrando al galope, lanzó un terrible tajo, pero el dragón esquivó hábilmente la ancha hoja. El ímpetu de su galope le llevó a Boholt al lado. El dragón se retorció, se puso sobre las patas traseras y le metió un trompazo a Cortapajas con las garras, rasgando de una vez la tripa del caballo y el muslo del jinete. Boholt, muy inclinado sobre la silla, acertó a sujetar al caballo tirando fuertemente de las riendas con los dientes, atacó de nuevo.

El dragón barrió con la cola a los enanos que se arrastraban hacia él, los derrumbó a todos, después de lo cual se lanzó sobre Boholt, aplastando por el camino como de paso a Cortapajas, que estaba intentando levantarse. Boholt agitó la cabeza de acá para allá, intentando controlar a su desbocado caballo, pero el dragón era incomparablemente más rápido y hábil. Saliéndole astutamente a Boholt por la izquierda para dificultarle el tajo, lo golpeó con su pata poblada de garras. El caballo se encabritó y se echó hacia un lado, Boholt voló de la silla, perdiendo espada y yelmo, cayó hacia atrás, sobre la tierra, golpeándose la cabeza con las rocas.

—¡Largo, muchachos! ¡Al monte! —aulló Yarpen Zigrin, tapando con sus gritos los quejidos de Devastadón, que estaba atrapado debajo del caballo. Con las barbas al viento, los enanos se apresuraron hacia los riscos con una rapidez sorprendente para sus cortas piernas. El dragón no los persiguió. Se sentó tranquilo y miró alrededor. Devastadón se retorcía y gritaba bajo el caballo. Boholt estaba tendido, inmóvil. Cortapajas se arrastraba en dirección a los riscos, de lado, como un gigantesco cangrejo de acero.

—Increíble —susurró Dorregaray—. Increíble...

—¡Hey! —Jaskier se movió en sus ligaduras de tal modo que el carro entero se estremeció—. ¿Qué es eso? ¡Allí! ¡Mirad!

Hacia la garganta más oriental se divisaba una enorme nube de humo, rápidamente les llegaron también gritos, estrépito y trápala. El dragón estiró el cuello, miró.

A la planicie entraron tres grandes carros llenos de gente armada. Separándose, comenzaron a rodear al dragón.

—¡Son... su puta madre, son la milicia y los gremios de Holopole! —gritó Jaskier—. ¡Subieron por las fuentes del Braa! ¡Sí, son ellos! ¡Mirad, es Comecabras, allí, al frente!

El dragón bajó la cabeza, empujó delicadamente en dirección al carro a una pequeña, grisácea y chillona criaturita. Luego golpeó con el rabo en el suelo, barritó sonoramente y se lanzó como una flecha al encuentro de los holopolacos.

—¿Qué es esto? —preguntó Yennefer—. ¿Esto pequeño? ¿Esto que se retuerce sobre la hierba? ¿Geralt?

—Esto es lo que el dragón defendió de nosotros —dijo el brujo—. Esto es lo que salió del cascarón no hace mucho, en una cueva, allá, en el cañón del norte. Un dragoncillo nacido del huevo de la dragona envenenada por Comecabras.

El dragoncillo, tropezando y rozando con su tripa la tierra, anduvo indeciso hacia el carro, chilló, se alzó sobre sus patas traseras, desplegó las alas, luego, sin pensárselo, corrió al lado de la hechicera. Yennefer, con un gesto confuso, suspiró fuertemente.

—Le gustas —murmuró Geralt.

—Joven, pero no tonto. —Jaskier, retorciéndose en las ligaduras, mostró los dientes—. Mirad dónde ha colocado la cabecilla, me gustaría estar en su lugar, diablos. ¡Eh, chaval, vete! ¡Es Yennefer! ¡El terror de los dragones! Y de los brujos. Al menos de un brujo...

—Calla, Jaskier —gritó Dorregaray—. ¡Mirad allá, en el campo! ¡Ya lo atacan, malditos sean!

Los carros de los holopolacos, tronando como carros de guerra, se dirigían contra el dragón que atacaba.

—¡Azurrarle! —gritó Comecabras, apoyado en los hombros del carretero—. ¡Azurrarle, compadres, donde caiga y con lo que caiga! ¡No os dé pena!

El dragón evitó con agilidad al primer carro atacante, donde brillaban las hojas de las hoces, los bieldos y las picas, pero se metió entre los dos siguientes, desde los cuales le cayó encima una enorme red doble de pescadores que se mantenía en tensión con unos correajes. El dragón, enredado en ella, se tiró al suelo, giró, se hizo un ovillo, desplegó las patas. La red, rasgada en pedazos, chasqueó fuertemente. Desde el primer carro, que había conseguido dar la vuelta, le lanzaron otra red, enredándole como de libro. Los dos carros restantes también giraron, se dirigieron hacia el dragón, traqueteando y saltando en los baches.

—¡Caíste en la red, bacalao! —se alegró Comecabras—. ¡Ahora, con los arquitos te vamos a acribillar!

El dragón bramó, lanzó una corriente de vapor dirigida al cielo. Los milicianos holopolacos bajaron del carro y se echaron sobre él. El dragón gritó de nuevo, con un desesperado, vibrante alarido.

Desde el cañón del norte llegó una respuesta, un agudo grito de guerra.

A todo galope, agitando las claras trenzas, silbando penetrantemente, rodeadas por los brillantes reflejos de los sables, desde la garganta surgieron...

—¡Las zerrikanas! —gritó el brujo y forcejeó en vano con las ataduras.

—¡Oh, diablos! —dijo Jaskier—. ¡Geralt! ¿Entiendes?

Las zerrikanas atravesaron la tropa como un cuchillo caliente sobre mantequilla, marcando el camino con cuerpos hendidos, saltaron de los caballos al vuelo, se pusieron de pie junto al dragón que luchaba con la red. El primero de los milicianos que se acercó perdió la cabeza inmediatamente. El segundo apuntó a Vea con su bieldo, pero la zerrikana sujetó el sable con las dos manos y empezando por abajo, del revés, lo cortó desde el perineo hasta el esternón. El resto retrocedió a toda prisa.

—¡A los carros! —aulló Comecabras—. ¡A los carros, compadres! ¡Con los carros las atropellaremos!

—¡Geralt! —gritó de pronto Yennefer, dobló las piernas y con un brusco movimiento se arrastró bajo el carro, bajo las manos dobladas y atadas hacia atrás del brujo—. ¡La Señal de Igni! ¡Quema! ¿Notas las ligaduras? ¡Quémalas, maldita sea!

—¿A ciegas? —gimió Geralt—. ¡Te quemaré, Yen!

—¡Forma la Señal! ¡Lo aguantaré!

Obedeció, sintió el hormigueó en los dedos que formaban la Señal de Igni, justo sobre los tobillos atados de la hechicera. Yennefer volvió la cabeza, se mordió en el cuello del jubón, apagando un gemido. El dragoncillo, chillando, se apretó con las alas contra su lado.

—¡Yen!

—¡Quémalo! —gritó.

Las ligaduras se soltaron en el momento en que el nauseabundo y asqueroso olor a piel quemada se convertía en intolerable. Dorregaray dejó escapar un extraño sonido y se desmayó, quedando colgado por las cuerdas a la rueda del carro.

La hechicera, con un gesto de dolor, se irguió, alargando el pie que ya estaba libre. Gritó enloquecida, la voz llena de dolor y de rabia. El medallón en el cuello de Geralt vibraba como si estuviera vivo. Yennefer estiró el muslo y agitó el pie en dirección a los carros dispuestos a cargar de la milicia holopolaca, gritó un encantamiento. El aire se agitó y olió a ozono.

—Oh, dioses —gimió Jaskier asombrado—. ¡Vaya un romance que será, Yennefer!

El hechizo, arrojado con su grácil pierna, no le salió del todo a la hechicera. El primer carro, junto con todos los que se encontraban en él, adoptó simplemente un tono amarillo como mazorcas de maíz, lo que los soldados holopolacos, en su ardor guerrero, ni siquiera percibieron. Con el otro carro salió mejor: toda su tripulación se transformó en un abrir y cerrar de ojos en enormes y deformes ranas, las cuales, croando ensordecedoramente, se dispersaron en todas direcciones. El carro, falto de guía, se dio la vuelta y se destrozó en pedazos. Los caballos, relinchando histéricamente, se perdieron en la lejanía, arrastrando con ellos el timón quebrado.

Yennefer se mordió los labios y agitó de nuevo el pie en el aire. El carro de la mazorca, entre las notas de una viva melodía que venía de algún lugar allá arriba, se disolvió de pronto en humo de mazorca y toda su tripulación cayó sobre la hierba, entontecida, formando un montón pintoresco. Las ruedas del tercer carro se volvieron cuadradas y las consecuencias fueron inmediatas. Los caballos se pusieron de patas, el carro se destrozó, y los soldados holopolacos se dispersaron sobre el suelo. Yennefer, ya de puro deseo de venganza, agitó el pie y gritó un encantamiento, convirtiendo a los holopolacos al azar en sapos, gansos, ciempiés, flamencos y lechones a rayas. Las zerrikanas remataron concienzuda y metódicamente a los restantes.

El dragón, que por fin había rasgado la red, se incorporó, removió las alas, barritó y se lanzó, tenso como una cuerda, a por el zapatero Comecabras, quien se había salvado del pogromo y se estaba intentando escapar. Comecabras corría como una liebre, pero el dragón era más rápido. Geralt, al ver las mandíbulas que se abrían y el brillo de los dientes, agudos como estiletes, volvió la cabeza. Escuchó un macabro crujido y un chasquido repugnante. Jaskier gritó con una voz apagada. Yennefer, con el rostro blanco como la tiza, se dobló, se echó a un lado y vomitó debajo del carro.

Cayó el silencio, cortado sólo ocasionalmente por los graznidos, los gruñidos y el croar de los milicianos holopolacos que habían sobrevivido.

Vea sonreía desagradablemente, estaba de pie delante de Yennefer con los pies muy separados. La zerrikana alzó el sable. Yennefer, pálida, alzó el pie.

—No —dijo Borch, llamado Tres Grajos, sentado en una piedra. En las rodillas tenía al dragoncillo, sereno y satisfecho.

—No vamos a matar a doña Yennefer —repitió el dragón Villentretenmerth—. Esa orden ya no es actual. Aún más, ahora estamos agradecidos a doña Yennefer por su ayuda inapreciable. Libéralos, Vea.

—¿Entiendes, Geralt? —susurró Jaskier mientras se frotaba las manos que tenía entumecidas—. ¿Entiendes? Hay un antiquísimo romance sobre un dragón dorado. El dragón dorado puede...

—Tomar cualquier forma —murmuró Geralt—. Incluso la forma humana. También he oído hablar de ello. Pero no lo creía.

—¡Don Yarpen Zigrin! —gritó Villentretenmerth al enano que estaba aferrado a los riscos a una altura de veinte codos sobre el suelo—. ¿Qué buscáis allí? ¿Marmotas? No son de vuestro gusto, si no recuerdo mal. Bajad a tierra y ocupaos de los Sableros. Necesitan ayuda. No se va a matar más. A nadie.

Jaskier, echando una mirada intranquila a las zerrikanas, que, muy alerta, daban vueltas por el campo de batalla, intentó reanimar al aún inconsciente Dorregaray. Geralt puso una crema sobre los tobillos quemados de Yennefer y los vendó. La hechicera gritó de dolor y murmuró un encantamiento.

Al terminar su tarea, el brujo se levantó.

—Esperad aquí —dijo—. Tengo que hablar con él.

Yennefer, apretando los labios, se levantó también.

—Iré contigo, Geralt. —Le tomó de la mano—. ¿Puedo? Por favor, Geralt.

—¿Conmigo, Yen? Pensaba...

—No pienses. —Se apretó contra su brazo.

—¿Yen?

—Todo bien, Geralt.

Miró a los ojos de ella, que eran cálidos ahora. Como antaño. Agachó la cabeza y la besó en los labios, calientes, suaves y bien dispuestos. Como antaño.

Anduvieron. Yennefer, apoyada en Geralt, se sujetó el vestido con la punta de los dedos e hizo una reverencia muy grande, como ante un rey.

—Tres Gra... Villentretenmerth... —dijo el brujo.

—Mi nombre, en traducción libre, significa en vuestra lengua Tres Pájaros Negros —le explicó el dragón.

El dragoncillo, clavadas las pequeñas garras en los antebrazos de Tres Grajos, ofreció el cuello a las caricias de su mano.

—El Caos y el Orden. —Villentretenmerth sonrió—. ¿Recuerdas, Geralt? El Caos es la agresión. El Orden es la defensa ante ella. Merece la pena arrastrarse hasta el fin del mundo para enfrentarse a la agresión y al mal, ¿no es cierto, brujo? Sobre todo, como dije, cuando la paga es honorable. Y esta vez lo era. Éste era el tesoro de la dragona Myrgtabrakke, a la que envenenaron en Holopole. Ella me llamó para que la ayudara, para que detuviera el mal que la amenazaba. Myrgtabrakke ya se fue, poco después de que se llevaran del campo a Eyck de Denesle. Tuvo tiempo de sobra, mientras vosotros hablabais y os peleabais. Pero me dejó su tesoro, mi paga.

El dragoncillo chilló y agitó las alitas.

—Así que tú...

—Sí —le interrumpió el dragón—. En fin, los tiempos que corren. Los seres que vosotros soléis llamar monstruos, desde hace cierto tiempo se sienten cada vez más amenazados por los humanos. Ya no son capaces de defenderse solos. Necesitan de un defensor. Una especie de... brujo.

—¿Y la meta... la meta que está al final del camino?

—Es él. —Villentretenmerth levantó sus antebrazos, el dragoncillo chilló asustado—. Precisamente acabo de alcanzarla. Gracias a él perviviré, Geralt de Rivia, probaré que no hay límites de lo posible. Tú también encontrarás alguna vez tu meta, brujo. Incluso aquéllos que son diferentes pueden perdurar. Adiós, Geralt. Adiós, Yennefer.

La hechicera, agarrada con fuerza a los brazos del brujo, se inclinó de nuevo. Villentretenmerth se levantó, la miró, y su rostro adoptó una expresión de seriedad.

—Perdona mi sinceridad y mi franqueza, Yennefer. Está tan escrito en vuestros rostros que no tengo ni siquiera que intentar leer vuestros pensamientos. Estáis hechos el uno para el otro, tú y el brujo. Pero no saldrá nada de todo ello. Nada. Lo siento.

—Lo sé. —Yennefer palideció ligeramente—. Lo sé, Villentretenmerth. Pero yo también quisiera creer que no hay límites de lo posible. O al menos, que están lo suficientemente lejos.

Vea se acercó, tocó el hombro de Geralt, dijo unas palabras con mucha rapidez. El dragón sonrió.

—Geralt, Vea dice que va a recordar durante mucho tiempo la tina de El Dragón Pensativo. Espera que nos volvamos a encontrar alguna vez.

—¿Qué? —preguntó Yennefer, los ojos entrecerrados.

—Nada —habló rápido el brujo—. Villentretenmerth.

—Dime, Geralt de Rivia.

—Puedes tomar cualquier forma. La que quieras.

—Sí.

—Entonces, ¿por qué un ser humano? ¿Por qué Borch con tres pájaros negros en el escudo?

El dragón sonrió apaciblemente.

—No sé, Geralt, en qué circunstancias se encontraron por vez primera los lejanos antepasados de nuestras razas. Pero el hecho es que para los dragones no hay nada más repugnante que el ser humano. El ser humano despierta en los dragones un asco irracional, instintivo. Conmigo es distinto. Para mí... sois simpáticos. Adiós.

No fue una transformación gradual, fluida, ni un temblor nebuloso y pulsante como en caso de una ilusión. Fue repentino como un abrir y cerrar de ojos. En el lugar en el que hacía un segundo había un caballero de cabellos rizados con una túnica adornada con tres pájaros negros, estaba ahora sentado un dragón dorado, que estiraba un cuello largo y esbelto en un ademán de agradecimiento. Después de inclinar la cabeza, el dragón desplegó las alas, que brillaban doradas a los rayos del sol. Yennefer lanzó un hondo suspiro.

Vea, ya en la silla, junto a Tea, les despidió con la mano.

—Vea —dijo el brujo—, tenías razón.

—¿Hmm?

—Él es el más hermoso.

Esquirlas de hielo

I

La oveja muerta, blanda e hinchada, apuntando al cielo con las patas rígidas, se removió. Geralt, pegado a la muralla, extrajo la espada con lentitud, cuidando de que la hoja no rechinara contra las guarniciones de la vaina. De improviso, a una distancia de diez pasos se elevó un montón de basura y comenzó a ondular. El brujo se separó de la pared y dio un salto, antes incluso de que le alcanzara la ola de pestilencia que emanaba de la basura removida.

De debajo de los desperdicios surgió un tentáculo terminado en un ensanchamiento oval, fusiforme, cubierto de anillos, que se dirigió hacia él a una velocidad increíble. El brujo aterrizó con seguridad sobre los restos de un mueble destartalado, se apoyó en un montón de verduras podridas, se balanceó, guardó el equilibrio y con un corto golpe de espada partió el tentáculo, separando la ventosa en forma de porra. Inmediatamente saltó, pero esta vez resbaló en unas tablas y cayó de costado en el fango del estercolero.

El basurero explotó, sacando a la superficie una densa y hedionda sustancia, pedazos de cacerolas, trapos podridos y lívidas hebras de coles en vinagre, y de por debajo de todo ello irrumpió un cuerpo enorme y bulboso, deforme como una grotesca patata, agitando el aire con tres tentáculos y el muñón del cuarto.

Geralt, atascado e incapaz de moverse, torció el muslo y acertó un tajo, cortando horizontalmente otro de los tentáculos. Los dos restantes, gruesos como ramas de árboles, cayeron sobre él con fuerza, enterrándolo aún más en los desperdicios. El cuerpo se arrastró hacia él, reptando por el basurero como un barril viviente. Vio cómo estallaba el asqueroso bulbo, abriéndose en una amplia mandíbula llena de dientes grandes y cúbicos.

Permitió que los tentáculos le rodearan por la cintura. Con un chasquido le sacaron de la apestosa masa y le arrastraron en dirección al cuerpo que, con movimientos circulares, se introducía entre los

68

desperdicios. La mandíbula poblada de dientes chasqueó salvaje y con rabia. Cuando la espantosa boca se acercó, el brujo la golpeó con un mandoble de la espada, la hoja traspasó lenta y blandamente. Un hedor asqueroso y dulzón le cortó el aliento. El monstruo lanzó un silbido y se estremeció, los tentáculos le liberaron, se removieron convulsivamente en el aire. Geralt, hundido en la basura, golpeó otra vez en un revés, las abiertas mandíbulas crujieron y chirriaron aguda y horriblemente. El ser gorgoteó y perdió ímpetu, pero de inmediato se hinchó, silbando, salpicando al brujo con una hedionda masa.

Geralt, con un violento movimiento, hizo fuerza con los pies hundidos en la basura, se liberó, se echó hacia adelante, apartando la guarrería aquélla con el pecho como un nadador aparta el agua, golpeó con todas sus fuerzas, desde arriba, empujando con ímpetu la hoja que penetraba en el cuerpo, entre dos ojos de pálida fosforescencia. El monstruo lanzó un gemido gorgoteante, agitó los miembros, derramándose sobre el montón de porquería como una ampolla rasgada que hedía en cálidas ráfagas de ondulante fetidez. Los tentáculos se agitaban y se retorcían entre la podredumbre.

El brujo salió con dificultad de la densa pasta, se puso de pie sobre una superficie resbaladiza, movediza pero firme. Sintió cómo algo pegajoso y repulsivo que se le había metido en la bota le corría por la pantorrilla. A la fuente, pensó, a librarse lo más rápidamente posible de todo esto, de esta inmundicia. Lavarse. Los tentáculos del monstruo chapoteaban otra vez en la basura, salpicaron, se quedaron inmóviles.

Cayó una estrella fugaz, un rayo que duró un segundo, animando el firmamento negro y moteado de pequeños resplandores inmóviles. El brujo no pidió deseo alguno.

Respiró pesada y roncamente, sintiendo cómo le desaparecía el efecto de los elixires que había tomado antes de la lucha. El gigantesco montón de basura y desperdicios pegados a las murallas de la ciudad, en abrupto desnivel en dirección a la reluciente banda del río, aparecía hermoso y extraño a la luz de las estrellas. El brujo escupió.

El monstruo estaba muerto. Constituía ya parte de aquel montón de basura en el que antes habitaba.

Cayó otra estrella fugaz.

—Un basurero —dijo el brujo con énfasis—. Porquería, estiércol y mierda.

II

—Apestas, Geralt. —Yennefer arrugó la nariz sin volverse del espejo ante el que se limpiaba el tinte de las cejas y las pestañas—. Lávate.

—No hay agua —dijo, mirando la tina.

—Enseguida lo arreglo. —La hechicera se levantó, abrió la ventana de par en par—. ¿La prefieres marina o normal?

—Marina, para variar.

Yennefer alzó violentamente las manos, gritó un encantamiento al tiempo que hacía un corto y complicado gesto con las manos. A través de la ventana abierta sopló de pronto una áspera y húmeda frialdad, los postigos golpetearon y el reflejo de un remolino verde entró a la alcoba y adoptó la forma de una bola irregular. La tina se llenó de un agua que ondeaba nerviosa, chocaba contra los bordes y se derramaba por el suelo. La hechicera se sentó y volvió a lo que estaba haciendo antes de ser interrumpida.

—¿Lo conseguiste? —preguntó—. ¿Qué había en el vertedero?

—Un zeugel, como pensaba. —Geralt se quitó las botas, arrojó al suelo las ropas y metió los pies en la cubeta—. Cuernos, Yen, qué fría está. ¿No puedes calentar esta agua?

—No. —La hechicera, acercando el rostro al espejo, se dio algo en el ojo con la ayuda de un palito de cristal—. Esos encantamientos me cansan un montón y me producen náuseas. Y a ti, después de tus elixires, el agua fría no te hace mal.

Geralt no discutió. Discutir con Yennefer no tenía el más mínimo sentido.

—¿Te causó problemas el zeugel? —La hechicera metió el bastoncillo en un frasquito y se echó algo en el otro ojo, apretando cómicamente los labios.

—No especialmente.

A través de la ventana abierta les llegó un estrépito, un chasquido seco de madera rota y el farfulleo de una voz que repetía desentonada y en falsete el estribillo de una popular cancioncilla picante.

—Un zeugel. —La hechicera tomó otro frasquito de una imponente batería de ellos que reposaba sobre la mesa, le quitó el tapón. En la estancia comenzó a oler a lilas y a grosellas—. Pues, ¿ves?, incluso en una ciudad no es difícil encontrar trabajo para un brujo, no tienes por qué andar vagabundeando por despoblados. ¿Sabes?, Istredd afirma que esto se está convirtiendo en una regla. Algo viene a ocupar el lugar de cada monstruo que está a punto de extinguirse en lagos y pantanos, algo distinto, alguna nueva mutación adaptada al medio ambiente artificial, creado por el ser humano.

Geralt, como siempre, frunció el ceño al oír la mención a Istredd. Sinceramente, comenzaba a estar harto del entusiasmo de Yennefer por la genialidad de Istredd. Incluso si Istredd tenía razón.

—Istredd tiene razón —continuó Yennefer, frotándose los pómulos y párpados con el algo que olía a lilas y a grosellas—. Mira, pseudorratas en alcantarillas y sótanos, zeugeles en los vertederos, planones en los fosos abandonados y en los sumideros, tayezes en los embalses de los molinos. Esto es casi una simbiosis, ¿no te parece?

Y gules en los cementerios que devoraban a los difuntos al día siguiente del entierro, pensó, mientras se enjuagaba el jabón. Una completa simbiosis.

—Sí. —La hechicera apartó los frasquitos y los botecillos—. También en las ciudades se puede encontrar trabajo para un brujo. Pienso que alguna vez sentarás la cabeza en algún sitio, Geralt.

Antes me caerá un rayo, pensó. Pero no lo dijo en voz alta. Llevarle la contraria a Yennefer, como bien sabía, era una invitación a la pelea y una pelea con Yennefer no era de las cosas menos peligrosas del mundo.

—¿Has terminado, Geralt?

—Sí.

—Sal de la bañera.

Sin ponerse de pie, Yennefer agitó la mano descuidadamente y pronunció el hechizo. Con un murmullo, el agua de la cuba, junto con la que se había vertido en el suelo y la que resbalaba por el cuerpo de Geralt, se reunió en una bola traslúcida y con un relámpago voló a través de la ventana. Escuchó un sonoro chapoteo.

—¡Así sus coja la peste, hijos de una puta! —se escuchó un grito enojado que provenía desde abajo—. ¿Es que no tenéis en dónde tirar la mierda? ¡Así sus coman vivos los piojos, que sus coma la tiña, que sus muráis todos!

La hechicera cerró la ventana.

—Joder, Yen. —El brujo soltó una carcajada—. Podrías haber tirado el agua un poco más lejos.

—Podría —murmuró—. Pero no tenía ganas.

Tomó la lamparilla de su mesa y se acercó a él. Su camisón blanco, agitándose con el movimiento de su cuerpo, la hacía sobrenaturalmente atractiva. Más que si estuviera desnuda, pensó.

—Quiero echarte un vistazo —dijo—. El zeugel podría haberte arañado.

—No me arañó. Lo habría sentido.

—¿Después de los elixires? No me hagas reír. Después de los elixires no sentirías una fractura abierta hasta que el hueso no fuera rozando las paredes. Y el zeugel podría tener de todo, hasta el tétanos o la ponzoña. Por si acaso, todavía habría tiempo para ponerle remedio. Date la vuelta.

Sintió en la espalda el delicado calor de la llama de la lamparilla, el roce ocasional de sus cabellos.

—Parece que todo está bien —dijo—. Échate, antes de que los elixires te tumben. Esas mezclas son terriblemente peligrosas. Te matan poco a poco.

—Tengo que tomarlos antes de la lucha.

Yennefer no respondió. Se sentó de nuevo delante del espejo, peinó lentamente sus rizos negros, sinuosos, brillantes. Siempre se peinaba los cabellos antes de acostarse. A Geralt esto le parecía una rareza, pero le encantaba observarla mientras lo hacía. Le daba la impresión de que Yennefer lo sabía.

De pronto sintió mucho frío y percibió que los elixires le hacían temblar, le palpitó la nuca, le corrió por el estómago un remolino de náuseas. Maldijo para sí, se echó en la cama sin dejar de mirar a Yennefer.

Un movimiento en un rincón de la pieza le llamó la atención, aguzó la vista. Sobre unos cuernos de ciervo cubiertos de telarañas y que estaban torcidos, había un pequeño pájaro, negro como el azabache.

Volviendo la cabeza hacia un lado, miró al brujo con un ojo amarillo e inmóvil.

—¿Qué es eso, Yen? ¿De dónde ha salido?

—¿Qué? —Yennefer volvió la cabeza—. Ah, eso. Es una milana.

—¿Una milana? Las milanas son de color pardo sucio y ésta es negra.

—Es una milana mágica. La he hecho yo.

—¿Para qué?

—Me es necesaria —le cortó. Geralt no hizo más preguntas, sabía que Yennefer no le contestaría.

—¿Irás mañana a casa de Istredd?

Yennefer retiró los frasquitos al borde de la mesa, guardó el peine en una arqueta y cerró el espejo en forma de tríptico.

—Iré. Desde el amanecer. ¿Y qué?

—Nada.

Se echó a su lado, sin apagar la lamparilla. Nunca apagaba la luz, no podía dormir en la oscuridad. Fuera una lamparilla o un candelabro o una vela, tenían que quemarse hasta el final. Siempre. Otra rareza más. Yennefer tenía una increíble cantidad de rarezas.

—¿Yen?

—¿Sí?

—¿Cuándo nos vamos de aquí?

—No seas pesado. —Tiró con fuerza del edredón—. Estamos aquí desde hace tres días y tú ya me has preguntado lo mismo al menos treinta veces. Ya te he dicho que tengo asuntos que resolver aquí.

—¿Con Istredd?

—Sí.

Suspiró y la abrazó, sin ocultar sus intenciones.

—Hey —susurró—. Has tomado los elixires...

—¿Y qué?

—Nada. —Se carcajeó como una cría, apretándose contra él, arqueándose y estirándose para facilitar que le quitara la camisa. La fascinación de su desnudez le produjo como siempre un escalofrío en la espalda, hizo que le hormiguearan los dedos que rozaban su piel. Tocó con los labios sus pechos, redondos y delicados, de pezones tan pálidos que sólo resaltaba su forma. Enredó los dedos en sus cabellos, que olían a lilas y a grosellas.

Ella se entregó a sus caricias, ronroneando como un gato, apoyando sus rodillas flexionadas en el pecho de él.

Pronto se vio que —como de ordinario— había sobreestimado su resistencia a los elixires brujeriles, había olvidado su acción perjudicial sobre el organismo. Y puede que no sean los elixires, pensó, puede que sea el cansancio de la lucha, el riesgo, el peligro y la muerte. ¿Un cansancio en el que por rutina ya ni me fijo? Pero mi organismo, aunque mejorado artificialmente, no cede ante la rutina. Reacciona con naturalidad. Sólo que allí donde no hace falta. Rayos.

Pero Yennefer —como de ordinario— no le permitió deprimirse por tan poca cosa. Sintió cómo le tocaba, escuchó cómo murmuraba, allí, junto a su oído. Como de ordinario y sin quererlo pensó en la cifra cósmica de ocasiones en las que había tenido que usar aquel hechizo tan práctico. Y luego dejó de pensar.

Como de ordinario fue extraordinario.

Miró su boca, las comisuras se torcían en una sonrisa inconsciente. Conocía bien esa sonrisa, siempre le parecía que se trataba más de una sonrisa de triunfo que de felicidad. Nunca le había preguntado acerca de ello. Sabía que no le respondería.

La milana negra, sentada sobre los cuernos del ciervo, desplegó las alas, chasqueó el curvo pico. Yennefer volvió la cabeza y suspiró. Con mucha tristeza.

—¿Yen?

—Nada, Geralt. —Le besó—. Nada.

La lamparilla ardía con vacilante llama. Un ratón se introdujo en la pared y la carcoma en la cómoda rechinaba bajito, cadenciosa, monótona.

—¿Yen?

—¿Mmm?

—Vámonos de aquí. No me siento bien aquí. Esta ciudad ejerce una influencia perjudicial sobre mí.

Ella se puso de costado, deslizó la mano por su mejilla, retirando los cabellos, siguió hacia abajo, tocó las gruesas cicatrices que le atravesaban el lado del cuello.

—¿Sabes lo que significa el nombre de esta ciudad? ¿Aedd Gynvael?

—No. ¿Es el idioma de los elfos?

—Sí. Significa «esquirlas de hielo».

—Extraño, no le pega a este agujero de mierda.

—Los elfos tienen una leyenda —susurró la hechicera, pensativa— acerca de la Reina del Invierno, que durante las tormentas de nieve recorre el país en un trineo tirado por un caballo blanco. Mientras viaja, la reina siembra a su alrededor esquirlas de hielo, agudas, duras y pequeñas, y ay de aquél al que las esquirlas le den en los ojos o en el corazón. Éste estará perdido. Nunca nadie será capaz de alegrarlo, todo lo que no posea la blancura de la nieve le parecerá feo, repugnante, asqueroso. No dormirá en paz, lo dejará todo, partirá en busca de la reina, en busca de sus sueños y de su amor. Por supuesto, nunca la encontrará y morirá embargado por la nostalgia. Al parecer aquí, en esta ciudad, en tiempos remotos sucedió algo parecido. Bonita leyenda, ¿no es cierto?

—Los elfos saben arropar todo en palabras hermosas —murmuró soñolientamente, recorriendo los brazos de ella con sus labios—. No es ninguna leyenda, Yen. Es una hermosa descripción de un hecho horrible, la Persecución Salvaje, la maldición de algunos lugares. Una inexplicable locura colectiva que obliga a la gente a unirse a una comitiva espectral que se arrastra por el cielo. Lo he visto. Ciertamente, sucede a menudo en el invierno. Me han ofrecido mucho dinero para que acabara con esa plaga, pero no lo he aceptado. No hay remedio para la Persecución Salvaje...

—Brujo —susurró, besándolo en la mejilla—. No tienes ni gota de romanticismo. Y a mí... a mí me gustan las leyendas de los elfos, son tan hermosas. Una pena que los seres humanos no tengan tales leyendas. ¿Quizá las tendrán alguna vez? ¿Quizá las lleguen a crear? Alrededor, adonde quiera que mires, tristeza y vulgaridad. Incluso lo que comienza con belleza cae pronto en el tedio y la banalidad, en ese ritual humano, en ese ritmo aburrido llamado vida. Oh, Geralt, no es fácil ser hechicera, pero si lo comparas con la existencia humana común y corriente... ¿Geralt?

Colocó la cabeza sobre su pecho, que se movía levemente al respirar.

—Duerme —susurró—. Duerme, brujo.

III

La ciudad ejercía una influencia perjudicial sobre él.

Desde por la mañana. Desde por la mañana todo le ponía de mal humor, todo le producía rabia y desánimo. Todo. Le hizo enfadarse el que se quedara dormido y la mañana se convirtiera prácticamente en mediodía. Le puso nervioso el que no estuviera Yennefer, que había salido antes de que él se despertara.

Tenía que haber salido a toda prisa, porque los utensilios, que por lo general colocaba en orden dentro de sus cofrecitos, yacían sobre la mesa dispersos caóticamente como huesos arrojados por un augur en un ritual profético. Pincelitos de delicadas cerdas: los grandes, que servían para maquillarse el rostro, los pequeños, con los que se pintaba los labios, y los más pequeñitos de todos, para la alheña con la que se teñía las pestañas. Lapiceros y pinturitas para las mejillas y las cejas. Pinzas y cucharillas de plata. Tarritos y botellitas de porcelana y cristal lechoso, que contenían como bien sabía elixires de ingredientes tan banales como hollín, grasa de ganso y zumo de zanahoria y tan amenazadoramente secretos como mandrágora, antimonio, belladonna, cannabis, sangre de dragón y veneno concentrado de escorpiones gigantes. Y sobre todo ello, alrededor, en el ambiente: el olor a lilas y grosellas, que era el perfume que siempre usaba.

Estaba en aquellos objetos. Estaba en aquel perfume.

Pero no estaba ella misma.

Bajó al piso de abajo, sintiendo cómo crecía su inquietud y cómo se le acumulaba la rabia. Contra todo.

Lo enfurecía la fría y tiesa tortilla que el posadero le sirvió como desayuno, despegándose sólo un instante de la muchacha a la que andaba manoseando. Le molestaba también que la muchacha tuviera como mucho doce años. Y lágrimas en los ojos.

El ambiente, cálido y primaveral, y la algarabía alegre que palpitaba en las calles no le puso de mejor humor. Todo seguía sin gustarle en Aedd Gynvael, ciudad que, le daba la impresión, era como una malvada parodia de todas las ciudades por él conocidas. Era como una caricatura, más ruidosa, más agobiante, enervante, sucia.

Seguía percibiendo un débil hedor a basurero en sus ropas y cabellos. Decidió ir a los baños.

En los baños le molestó el gesto del empleado, que miraba su medallón de brujo, la espada puesta a la orilla de la cuba. Le molestó el hecho de que el empleado no le ofreciera una puta. No tenía intenciones de usar de los servicios de una puta, pero en los baños se las ofrecían a todos, por eso le enfureció que hicieran una excepción con él.

Cuando salió, apestando fuertemente a jabón gris, su humor no había mejorado, y Aedd Gynvael no era ni una migaja más hermosa que antes. Seguía sin encontrar nada que le gustara. No le gustaban al brujo los montones de estiércol que cubrían las callejuelas. No le gustaban los mendigos que merodeaban junto a los muros del santuario. No le gustaba la desfigurada pintada en el muro que decía: ¡LOS ELFOS A LA RESERVA!

No le permitieron entrar en el castillo, le enviaron a buscar al estarosta a la bolsa de mercaderes. Esto le molestó. Le molestó también

75

el que el maestre del gremio, un elfo, le mandara buscar al estarosta en la plaza del mercado, contemplándole con un desprecio y una soberbia extraña en alguien al que han de meter en una reserva dentro de poco.

En la plaza se arremolinaban las gentes, estaba llena de puestos, carros, caballos, bueyes y moscas. Sobre una plataforma había una picota con un delincuente al que el populacho le arrojaba tierra y estiércol. El delincuente, con sorprendente control de sí mismo, insultaba a sus atormentadores sin alzar de modo especial la voz.

Para Geralt, que estaba bien familiarizado con ello, el objetivo de la visita del estarosta a aquella batahola estaba bastante claro. Los mercaderes que venían con sus caravanas llevaban las mordidas calculadas en el precio, y tenían, por ello, que hacer entrega de estas mordidas a alguien. El estarosta, que también conocía la costumbre, estaba presente para que los mercaderes no se tuvieran que fatigar.

El lugar donde ejercía su gobierno estaba marcado por un baldaquino de sucio color azul, desplegado sobre unos varales. Había allí una mesa rodeada por sus gesticulantes clientes. A la mesa estaba sentado el estarosta Herbolth, demostrando a todos y a todo su desprecio y su desdén que estaban pintados en un rostro descolorido.

—¡Eh! ¿Adónde vas?

Geralt volvió lentamente la cabeza. Y al instante apagó su furia interna, controló su nerviosismo, se transformó en una dura y fría esquirla de hielo. Ya no podía permitirse las emociones. El hombre que le había salido al paso tenía los cabellos amarillentos como pluma de oropéndola y unas cejas del mismo color sobre unos ojos pálidos y vacíos. Unas manos anchas de largos dedos se apoyaban en un cinturón de masivas placas de latón cargado con una espada, una maza y dos estiletes.

—Ajá —dijo el hombre—. Te reconozco. El brujo, ¿no es cierto? ¿A ver a Herbolth?

Geralt asintió sin dejar de observar las manos del hombre. Sabía que era peligroso levantar la vista de las manos de aquel hombre.

—He oído hablar de ti, matamonstruos —dijo el rubio, observando con atención las manos de Geralt—. Aunque me parece que nunca nos hemos visto, seguramente has oído hablar de mí. Me llamo Ivo Mirce. Pero todos me llaman el Cigarra.

El brujo asintió en señal de que había oído hablar de él. Sabía también el precio que daban por la cabeza del Cigarra en Wyzima, Caelf y Vattweir. Si le hubieran preguntado su opinión, habría dicho que era poco dinero. Pero no le habían preguntado.

—Vale —dijo el Cigarra—. El estarosta, por lo que sé, te está esperando. Puedes ir. Pero la espada, amigo, la dejas aquí. A mí, como verás, me pagan para que vigile la ceremonia ésta. Nadie que vaya armado tiene derecho a acercarse a Herbolth. ¿Entendido?

Geralt se encogió de hombros con indiferencia, se desabrochó el cinturón, envolviendo con él la vaina, le entregó la espada al Cigarra. El Cigarra torció la comisura de la boca en una sonrisa.

—Mira tú —dijo—. Qué obediente, ni una palabra de protesta. Sabía que los rumores sobre ti eran exagerados. Me gustaría que me pidieras tú alguna vez la espada, ibas a ver entonces cuál sería mi respuesta.

—¡Eh, Cigarra! —llamó de pronto el estarosta mientras se levantaba—. ¡Déjalo pasar! Venid acá presto, don Geralt, bienvenido, bienvenido. Retiraos, señores mercaderes, dejadnos a solas por un momento. Vuestros intereses deben ceder el paso a asuntos de mayor importancia para la ciudad. ¡Presentadle vuestras peticiones a mi secretario!

La fingida efusión de bienvenida no engañó a Geralt. Sabía que servía sólo como ocasión para el regateo. Los mercaderes recibían algo de tiempo para pensarse si las mordidas eran lo suficientemente altas.

—Apuesto a que el Cigarra ha intentado provocarte. —Herbolth respondió alzando descuidadamente la mano al no menos descuidado saludo del brujo—. No te preocupes por ello. El Cigarra saca la espada sólo si se lo ordenan. Cierto es que no es que le guste mucho esto, pero mientras yo le pague habrá de hacer caso, si no, a tomar viento, de vuelta al camino. No te preocupes por él.

—¿Para qué diablos necesitáis vos a alguien como el Cigarra, estarosta? ¿Tan poco seguro se está aquí?

—Seguro, pero porque pago al Cigarra. —Herbolth sonrió—. Su fama llega hasta bien lejos y de esto es de lo que se trata. Sabes, Aedd Gynvael y otras ciudades en el valle del Toina pertenecen a los señores de Rakverelin. Y en los últimos tiempos los señores cambian a cada rato. No está claro, en suma, por qué cambian, y es igual porque uno de cada dos es medioelfo o cuarterón de elfo, maldita sangre y maldita raza, todo lo que es malo viene de los elfos.

Geralt no añadió que también de los carreteros, porque el chiste, aunque conocido, no le resultaba gracioso a todo el mundo.

—Cada nuevo señor —continuó Herbolth con la lengua más suelta— empieza por expulsar a los corregidores y estarostas del antiguo régimen para sentar en sus escabeles a parientes y conocidos. Pero después de lo que el Cigarra le hizo una vez a los enviados de cierto señor, nadie se ha atrevido a echarme de mi puesto y soy el estarosta más antiguo del más antiguo régimen, incluso no me acuerdo ya de cuál. Va, pero nosotros aquí, charla que te charla, y la ropa por tender, como solía decir mi primera esposa, que en gloria esté. Vayamos al grano. ¿Qué bicho era el que se había colado en nuestro basurero?

—Un zeugel.

—En mi vida he oído hablar de algo así. Supongo que ya estará muerto.

—Ya está muerto.

—¿Cuánto le va a costar esto a la caja municipal? ¿Setenta?

—Cien.

—¡Vaya, vaya, señor brujo! ¡Me da que beleño habéis bebido! ¿Cien marcos por matar a un gusanillo que vivía en un montón de mierda?

—Gusano o no, estarosta, devoró a ocho personas, como vos mismo afirmasteis.

—¿Personas? ¡Válgame el cielo! El monstruillo, como me informaron, se comió al viejo Recorchos, famoso porque nunca había estado sobrio, a una vieja de los arrabales y a algunos hijos del almadiero Sulirad, lo que no se descubrió enseguida porque el propio Sulirad no sabe cuántos hijos tiene, los hace demasiado deprisa para poder contarlos. ¡Vaya unas personas! Ochenta.

—Si no hubiera matado al zeugel, dentro de poco se habría comido a alguien más importante. Al boticario, pongamos. ¿Y de dónde ibais a sacar entonces los ungüentos contra la gonorrea? Cien.

—Cien marcos es un montón de dinero. No sé si daría tanto por una hidra de nueve cabezas. Ochenta y cinco.

—Cien, señor Herbolth. Fijaos en que, aunque no era una hidra de nueve cabezas, ninguno de los aquí presentes, incluyendo al famoso Cigarra, ha sido capaz de apañárselas con el zeugel.

—Porque ninguno de los aquí presentes tiene por costumbre retozar entre basura y estiércol. Mi última palabra: noventa.

—Cien.

—¡Noventa y cinco, por todos los diablos y demonios!

—De acuerdo.

—Venga. —Herbolth mostró una amplia sonrisa—. Arreglado. ¿Siempre regateas tan bien, brujo?

—No. —Geralt no sonrió—. De hecho, pocas veces. Pero quería daros un gusto, estarosta.

—Y me lo has dado, así te lleve la peste —se carcajeó Herbolth—. ¡Eh, Preseta! ¡Ven acá! Saca el libro y el talego y cuéntame aquí noventa marcos en un pispás.

—Iban a ser noventa y cinco.

—¿Y los impuestos?

El brujo maldijo en voz baja. El estarosta puso en la factura una elaborada señal, luego se hurgó en el oído con la punta limpia de la pluma.

—Espero que ahora el vertedero se quede tranquilo. ¿Eh, brujo?

—Debiera. Sólo había un zeugel. Es cierto que podría haber

alcanzado a multiplicarse. Los zeugeles son hermafroditas, como los caracoles.

—Pero, ¿qué cuento me estás contando? —Herbolth le miró con los ojos entornados—. Para multiplicarse hacen falta dos, es decir, macho y hembra. Pero, ¿qué, que los zeugeles ésos se crían como las pulgas o los ratones, de la paja que se pudre en los jergones? Todo gandumbas sabe que no hay ratones y ratonas, que todos son iguales y se crían de sí mismos y de las pajas podridas.

—Y los caracoles, con las hojas mojadas se juntan —terció el secretario Preseta, todavía enfrascado en colocar las monedas en montoncitos.

—Todos lo saben —se mostró Geralt conforme, sonriendo apaciguador—. No hay caracoles y caracolas. No hay más que hojas. Y quien diga lo contrario se equivoca.

—Basta —cortó el estarosta, mirándolo con desconfianza—. Basta de bichos. He preguntado si se nos puede poner a correr algo por el basurero otra vez, y ten la bondad de responder corto y con claridad.

—En un mes más o menos habría que recorrer la escombrera, lo mejor, con perros. Los zeugeles pequeños no son poco peligrosos.

—¿Y no podrías hacer eso tú, brujo? En cuanto al precio, podemos ponernos de acuerdo.

—No. —Geralt tomó el dinero de las manos de Preseta—. No tengo intenciones de andar por vuestra encantadora ciudad ni siquiera una semana, cuanto menos un mes.

—Interesante perorata. —Herbolth sonrió torcidamente, mirándolo a los ojos—. De hecho, muy interesante. Porque yo pienso que vas a quedarte aquí más largo.

—Mal pensáis, estarosta.

—¿De verdad? Viniste aquí con esa pitonisa morena, cómo se llama, lo he olvidado... Guinevere, creo. Te has quedado con ella en El Esturión. Dicen que en la misma estancia.

—¿Y qué?

—Pues que ella, siempre que visita Aedd Gynvael, no se va tan pronto. Y hay que ver cuántas veces ha estado ya aquí.

Preseta formó una sonrisa amplia, desdentada y significativa. Herbolth todavía miraba a los ojos a Geralt, sin sonreír. Geralt sonrió también, de la forma más amenazadora que podía.

—Yo, al fin y al cabo, no sé nada. —El estarosta desvió la vista y escarbó con el tacón en la tierra—. Y no me importa una mierda. Pero el hechicero Istredd, para que lo sepas, es aquí una persona importante. Insustituible en esta villa, sin precio, diría. Es respetado por toda la gente, los de aquí y los forasteros también. Nosotros no metemos la nariz en sus hechicerías ni curioseamos en el resto de sus asuntos.

—Y quizá con razón —accedió el brujo—. ¿Y dónde vive, si se puede preguntar?

—¿No sabes? Pues es justo aquí, ¿ves esa casa? Esa casa blanca, alta, que está metida entre el almacén y el arsenal como una vela en el culo, dicho sea sin ofender. Pero ahora no lo vas a encontrar allí. Istredd desenterró hace poco algo de junto a la muralla del sur y cava ahora a su alrededor como un topo. Y el pueblo me obligó a ir a las excavaciones aquéllas. Así que voy, le pregunto cortésmente, por qué, maestro, hacéis agujeritos como un crío, el pueblo empieza a reírse ya. ¿Qué hay en esta tierra? Y él me mira como a un pobre diablo cualquiera y dice: «Historia». Qué es esto de una historia, le digo. Y él: «La historia de la humanidad. La respuesta a las preguntas. A la pregunta de qué hubo y a la pregunta de qué habrá». Una mierda es lo que había aquí, le digo, antes de que construyeran la ciudad, baldíos, matojos y lobisomes. Y lo que vendrá depende de a quién nombren señor en Rakverelin, a qué nuevo medioelfo asqueroso. Y en la tierra no hay historia ninguna, allí no hay na, a no ser lombrices, si alguien las quiere para pescar. ¿Piensas que me hizo caso? Tú verás. Sigue cavando. Si quieres verlo, vete a la muralla del sur.

—Eh, señor estarosta —resopló Preseta—. Ahora está en casa. De qué va andar él entre zanjas, ahora, cuando...

Herbolth le miró amenazadoramente. Preseta se encorvó y tosió, apoyándose en un pie y luego en el otro. El brujo, todavía con una sonrisa terrible, cruzó los brazos sobre el pecho.

—Sí, ejem, ejem —carraspeó el estarosta—. Quién sabe, puede que de hecho Istredd esté ahora en casa. Lo que a mí, al fin y al cabo...

—Que los dioses os den salud, estarosta —dijo Geralt sin forzarse siquiera a una parodia de inclinación—. Que tengáis un buen día.

Se fue hacia el Cigarra, quien le salía al encuentro con las armas tintineando. Sin decir una palabra extendió la mano hacia su espada, que el Cigarra sujetaba con el dorso interno del codo. El Cigarra retrocedió.

—¿Tienes prisa, brujo?

—Tengo prisa.

—Le he echado un vistazo a tu espada.

Geralt le midió con una mirada que ni con las mejores intenciones podía ser considerada como calurosa.

—Tienes de lo que vanagloriarte —asintió—. No hay muchos que la hayan visto. Y menos todavía han podido hablar de ello.

—Jo, jo. —El Cigarra mostró los brillantes dientes—. Eso ha sonado pero que muy amenazador, hasta se me ha puesto la carne de gallina. Siempre he sentido curiosidad por saber, brujo, el porqué os tiene miedo la gente. Y creo que ya sé por qué.

—Tengo prisa, Cigarra. Dame la espada, si no te importa.

—Humo en los ojos, brujo, nada sino humo en los ojos. Asustáis a la gente como hace el colmenero con las abejas, con humo y pestilencia, con esos pétreos rostros vuestros, con esas habladurías y esos rumores que seguramente ponéis vosotros mismos en circulación. Y las abejas huyen ante el humo, las idiotas, en vez de pinchar su aguijón en el culo del brujo, que se hincha como cualquier otro. Dicen de vosotros que no sentís como los seres humanos. Tonterías. Si a cualquiera de vosotros os pincharan como es debido, lo sentiríais.

—¿Has terminado?

—Sí —dijo el Cigarra, dándole la espada—. ¿Sabes lo que me interesa, brujo?

—Lo sé. Las abejas.

—No. Pienso que, si vinieras por una calleja con tu espada en una dirección y yo en la otra, ¿cuál de nosotros dos llegaría al final de la calle? Es algo, a mi parecer, digno de una apuesta.

—¿Por qué me provocas, Cigarra? ¿Buscas pendencia? ¿Qué es lo que quieres?

—Nada. Solamente siento curiosidad por ver cuánto hay de verdad en lo que la gente dice. Que sois tan buenos en la lucha, vosotros, los brujos, porque no tenéis corazón, ni alma, ni piedad, ni conciencia. ¿Y esto basta? Porque, por ejemplo, de mí dicen lo mismo. Y no sin razón. Por eso siento una curiosidad terrible por saber quién de nosotros dos saldría del callejón, saldría vivo, digo. ¿Qué? ¿Merece la pena una apuesta? ¿Qué piensas?

—Te he dicho que tengo prisa. No voy a perder el tiempo en darle vueltas a tonterías. Y no acostumbro a apostar. Pero si alguna vez se te pasara por la cabeza molestarme cuando paso por una calleja, te lo aconsejo por las buenas, Cigarra: piénsatelo primero.

—Humo. —El Cigarra sonrió—. Humo en los ojos, brujo. Nada más. Hasta la vista, quién sabe, ¿puede que en alguna calleja?

—Quién sabe.

IV

—Aquí podremos hablar con libertad. Siéntate, Geralt.

Lo que más saltaba a la vista del despacho era la imponente cantidad de libros: ocupaban el mayor espacio en aquel amplio habitáculo. Los gruesos tomos llenaban las librerías pegadas a las paredes, hacían arquearse estanterías, se amontonaban en los arcones y las cómodas. Según le parecía al brujo, debían de valer una fortuna. No faltaban, por supuesto, otros elementos típicos para crear ambiente: un cocodrilo disecado, un pez erizo seco que colgaba del techo, un polvoriento esqueleto y una potente colección de frascos con alcohol que contenían con seguridad cada monstruosidad imaginable: escolopendras, arañas, ofidios, sapos y también incontables fragmentos humanos e inhumanos, principalmente tripas. También había un homúnculo o algo que recordaba a un homúnculo, pero que también podría haber sido un feto ahumado.

A Geralt aquella colección no le causó impresión alguna. Había vivido medio año en casa de Yennefer en Vengerberg, y Yennefer tenía una colección todavía más curiosa, que incluía hasta un falo de proporciones nunca vistas, al parecer procedente de un troll serrano. Poseía también un unicornio excelentemente disecado sobre cuya grupa gustaba de hacer el amor. Geralt era de la opinión que, si había en el mundo un lugar peor para hacer el amor, sólo podía ser la grupa de un unicornio vivo. Al contrario que él, que consideraba la cama un lujo y valoraba toda oportunidad de uso de tan maravilloso mueble, Yennefer podía llegar a ser locamente extravagante. Geralt recordaba gratos momentos pasados junto a la hechicera en un tejado muy inclinado, en el hueco de un árbol lleno de porquería, en un balcón, y además que no era suyo, en la balaustrada de un puente, en una canoa balanceándose en una impetuosa corriente y mientras levitaban a treinta brazas del suelo. Pero el unicornio era lo peor. Un afortunado día el muñeco se rompió por debajo de ellos, se descosió y se deshizo en pedazos, dando motivo suficiente para reírse un buen rato.

—¿Qué es lo que te divierte tanto, brujo? —le preguntó Istredd, sentándose detrás de una larga mesa sobre la que descansaba una larga cifra de cráneos de morsa, huesos y oxidados cacharros de hierro.

—Cada vez que veo estas cosas —el brujo se sentó enfrente, mientras señalaba los frascos y frasquitos—, me da por pensar si de verdad no se puede practicar la magia sin todas esas monstruosidades a la vista de las cuales el estómago se le revuelve a uno.

—Cuestión de gustos —dijo el hechicero—. Y de costumbre. Lo que a uno le repugna, a otro no le afecta. ¿Y a ti, Geralt, qué es lo que te repugna? Curioso, ¿qué es lo que puede repugnar a alguien que, como he oído, es capaz de meterse entre estiércol e inmundicia por dinero? No te tomes esta pregunta como un insulto o una provocación. De verdad siento curiosidad por ver qué es capaz de provocar asco a un brujo.

—¿No contendrá por casualidad este frasquito sangre menstrual de una doncella, Istredd? Sabes, me produce asco el imaginarte a ti, un digno hechicero, con la botellita en la mano, intentando conseguir tal valioso líquido, gota a gota, bebiendo, por así decirlo, de la misma fuente.

—Tocado. —Istredd sonrió—. Hablo, por supuesto, de tu brillante chiste, porque en lo que concierne al contenido del frasquito no has acertado.

—Pero usas a veces esa sangre, ¿verdad? Para algunos de los encantamientos, por lo que he oído, no se puede ni empezar sin sangre de doncella, y mejor si la mató en luna llena un rayo caído de un cielo sin nubes. Sólo por curiosidad, ¿en qué es mejor tal sangre que la de una vieja ramera que yendo borracha se cayó por la empalizada?

—En nada —concedió el hechicero con una sonrisa amable en los labios—. Pero si se demostrara que ese papel en la práctica lo puede cumplir también la sangre de una cerda, dado que es más fácil de conseguir, entonces la chusma empezaría a experimentar con hechizos. Pero si la chusma tiene que recolectar y usar la sangre de doncella que tanto te fascina, lágrimas de dragón, veneno de tarántulas blancas, un caldo de manos cortadas de recién nacidos o de un cadáver exhumado a medianoche, pues más de uno se lo pensará.

Se callaron. Istredd, dando la impresión de estar profundamente sumido en sus pensamientos, golpeteó con las uñas en un cráneo agrietado, ennegrecido, falto de la mandíbula inferior, que yacía delante de él. Con el dedo índice recorrió las dentadas aristas de la abertura que terminaba en el hueso temporal. Geralt le contempló con discreción. Se preguntaba cuántos años podría tener el hechicero. Sabía que los más hábiles eran capaces de detener el proceso de envejecimiento permanentemente y en la edad deseada. Los hombres, para su reputación y su prestigio, preferían la edad de una madurez avanzada, para sugerir sabiduría y experiencia. Las mujeres —como Yennefer— se cuidaban menos del prestigio y más de su atractivo. Istredd no parecía ser más que un cuarentón fuerte y maduro. Tenía unos cabellos ligeramente grises, lisos, que le llegaban a los hombros y muchas pequeñas arrugas en la frente, junto a los labios y alrededor de los ojos. Geralt no sabía si la profundidad y sabiduría de aquellos ojos grises y bondadosos era natural o producida por los hechizos. Al cabo de un rato llegó a la conclusión de que le importaba un pimiento.

—Istredd —cortó el penoso silencio—. He venido aquí porque quería ver a Yennefer. Aunque ella no estaba, me has invitado a entrar. Para hablar. ¿De qué? ¿De la chusma que intenta romper vuestro monopolio del uso de la magia? Sé que también me cuentas a mí entre esa chusma. Esto no es nada nuevo para mí. Por un momento pensé que ibas a ser distinto de tus confráteres, que a menudo traban conversación conmigo sólo para mostrarme lo mucho que no me aprecian.

—No pienso pedir perdón por mis, como has dicho, confráteres —contestó sereno el hechicero—. Los entiendo porque, tal como ellos, para llegar a tal conocimiento de la nigromancia, he tenido que trabajar mucho. Cuando apenas era un rapaz, cuando los chavales de mi misma edad corrían por los campos con arcos y flechas, pescaban o jugaban a pídola, yo no levantaba cabeza de los manuscritos. A causa de los suelos de piedra de las torres se me quebraban los huesos y se me rompían las articulaciones, por supuesto en verano, porque en invierno me estallaba el esmalte de los dientes. El polvo de los viejos libros y pergaminos me hacía toser hasta que se me salían las lágrimas por los ojos, y mi maestro, el viejo Roedskilde, nunca dejaba pasar ocasión de darme en la espalda con la fusta, juzgando por lo visto que sin eso no alcanzaría suficientes progresos en el estudio. No usé de las peleas, ni de las muchachas ni de la cerveza en los mejores años, cuando tales distracciones saben mejor.

—Pobrecillo. —Geralt arrugó el gesto—. Ciertamente, hasta se me saltan las lágrimas.

—¿Por qué esa ironía? Intento explicarte las causas por las que a los hechiceros no les gustan los curanderos de aldea, los aojadores, sanadores, meigas y brujos. Llámalo, si quieres, incluso simple envidia, pero justo aquí está la causa de la antipatía. Nos molesta cuando vemos que la magia, arte que se nos enseñó a tratar como saber elitista, privilegio de los mejores y misterio sacrosanto, cae en manos de profanos y autodidactas. Incluso si se trata de una magia vieja, mísera, digna de burla. Por eso mis confráteres no te aprecian. Yo, hablando claramente, tampoco.

Geralt estaba harto de discusión, harto de transigir, harto de ese desagradable sentimiento de desasosiego que, como un caracol, le iba recorriendo la nuca y la espalda. Miró directamente a los ojos de Istredd, apretó los dedos contra el borde de la mesa.

—Se trata de Yennefer, ¿verdad?

El hechicero alzó la cabeza, tocando todavía levemente con las uñas el cráneo que yacía sobre la mesa.

—Te felicito por tu perspicacia —dijo, aguantando la mirada del brujo—. Mi enhorabuena. Sí, se trata de Yennefer.

Geralt calló. Una vez, hacía muchos, muchos años, todavía era un joven brujo, esperó en un escondrijo a una manticora. Y sintió cómo se acercaba la manticora. No la veía, no la escuchaba. Pero la sentía. Nunca podría olvidar aquel sentimiento. Y ahora sentía exactamente lo mismo.

—Tu perspicacia —añadió el hechicero— nos ahorra mucho tiempo, todo el que nos hubiera ocupado el seguir tirando del hilo. Y sí, el asunto está claro.

Geralt no respondió.

—Mi profunda amistad con Yennefer —siguió Istredd— data de hace mucho tiempo, brujo. Durante mucho tiempo ha sido una amistad sin obligaciones, basada en periodos largos o cortos, más o menos regulares, de estar juntos. Este tipo de relación sin obligaciones es practicado a menudo entre los de nuestra profesión. Sólo que de pronto esto ya no me basta. Me he decidido a proponerle que se quede conmigo permanentemente.

—¿Qué respondió?

—Que se lo pensará. Le he dado tiempo para pensarlo. Sé que no es para ella una decisión fácil.

—¿Por qué me cuentas esto, Istredd? ¿Qué es lo que te mueve a hacerlo aparte de una sinceridad, digna de elogio pero sorprendente, tan rara entre los de tu profesión? ¿Qué objetivo tiene esta sinceridad?

—Prosaico —suspiró el hechicero—. Porque, sabes, es tu persona la que dificulta a Yennefer el tomar una decisión. Por ello te pido que te vayas voluntariamente. Que desaparezcas de su vida, que dejes de estorbar. En pocas palabras: que te vayas al diablo. Lo mejor, a escondidas y sin despedirte, lo que, como ella me ha confesado, has practicado a menudo.

—Cierto. —Geralt sonrió forzadamente—. Tu extrema sinceridad me produce cada vez mayor estupefacción. Me podía haber esperado cualquier cosa, pero no tal petición. ¿No crees que en vez de pedir, tendrías que haberme arrojado un bola de rayos por la espalda? No habría entonces estorbo, sólo un poco de hollín que habría que arrancar de la pared. Un método más fácil y más seguro. Porque, sabes, una petición se puede rechazar, una bola de rayos no es posible.

—No tomo en cuenta la posibilidad de un rechazo.

—¿Por qué? ¿No será acaso esta extraña petición otra cosa que una advertencia que precede a un rayo u otro alegre hechizo? ¿Acaso esta petición ha de ser apoyada por más contantes argumentos? ¿Una suma que deje asombrado al codicioso brujo? ¿Cuánto piensas pagarme para que me aparte del camino que conduce a tu felicidad?

El hechicero dejó de golpetear el cráneo, puso sobre él la mano, cerró el puño. Geralt se dio cuenta de que los nudillos se le reblanquecieron.

—No era mi intención rebajarte con semejante oferta —dijo—. Lejos de mí algo así. Pero... sí... Geralt, soy hechicero, y no de los peores. No pienso jactarme de ser todopoderoso, pero muchos de tus deseos, si quisieras decirlos, te los podría conceder. Algunos, oh, con absoluta facilidad.

Agitó las manos con descuido, como si espantara a un mosquito. La superficie de la mesa se pobló de pronto de fabulosas y coloreadas mariposas de Apolo.

—Mi deseo, Istredd —gruñó el brujo, mientras se quitaba los insectos que revolotean por delante de su rostro—, es que dejes de meterte entre Yennefer y yo. Poco me afecta la proposición que le has hecho. Pudiste hacérsela mientras ella estaba contigo. Antes. Pero antes era antes y ahora es ahora. Ahora está conmigo. ¿Tengo que apartarme para facilitarte el asunto? Me niego. No sólo no te ayudaré, sino que estorbaré en la medida de mis modestas fuerzas. Como ves, no me quedo atrás en sinceridad.

—No tienes derecho a rechazarme. Tú no.

—¿Por quién me tomas, Istredd?

El hechicero lo miró directamente a los ojos, echándose hacia delante.

—Por un enamoramiento fugaz. Por una fascinación pasajera, en el mejor de los casos, por un capricho, por una aventura, como las que Yenna ha tenido a centenares, porque a Yenna le gusta jugar con las emociones, es impulsiva e imprevisible en sus caprichos. Por esto te tomo, aunque, después de haber cambiado estas palabras contigo, rechazo la posibilidad de que ella te trate exclusivamente como un instrumento. Pero créeme, esto le sucede a ella muy a menudo.

—No has entendido mi pregunta.

—Te equivocas, la he entendido. Pero me he referido conscientemente sólo a las emociones de Yenna. Porque tú eres un brujo y no puedes experimentar emoción alguna. No quieres cumplir mi ruego porque te parece que la necesitas, piensas que... Geralt, estás con ella sólo porque ella lo quiere y vas a estar con ella tanto como ella quiera. Y lo que sientes es tan sólo la proyección de sus emociones, del interés que muestra en ti. Por todos los demonios del Hades, Geralt, no eres un niño, sabes quién eres. Eres un mutante. No me entiendas mal, no digo esto para denigrarte ni despreciarte. Afirmo un hecho. Eres un mutante, y una de las características estables de tu mutación es una completa insensibilidad ante las emociones. Así te hicieron, para que pudieras realizar tu profesión. ¿Entiendes? No puedes sentir nada. Todo lo que tomas por sentimientos no es más que la memoria de tus células, somática, si sabes lo que significa esta palabra.

—Imagínate que lo sé.

—Pues mejor. Escucha entonces. Te pido algo que le puedo pedir a un brujo y que no le podría pedir a un ser humano. Soy sincero con un brujo, con un ser humano no podría permitirme la sinceridad. Geralt, quiero dar a Yenna razón y estabilidad, sentimientos y felicidad. ¿Puedes, con el corazón en la mano, decir lo mismo? No, no puedes. Para ti son palabras privadas de significado. Corretas detrás de Yenna, alegre como un niño por la simpatía ocasional que te demuestra. Ronroneas como un gato asilvestrado al que todos tiran piedras, satisfecho porque por fin has hallado alguien que no tiene miedo de acariciarte el lomo. ¿Entiendes lo que quiero decir? Oh, sé que entiendes, no eres tonto, eso está claro. Tú mismo ves que no tienes derecho a rechazar mi amable propuesta.

—Tengo tanto derecho a rechazar —rezongó Geralt— como tú a pedir, y dado que estos nuestros derechos se sostienen el uno al otro, volvamos al punto de partida, y tal punto es éste: Yen, por lo visto sin importarle mis mutaciones y sus consecuencias, está ahora conmigo. Tú te has declarado, es tu derecho. ¿Dijo que se lo iba a pensar? Su derecho. ¿Tienes la impresión de que yo le dificulto tomar una decisión? ¿Que duda? ¿Que yo soy la causa de esa duda? Esto es ya mi derecho. Si duda, entonces seguramente tenga razón para ello. Seguramente entonces le dé yo algo, aunque falten para ello palabras en el vocabulario de los brujos.

—Escucha...

—No. Escúchame tú a mí. ¿Estuvo contigo antes, dices? Quién sabe, puede que no fuera yo sino tú el que sirviera como enamoramiento fugaz, capricho, emoción incontrolada, tan típicos de ella. Istredd, no puedo ni siquiera excluir que no te tratara entonces tan sólo como a un instrumento. Esto, señor hechicero, no se puede excluir por una única conversación. En este caso, me parece, el instrumento suele ser más importante que la elocuencia.

Istredd no pestañeó siquiera, ni siquiera hizo un gesto. Geralt se asombró de su autocontrol. El prolongado silencio, sin embargo, mostraba que el golpe había sido acertado.

—Juegas con palabras —dijo por fin el hechicero—. Te embriagas con ellas. Con las palabras quieres sustituir los sentimientos normales, humanos, que no posees. Tus palabras no expresan sentimientos, son sólo sonidos, como los que produce este cráneo cuando lo golpeas. Porque estás tan vacío como este cráneo. No tienes derecho a...

—Basta —le cortó Geralt con acritud, quizá con demasiada acritud—. Deja de negarme constantemente todo derecho, estoy harto de ello, ¿me oyes? Te he dicho que nuestros derechos son los mismos. No, joder, los míos son mayores.

—¿De verdad? —El hechicero palideció ligeramente, produciéndole con ello a Geralt un regocijo inexpresable—. ¿Y por qué leyes?

El brujo se lo pensó un instante y decidió acabar con él.

—Por aquélla —estalló— de que ayer por la noche hizo el amor conmigo y no contigo.

Istredd tomó el cráneo y se lo acercó, lo acarició. La mano, para mortificación de Geralt, ni siquiera le temblaba.

—¿Eso, según tú, te da algún derecho?

—Sólo uno. El derecho a sacar consecuencias.

—Ajá —habló el hechicero con lentitud—. Bien. Como quieras.

Conmigo ha hecho el amor hoy por la mañana. Saca tus consecuencias, tienes derecho. Yo ya las he sacado.

El silencio duró mucho. Geralt buscó desesperado alguna respuesta. No la encontró. Ninguna.

—Basta de charlotear —dijo al fin, levantándose, enojado consigo mismo, porque había sonado brusco y tonto—. Me voy.

—Vete al diablo —dijo Istredd con la misma brusquedad, sin mirarle.

V

Cuando ella entró, él estaba tumbado sobre la cama completamente vestido, con las manos por detrás de la nuca. Hizo como que miraba al techo. La miraba a ella.

Yennefer cerró despacito la puerta tras de sí. Era hermosa.

Qué hermosa es, pensó. Todo en ella es hermoso. Y peligroso. Esos colores suyos, ese contraste entre blanco y negro. Belleza y amenaza. Esos sus rizos de ala de cuervo, tan naturales. Sus pómulos, pronunciados, subrayados por una arruga que la sonrisa —si ella considera necesario sonreír— crea junto a los labios, maravillosamente anchos y pálidos por debajo de la pintura que los cubre. Sus cejas, maravillosamente irregulares cuando se quita el carboncillo que las hace resaltar durante el día. Su nariz, maravillosamente larga. Sus pequeñas manos, maravillosamente nerviosas, intranquilas y hábiles. El talle, fino y esbelto, marcado por un cinturón excesivamente apretado. Las largas piernas, que dan forma oval a su negra falda cuando anda. Hermosa.

Sin una palabra se sentó a la mesa, apoyó la barbilla en las manos entrelazadas.

—Bueno, venga, comencemos —dijo—. Este silencio tan largo y lleno de dramatismo es demasiado banal para mí. Vamos a arreglar esto. Levántate de la cama y no mires al techo con ese gesto de ofendido. La situación ya es bastante tonta y no hay por qué hacerla más tonta todavía. Levántate, te digo.

Se alzó, obediente, sin hacerse el remolón, se sentó a horcajadas sobre el escabel que estaba frente a ella. No desvió su mirada de él. Podría habérselo esperado.

—Como he dicho, vamos a arreglar esto, lo vamos a arreglar rápido. Para no ponerte en una situación delicada, responderé de inmediato a todas las preguntas, no tienes ni siquiera que plantearlas. Sí, es cierto, al venir contigo a Aedd Gynvael venía a ver a Istredd y sabía que, cuando lo encontrara, iría con él a la cama. No pensé que, como resultado, vendríais a fanfarronear el uno delante del otro. Sé cómo te sientes ahora y lo lamento. Pero no, no me siento culpable.

Él se mantenía en silencio.

Yennefer agitó la cabeza, sus rizos negros, resplandecientes, se deslizaron en cascada por sus hombros.

—Geralt, di algo.

—Él... —Carraspeó—. Él te llama Yenna.

—Sí. —No bajó los ojos—. Y yo a él le llamo Val. Es su nombre. Istredd es un apodo. Lo conozco desde hace años, Geralt. Me es muy querido. No me mires así. Tú también me eres muy querido. Y ahí radica todo el problema.

—¿Estás pensando aceptar su propuesta?

—Para que lo sepas, lo estoy pensando. Ya te he dicho, nos conocemos desde hace años. Desde... Muchos años. Me unen a él intereses, objetivos, ambiciones. Nos entendemos sin palabras. Puede servirme de apoyo y, quién sabe, puede que venga el día en que necesite apoyo. Y sobre todo... Él... él me ama. Pienso.

—No voy a estorbarte, Yen.

Bajó la cabeza y sus ojos violeta brillaron con fuego lívido.

—¿Estorbarme? ¿Es que no entiendes nada, idiota? Si me estorbaras, si simplemente me molestaras, me libraría del estorbo en un abrir y cerrar de ojos, te teleportaría al confín del cabo Bremervoor o te llevaría con una tromba de aire al país de Hanna. Con un poco de esfuerzo te podría meter en un pedazo de cuarzo y te colocaría en el jardín sobre un macizo de peonías. Podría también lavarte el cerebro hasta que olvidaras quién era o cómo me llamaba. Y todo esto sólo si me apeteciera. Porque podría decir simplemente: «Estuvo bien, adiós». Podría largarme a escondidas, como tú hiciste entonces, cuando huiste de mi casa de Vengerberg.

—No grites, Yen, no seas tan agresiva. Y no vuelvas a desenterrar esa historia de Vengerberg, prometimos no volver a ello otra vez. No me quejo de ti, Yen, no te acuso de nada. Sé que no se te puede medir con una medida común y corriente. Y el que me duela... el que me mate la consciencia de que te pierdo... sólo se trata de la memoria de mis células. Restos atávicos de sentimientos en un mutante al que le han eliminado las emociones...

—¡No soporto cuando hablas así! —estalló—. No aguanto cuando usas la palabra mutante. Nunca más la uses en mi presencia. ¡Nunca!

—¿Eso cambia los hechos? Al fin y al cabo soy un mutante.

—No existe hecho alguno. No pronuncies esa palabra delante de mí.

La milana negra, apoyada en los cuernos del ciervo, agitó las alas, removió las garras. Geralt miró al pájaro, a sus ojos amarillos e inmóviles. Yennefer apoyó de nuevo su barbilla en las manos entrelazadas.

—Yen.

—Di, Geralt.

—Has prometido responder a las preguntas. A preguntas que incluso no tengo ni que plantear. Falta una, la más importante. La que nunca te he planteado. La que tenía miedo de plantear. Respóndela.

—No puedo, Geralt —dijo con dureza.

—No te creo, Yen. Te conozco demasiado bien.

—No se puede conocer bien a una hechicera.

—Responde a mi pregunta, Yen.

—Te respondo: no sé. ¿Pero qué respuesta es ésa?

Callaron. El murmullo de gente hablando que llegaba de la calle se apagó, fue desapareciendo.

El sol que se dirigía a su ocaso bañó de fuego las rendijas de los postigos, atravesando la estancia con sesgadas estelas de luz.

—Aedd Gynvael —murmuró el brujo—. Esquirla de hielo... Lo sentía. Sabía que esta ciudad... era mi enemiga. Dañina.

—Aedd Gynvael —repitió ella despacio—. El trineo de la reina de los elfos. ¿Por qué? ¿Por qué, Geralt?

—Voy detrás de ti, Yen, porque me he enredado, los arreos de mi trineo se han enganchado a los patines del tuyo. Y alrededor mío ruge la ventisca. Y la helada. El frío.

—El calor derretiría en ti la esquirla de hielo con que te acerté —susurró—. De ese modo desaparecería el hechizo, me verías tal y como soy en realidad.

—Espolea entonces a tus caballos blancos, Yen, que vuelen hacia el norte, allá donde nunca alcanza el deshielo. Para que nunca se deshaga la esquirla. Quiero encontrarme lo más deprisa posible dentro de tu castillo de hielo.

—Ese castillo de hielo no existe. —Los labios de Yennefer temblaban, se torcían—. Es un símbolo. Y nuestros trineos persiguen un sueño inalcanzable. Porque yo, reina de los elfos, anhelo el calor. Éste es mi secreto. Por eso cada año mi trineo me lleva entre remolinos de nieve a alguna ciudad y cada año alguien, herido por mis hechizos, enlaza los correajes de su trineo a los patines del mío. Cada año. Cada año alguien nuevo. Sin fin. Porque el calor que tanto anhelo destruye a la vez el hechizo, destruye la magia y el encanto. Mi elegido tocado por una estrella de hielo se convierte de pronto en un simple nadie. Y yo, a sus ojos deshelados, me convierto en alguien que no es mejor que otras... pequeñas mortales...

—Y debajo de ese blanco inmaculado aparece la primavera —dijo él—. Aparece Aedd Gynvael, fea ciudad de hermoso nombre. Aedd Gynvael y su basurero, un enorme y apestoso montón de basura en el que tengo que entrar porque me pagan para ello, porque me hicieron para eso, para entrar en la inmundicia que a otros colma de asco y repugnancia. Me han privado de la capacidad de sentir para que no sea capaz de sentir cuán monstruosamente asquerosa es esa inmundicia, para que no retroceda, no huya ante ella, lleno de pavor. Pero no del todo. El que lo hizo, Yen, hizo una chapuza.

Se callaron. La milana negra hizo crujir las plumas, desplegando y cerrando las alas.

—Geralt...

—Di.

—Ahora tú responderás a mi pregunta. A esa pregunta que nunca te he planteado. Ésa, de la que tenía miedo... Ahora tampoco te la hago, pero contéstame. Porque... porque me gustaría mucho oír tu respuesta. Es una, la única palabra que nunca me has dicho. Dila. Geralt. Te ruego.

—No puedo.

—¿Cuál es la causa?

—¿No lo sabes? —Sonrió triste—. Mi respuesta serían tan sólo palabras. Palabras que no expresan sentimientos, no expresan emociones, porque me las han eliminado. Palabras que sólo serían sonidos como los que emite cuando se lo golpea un cráneo vacío y frío.

Lo miró en silencio. Sus ojos, muy abiertos, tomaron un color violeta profundo.

—No, Geralt —dijo—, no es verdad. O puede que sea verdad, pero no del todo. No te han eliminado los sentimientos. Ahora lo veo. Ahora sé que...

Calló.

—Termina, Yen. Ya te has decidido. No mientas. Te conozco. Lo veo en tus ojos.

No bajó la vista. Lo sabía.

—Yen —susurró.

—Dame la mano —dijo.

Introdujo su mano entre las suyas, al momento sintió un hormigueo y el pulso de la sangre en las venas del antebrazo. Yennefer susurró un encantamiento, con voz tranquila, mesurada, pero él veía las gotas de sudor con que el esfuerzo perlaba su frente empalidecida, veía sus pupilas abiertas por el dolor.

Soltando su brazo, alzó las manos, las movió, con un gesto cuidadoso acarició alguna forma invisible, lentamente, de arriba abajo. Entre sus dedos el aire comenzó a hacerse denso y a enturbiarse, a inflarse y a temblar como el humo.

Miró fascinado. La magia de creación, considerada como la cumbre de las realizaciones de los hechiceros, siempre le fascinaba, mucho más que las ilusiones o la magia de transformación. Sí, Istredd tenía razón, pensó, en comparación con esa magia mis Señales parecen simplemente ridículas.

Entre las manos temblorosas por el esfuerzo de Yennefer se fue materializando despacio la forma de un pájaro negro como el carbón. Los dedos de la hechicera acariciaron delicadamente las plumas erizadas, la plana cabeza, el pico curvado. Un movimiento más, hipnóticamente fluido, cuidadoso, y la milana negra, doblando la cabeza, graznó sonora. Su gemela, todavía sentada inmóvil sobre los cuernos, le respondió con otro graznido.

—Dos milanas —dijo Geralt en voz baja—. Dos milanas negras, creadas con ayuda de la magia. Como me imagino, ambas te son necesarias.

—Imaginas bien —dijo con esfuerzo—. Ambas me son necesarias. Me equivoqué al juzgar que bastaba con una. Cuánto me he equivocado, Geralt... A qué errores me ha conducido el orgullo de la reina del invierno, la creencia de mi poder absoluto. Y hay cosas... que no hay forma de conseguir ni siquiera a través de la magia. Y hay dones que no se deben tomar si no se está en estado de dar a cambio... algo que sea del mismo valor. En caso contrario tal don se desliza por entre los dedos, se deshace como una esquirla de hielo que se aprieta con el puño. Y sólo queda pena, un sentimiento de pérdida, una herida...

—Yen...

—Soy una hechicera, Geralt. El poder sobre la materia que poseo es un don. Un don correspondido. Pagué por él... todo lo que poseía. No quedó nada.

Calló. La hechicera se limpió la frente con una temblorosa mano.

—Me equivoqué —repitió—. Pero remediaré mi daño. Emociones y sentimientos...

Tocó la cabeza de la milana negra. El pájaro erizó las plumas, abrió mudo el curvado pico.

—Emociones, caprichos y mentiras, fascinación y juego. Sentimientos y su falta... Dones que no se deben aceptar... Mentira y verdad. ¿Qué es la verdad? ¿La negación de la mentira? ¿O la afirmación de un hecho? ¿Y si el hecho es una mentira, qué es entonces la verdad? ¿Quién está lleno de sentimientos que le arrastran y quién es la cobertura vacía de un frío cráneo? ¿Quién? ¿Qué es la verdad, Geralt? ¿En qué consiste la verdad?

—No lo sé, Yen. Dímelo.

—No —dijo, y bajó los ojos. Por vez primera. Nunca antes había visto que lo hiciera. Nunca—. No —repitió—. No puedo, Geralt. No puedo decírtelo. Te lo dirá ese pájaro, creado del roce de tus manos. ¿Pájaro? ¿Qué es la verdad?

—La verdad —dijo la milana— es una esquirla de hielo.

Aunque le parecía que vagabundeaba sin objetivo ni destino a través de los callejones, de pronto se encontró junto a la muralla del sur, en la excavación, entre una red de zanjas que cortaban las ruinas delante de las murallas de piedra y serpenteaban caóticamente entre los cuadrados dejados al descubierto de unos antiguos cimientos.

Istredd estaba allí. Con la camisa arremangada y las botas altas, gritaba algo a los criados, quienes estaban cavando con almocafres la pared de una zanja rayada con capas de diversos colores de tierra, arcilla y carbón. Al lado, sobre unas tablas, yacían huesos ennegrecidos, pedazos de cacerolas y otros objetos, irreconocibles, corroídos, cubiertos de herrumbre.

El hechicero lo advirtió al instante. Dio a los que cavaban unas cuantas sonoras órdenes, saltó de la zanja, caminó hacia él mientras se limpiaba las manos en los pantalones.

—Di, ¿qué quieres? —preguntó con brusquedad.

El brujo, de pie delante de él, inmóvil, no contestó. Los criados, haciendo como que trabajaban, los observaban con atención, susurraban entre ellos.

—Hasta te saltan chispas del odio que tienes. —Istredd arrugó el rostro—. ¿Qué quieres, pregunto? ¿Te has decidido ya? ¿Dónde está Yenna? Espero que...

—No esperes demasiado, Istredd.

—Ajá —dijo el hechicero—. ¿Qué es lo que percibo en tu voz? ¿Te estoy entendiendo bien?

—¿Y qué es lo que entiendes?

Istredd se apoyó los puños en las caderas y miró al brujo como retándolo.

—No nos engañemos el uno al otro —dijo—. Me odias y yo a ti también. Me humillaste al decir que Yennefer... Sabes el qué. Yo te respondí de forma parecida. Te estorbo y tú me estorbas. Resolvamos esto como hombres. No veo otra solución. ¿A eso has venido, verdad?

—Sí —dijo Geralt, tocándose la frente—. Tienes razón, Istredd. A eso he venido. Sin duda.

—Perfecto. Esto no puede seguir así. Hoy por fin me he enterado de que, desde hace un par de años, Yenna va y viene entre nosotros como una pelota de trapo. A veces está contigo, a veces conmigo. Huye de mí, para buscarte a ti, y al revés. Otros, con los que está entre medias, no cuentan. Sólo contamos nosotros dos. No podemos seguir así. Somos dos, tiene que quedar uno.

—Sí —dijo Geralt, sin separar sus manos de la frente—. Sí... Tienes razón.

—En nuestra presunción —continuó el hechicero—, creíamos que Yenna elegiría sin vacilar al mejor. En cuanto a quién era el mejor, a ninguno de los dos le cabía duda. Hemos llegado hasta el punto de competir por ella como dos rapazuelos a base de argumentos y casi como inexpertos rapaces, también, hemos comprendido cuáles eran estos argumentos y qué significaban. Pienso que, al igual que yo, has estado dándole vueltas y sabes cuánto nos hemos equivocado los dos. Yenna no tiene la más mínima intención de elegir entre nosotros, incluso si aceptáramos que sabe elegir. Bien, tendremos que arreglar este asunto por ella. Por mi parte no pienso compartir a Yenna con nadie y el hecho de que hayas venido aquí demuestra que tú tampoco. La conocemos demasiado bien. Mientras seamos dos, ninguno puede estar seguro de ella. Ha de quedar uno. Lo has entendido, ¿verdad?

—Verdad —dijo el brujo, moviendo con dificultad los labios petrificados—. La verdad es una esquirla de hielo.

—¿Qué?

—Nada.

—¿Qué te pasa? ¿Estás enfermo o borracho? ¿O puede que estés atiborrado de esas hierbas de los brujos?

—No me pasa nada. Algo... se me metió en el ojo. Istredd, ha de quedar sólo uno. Sí, por eso he venido. Sin duda.

—Lo sabía —dijo el hechicero—. Sabía que ibas a venir. De hecho, te soy sincero. Te has adelantado a mis intenciones.

—¿Una bola de rayos? —sonrió pálidamente el brujo.

Istredd frunció el ceño.

—Puede ser —dijo—. Puede que una bola de rayos. Pero con seguridad, no por la espalda. Con honor, cara a cara. Eres un brujo, eso iguala las oportunidades. Venga, decide dónde y cuándo.

Geralt reflexionó un momento. Y se decidió.

—Esa placita... —Señaló con la mano—. He pasado por ella.

—Lo sé. Hay un pozo, se llama la Llave Verde.

—Junto al pozo entonces. Sí. Junto al pozo... Mañana, dos horas después de la salida del sol.

—Bien. Seré puntual.

Estuvieron inmóviles unos segundos, sin mirarse mutuamente. Por fin el hechicero murmuró algo en voz baja, extrajo de un puntapié una bola de arcilla y la aplastó con el tacón.

—¿Geralt?

—¿Qué?

—¿No te sientes como un idiota?

—Me siento como un idiota —accedió con reticencia el brujo.

—Me alivia oírlo —murmuró Istredd—. Porque yo me siento como el último cretino. Nunca hubiera imaginado que alguna vez fuera a tener que luchar a vida o muerte con un brujo a causa de una mujer.

—Sé cómo te sientes, Istredd.

—Bah... —El hechicero sonrió forzadamente—. El hecho de que haya llegado a ello, de que me haya decidido a algo tan profundamente contrario a mi naturaleza demuestra que... que es necesario.

—Lo sé, Istredd.

—Por supuesto, sabes también que aquél de nosotros que sobreviva habrá de huir a toda velocidad y esconderse de Yenna en el último confín del mundo.

—Lo sé.

—Por supuesto, también cuentas con que una vez que a ella se le enfríe la rabia, podrás volver a ella.

—Por supuesto.

—Bien, pues listo. —El hechicero hizo un movimiento como si quisiera volverse, tras un momento de vacilación le tendió la mano—. Hasta mañana, Geralt.

—Hasta mañana. —El brujo apretó la mano que se le tendía—. Hasta mañana, Istredd.

VII

—¡Hey, brujo!

Geralt alzó la cabeza de la mesa sobre cuya superficie dibujaba, pensativo, fantásticos diseños con la cerveza que se había derramado.

—No es fácil encontrarte. —El estarosta Herbolth se sentó, desplazó la jarra y el cantarillo—. En la posada han dicho que te habías mudado a las caballerizas, en las caballerizas he encontrado sólo tu caballo y tu hato. Y estabas aquí... Creo que ésta es la taberna más asquerosa de toda la ciudad. Sólo la peor maraña se reúne. ¿Qué haces aquí?

—Bebo.

—Lo veo. Quería platicar sobre algo contigo. ¿Andas sobrio?

—Como un niño.

—Me alegro.

—¿Qué es lo que queréis, Herbolth? Estoy ocupado, como veis. —Geralt sonrió a la mozuela que le servía en la mesa otra jarra.

—Corre el rumor —el estarosta frunció el ceño— de que tú y nuestro hechicero habéis decidido mataros.

—Es asunto nuestro. Suyo y mío. No os entrometáis.

—No, no es asunto vuestro —negó Herbolth—. Istredd nos es necesario, no nos podemos permitir otro hechicero.

—Entonces id al templo y rezad porque él venza.

—No te burles —bramó el estarosta—. Y no te hagas el listo, vagabundo. Por los dioses, si no supiera que el hechicero no me lo iba a perdonar, te metería en la trena, en el mismo fondo de la mazmorra, mandaría que dos caballos te arrastraran fuera de las murallas o le diría al Cigarra que te rajara como a un cerdo. Pero, por desgracia, Istredd tiene una obsesión en lo tocante al honor y no me lo perdonaría. Sé que no me lo perdonaría.

—Entonces, estupendo. —El brujo bebió de un trago otra jarra y escupió debajo de la mesa una pajita que había dentro—. Me cayó la breva, nada que objetar. ¿Es todo?

—No —dijo Herbolth, sacando de debajo del abrigo una bolsa—. Aquí tienes cien marcos, brujo, tómalos y lárgate de Aedd Gynvael. Lárgate de aquí, lo mejor ahora mismo, en cualquier caso antes de la salida del sol. Ya te he dicho que no nos podemos permitir otro hechicero, no dejaré que se nos arriesgue la vida en un duelo con alguien como tú, y por un motivo tan idiota como una...

Se interrumpió, no terminó, aunque el brujo no había ni siquiera temblado.

—Quita de esta mesa tu morro de mierda, Herbolth —dijo Geralt—. Y tus cien marcos te los puedes meter en el culo. Vete, porque me pongo malo sólo de verte, un poco más y acabaré por vomitarte desde la capellina hasta los botines.

El estarosta guardó el saquete, colocó ambas manos sobre la mesa.

—No, es que no —dijo—. Por las buenas quería, pero si no, es que no. Pegaos, haceos picadillo, quemaos, cortaos en migajas por la puta ésa, que abre las piernas a quien le da la gana. Pienso que Istredd se las puede bandear contigo, tú, asesino a sueldo, no van a quedar de ti más que las botas, y si no, ya te cogeré yo, antes de que su cadáver se enfríe, y todos los huesos te voy a romper en las torturas. No te va a quedar ni una pulgada sana, tú...

No le dio tiempo a retirar los brazos de la mesa, el movimiento del brujo fue demasiado rápido, el brazo que surgió de debajo de la tabla desapareció ante los ojos del estarosta y el estilete se clavó con un golpe entre los dedos de su mano.

—Puede ser —susurró el brujo, apretando el puño sobre la empuñadura de la daga y mirando al rostro del estarosta, que había palidecido por completo—. Puede que Istredd me mate. Pero si no... Entonces me iré de aquí y tú, cabrón de mierda, no intentes detenerme si no quieres que las calles de vuestra puta ciudad se llenen de sangre. Largo de aquí.

—¡Señor estarosta! ¿Qué pasa aquí? Eh, tú...

—Tranquilo, Cigarra —dijo Herbolth, retirando lentamente la mano, introduciéndola poco a poco debajo de la mesa, cada vez más lejos del filo del estilete—. Nada ha pasado. Nada.

El Cigarra volvió a meter en la vaina la espada que había sacado hasta la mitad. Geralt no lo miraba. No miraba al estarosta que salía de la taberna, protegido por el Cigarra de los tambaleantes almadieros y arrieros. Miraba a un hombre pequeño de rostro como el de una rata y de negros y penetrantes ojos, que estaba sentado unas cuantas mesas más allá.

Me he puesto nervioso, advirtió con asombro. Me tiemblan las manos. De verdad me tiemblan las manos. Esto es imposible, lo que me pasa. A menos que esto supusiera que...

Sí, pensó, mirando al hombrecillo de cara de rata. Creo que sí.

Es necesario, pensó.

Qué frío...

Se levantó.

Miró al hombrecillo, sonrió. Después se abrió los faldones del abrigo, sacó de una bolsa dos monedas de oro, las arrojó a la mesa. Las monedas tintinearon, una, girando, golpeó la hoja del estilete que todavía estaba clavado en la bruñida madera.

VIII

El golpe cayó inesperado, la porra silbó quedamente en la oscuridad, tan rápido que no faltó mucho para que el brujo no hubiera tenido tiempo de proteger la cabeza con un movimiento instintivo del brazo, para que no alcanzara a amortizar la agresión con un elástico plegamiento del cuerpo. Saltó, cayó de rodillas, se tiró por el suelo, se puso de pie, percibió el movimiento del aire que precedía al nuevo golpe de la porra, evitó el golpe con una repentina pirueta, giró entre las dos siluetas que le rodeaban en la oscuridad, echó la mano a su costado derecho. A por la espada.

No tenía espada.

Nada me puede quitar estos reflejos, pensó, saltando ligeramente. ¿Rutina? ¿Memoria de las células? Soy un mutante, reacciono como un mutante, pensó, cayendo de nuevo de rodillas para evitar otro golpe, intentando sacar el estilete de la caña de la bota. No tenía estilete.

Se sonrió torcidamente y la porra le acertó en la cabeza. Los ojos le hicieron chiribitas, el dolor le alcanzó hasta la punta de los dedos. Cayó, sin dejar de sonreír.

Alguien se echó encima de él, le empujó contra el suelo. Otro le arrancó la bolsa que colgaba del cinturón. Sus ojos atraparon el brillo de un cuchillo. El que le estaba tentando el pecho le rajó el jubón por debajo del cuello, echó mano a la cadena, sacó el medallón. E inmediatamente lo dejó caer de sus manos.

—Por Baal-Zebutha —oyó cómo maldecía—. Es un brujo... Este malandrín...

El segundo blasfemó al respirar.

—No tenía espada... Dioses... Lagarto, lagarto... Revienta demonio, alerta varón... ¡Vámonos de aquí, Radgast! ¡No lo toques, lagarto, lagarto!

Por un momento la luna atravesó una rala nube. Geralt vio sobre él un rostro delgado, de rata, con ojillos pequeños, negros, brillantes. Escuchó los pasos del otro, que se alejaba, desapareciendo en el callejón, del que le llegaba un olor a gatos y a grasa quemada.

El hombrecillo de cara de rata quitó poco a poco la rodilla de su pecho.

—La próxima vez... —Geralt escuchó claramente su susurro—. La próxima vez, cuando quieras suicidarte, brujo, no metas a otros en ello. Simplemente cuélgate en el establo con tus bridas.

IX

Debía de haber llovido por la noche.

Geralt salió del establo restregándose los ojos, quitándose con los dedos las pajas de los cabellos. El sol naciente relucía en los tejados mojados, brillaba como el oro en los charcos. El brujo escupió, en los labios todavía le quedaba un mal sabor, el chichón de su cabeza pulsaba con un dolor sordo.

En la barrera, al lado del establo, estaba sentado un gato seco y negro, concentrado en lamerse una pata.

—Michi, michi, gatito —dijo el brujo.

El gato se quedó inmóvil mirándole con ojos enfadados, dirigió las orejas y siseó, mostrando los dientes.

—Ya sé. —Geralt afirmó con la cabeza—. A mí tampoco me gustas tú. Sólo era una broma.

Con movimientos pausados se ajustó los broches y las hebillas de su chaqueta que se habían soltado, ordenó los faldones de la ropa, comprobó que no le impedían en ningún lugar la libertad de movimientos. Echó la espada a la espalda, corrigió la situación de la empuñadura sobre el hombro derecho. Se ató la frente con una banda de cuero que le recogía los cabellos hacia atrás, detrás de las orejas. Sacó unos largos guantes de lucha, erizados de cortos y cónicos remaches de plata.

Miró de nuevo hacia el sol, reduciendo su retina a una rendija vertical. Hermoso día, pensó. Hermoso día para luchar.

Suspiró, escupió y poco a poco fue subiendo la callejuela, a lo largo de la muralla, que exhalaba una fuerte y penetrante fragancia a revocadura mojada y a mortero de cal.

—¡Eh, tú, bicho raro!

Miró a su alrededor. El Cigarra, en compañía de tres armados personajes de mala catadura, estaba sentado en unas vigas amontonadas junto al muro. Se levantó, se desperezó, salió al centro de la calleja, intentado evitar los charcos con mucha atención.

—¿Adónde vas?

—No es asunto tuyo.

—Para dejarlo clarito, me importan un pimiento el estarosta, el hechicero y toda esta ciudad de mierda —dijo el Cigarra, subrayando lentamente la palabra—. Se trata de ti, brujo. No alcanzarás el final de esta calleja. ¿Me oyes? Quiero comprobar cuán hábil eres en la lucha. Esto me quita el sueño. Estate quieto, te digo.

—Quítate de mi camino.

—¡Estate quieto! —aulló el Cigarra, poniendo la mano sobre el puño de la espada—. ¿No has captado lo que he dicho? ¡Vamos a luchar! ¡Te estoy retando! ¡Ahora veremos quién es el mejor!

Geralt se encogió de hombros, sin aflojar el paso.

—¡Te estoy retando! ¿Me escuchas, engendro? —gritó el Cigarra, saliéndole al paso de nuevo—. ¿A qué esperas? ¡Saca el yerro! ¿Qué es esto, es que has cogido miedo? ¿O es que sólo te pones para los que, como Istredd, se han jodido a tu maga?

Geralt siguió adelante, obligando al Cigarra a retroceder, a mantener una torpe marcha hacia atrás. Los individuos que acompañaban al Cigarra se alzaron del montón de maderos, se movieron hacia ellos, siguiéndoles por detrás, de lejos. Geralt escuchó cómo el barro chasqueaba bajo sus botas.

—¡Te reto! —repitió el Cigarra, palideciendo y enrojeciendo alternativamente—. ¿Me oyes, brujo de mierda? ¿Qué más te hace falta? ¿Tengo que escupirte en los morros?

—Escupe si quieres.

El Cigarra se detuvo y, de hecho, tomó aliento, colocando los labios en posición de escupir. Miraba a los ojos del brujo, no a sus manos. Y eso fue un error. Geralt, aún sin aflojar el paso, le golpeó como un relámpago, sin tomar impulso, sólo con la fuerza de la marcha, el puño en el guante con remaches. Le golpeó en la propia boca, directamente en los labios apretados. Los labios del Cigarra se rasgaron, estallaron como cerezas aplastadas. El brujo se enderezó y golpeó otra vez, en el mismo lugar, esta vez tomando un corto impulso, percibiendo que junto con la fuerza y el ímpetu del golpe salía de él también la rabia. El Cigarra, retorciéndose con una pierna en el barro y otra hacia arriba, vomitaba sangre y chapoteaba en los charcos, boca arriba. El brujo, escuchando detrás de sí un silbido de una hoja contra su vaina, se detuvo y se dio la vuelta con fluidez, con la mano en la empuñadura de la espada.

—Venga —dijo, con la voz temblándole de rabia—. Venga, adelante.

El que había tomado el arma le miró a los ojos. Durante un segundo. Luego retiró la mirada. Los otros comenzaron a retroceder. Lentamente, luego más rápido. Al oír esto, el hombre de la espada retrocedió también, moviendo los labios, pero sin emitir sonido. El que estaba más lejos se dio la vuelta y echó a correr, salpicando de barro. Los que quedaban se quedaron quietos en el sitio, no intentaron acercarse.

El Cigarra se retorció en el lodo, se incorporó, apoyándose en los codos, murmuró, carraspeó, escupió algo blanco junto con una buena cantidad de rojo. Al pasar a su lado, Geralt le dio un puntapié con repugnancia en la mejilla, aplastándole el maxilar, y enviándole de nuevo al charco.

Siguió adelante, sin mirar hacia atrás.

Istredd ya estaba junto al pozo, de pie, apoyado en el entibado del torno de madera, verdoso de musgo. Ceñía la espada al cinto. Una hermosa y ligera espada tergana con el guardamanos semiabierto, que apoyaba el redondeado extremo de la vaina en la caña brillante de una bota de montar. En el hombro del hechicero había un vigilante pájaro negro.

Una milana.

—Estás aquí, brujo. —Istredd tendió a la milana una mano enguantada, delicada y cuidadosamente puso al pájaro sobre el tejadillo del pozo.

—Estoy aquí, Istredd.

—No creía que fueras a venir. Pensaba que te habías ido.

—No me he ido.

El hechicero se rió a carcajada limpia, sonoramente, echando la cabeza hacia atrás.

—Ella quería... quería salvarnos —dijo—. A ambos. No pasa nada, Geralt. Cruzaremos las espadas. Ha de quedar sólo uno.

—¿Piensas luchar con la espada?

—¿Te extraña? Tú también piensas luchar con la espada. Venga, vamos.

—¿Por qué, Istredd? ¿Por qué con la espada y no con magia?

El hechicero palideció, los labios le temblaron, nerviosos.

—¡Venga, te digo! —gritó—. ¡No es hora para preguntar, la hora de las preguntas ha terminado! ¡Ésta es la hora de los hechos!

—Quiero saber —dijo con lentitud Geralt—. Quiero saber por qué la espada. Quiero saber de dónde y por qué ha salido esa milana negra. Tengo derecho a saber. Tengo derecho a la verdad, Istredd.

—¿A la verdad? —repitió amargamente el hechicero—. Bueno, y puede que sí. Sí, puede que sí. Nuestros derechos son parejos. ¿La milana, preguntas? Llegó volando al amanecer, mojada por la lluvia. Traía una carta. Muy corta, me la sé de memoria. «¡Adiós, Val. Perdóname. Hay dones que no se deben aceptar, y no hay dentro de mí nada con lo que pudiera corresponderte. Y ésta es la verdad, Val. La verdad es una esquirla de hielo.» ¿Y, Geralt? ¿Te ha satisfecho? ¿Has hecho uso de tu derecho?

El brujo afirmó con la cabeza lentamente.

—Bien —dijo Istredd—. Ahora yo haré uso del mío. Porque yo no acepto esta carta. Yo no puedo sin ella... Prefiero... ¡Venga, diablos!

Se enderezó y sacó la espada con un rápido y hábil movimiento, que dejaba adivinar un largo entrenamiento. La milana graznó.

El brujo se mantuvo inmóvil, con los brazos a los costados.

—¿A qué esperas? —tartamudeó el hechicero.

Geralt alzó la cabeza poco a poco, le miró por un instante, luego volvió los talones.

—No, Istredd —dijo en voz baja—. Adiós.

—¿Qué significa esto, diablos?

Geralt se detuvo.

—Istredd —dijo por encima del hombro—. No metas a otros en esto. Si has de hacerlo, cuélgate en el establo de tus bridas.

—¡Geralt! —gritó el hechicero, y la voz se le quebró de pronto, dio un eco falso, una nota desafinada—. ¡Yo no me resigno! ¡Iré tras ella hasta Vengerberg, iré tras ella hasta el fin del mundo, la encontraré! ¡No renuncio a ella! ¡Quiero que lo sepas!

—Adiós, Istredd.

Entró en el callejón, sin volverse una sola vez. Anduvo sin prestar atención a la gente que con rapidez se apartaba de su camino, a los chasquidos apresurados de puertas y postigos. No percibía nada ni a nadie.

Pensaba en la carta que le esperaba en la posada.

Apretó el paso. Sabía que en la cabecera de la cama le esperaba una milana negra, mojada por la lluvia, que portaba una carta en el curvo pico. Quería leer aquella carta cuanto antes.

Aunque sabía cuál era su contenido.

Fuego eterno

I

—¡Sucio gorrino! ¡Soplagaitas sin talento! ¡Embaucador!

Geralt, con curiosidad, detuvo a su yegua en la esquina de la calleja. Antes incluso de que localizara el origen de los gritos, se unió a ellos un ronco sonido de cristales rotos. Un tarro de confitura de cerezas, pensó el brujo. Tal sonido lo produce un tarro de confitura de cerezas cuando se lo tiran a alguien desde una buena altura o con mucha fuerza. Lo recordaba bien: Yennefer, en su furia, cuando vivían juntos, le había arrojado más de una vez botes de confitura. Los que le habían dado sus clientes, claro. Yennefer no tenía ni idea de cómo se hacen las confituras y la magia era, en este sentido, insatisfactoria.

Al otro lado de la esquina de la callejuela, bajo una estrecha casa pintada de rosa, se había reunido un buen grupo de mirones. En un balcón pequeño y lleno de flores, justo debajo del inclinado alero del tejado, había una joven de cabellos claros vestida con un camisón. Doblando un brazo más bien rollizo y redondeado que le salía por entre los volantes, la mujer lanzó con brío una desportillada maceta.

Un delgaducho con un sombrerillo de color ciruela coronado por una pluma blanca saltó como escaldado, la maceta chocó contra el suelo justo delante de él, rompiéndose en pedazos.

—¡Por favor, Vespula! —gritó el hombre del sombrerillo emplumado—. ¡No hagas caso a las malas lenguas! ¡Te he sido fiel! ¡Que me caiga muerto si no digo la verdad!

—¡Canalla! ¡Hijo de diablo! ¡Pordiosero! —gritó la rolliza rubita y se metió dentro de la casa, sin duda en busca de nuevos proyectiles.

—¡Eh, Jaskier! —llamó el brujo, dirigiendo hacia el campo de batalla a su yegua, que resoplaba y se resistía—. ¿Cómo te va? ¿Qué es lo que pasa?

—Bien —dijo el trovador, sonriendo—. Como siempre. Hola, Geralt. ¿Qué te trae por aquí? ¡Coño, cuidado!

Una jarrita de cinc brilló en el aire y resonó con un tintineo sobre los adoquines. Jaskier la alzó, la observó y la tiró al sumidero.

102

—¡Llévate estos jarapos! —gritó la rubita, haciendo ondular graciosamente los volantes sobre sus rollizos pechos—. ¡Y fuera de mi vista! ¡No vuelvas a pisar por aquí, musicucho!

—Esto no es mío —se sorprendió Jaskier mientras levantaba del suelo unos pantalones de hombre con las perneras de distintos colores—. ¡En mi vida he tenido unos pantalones así!

—¡Lárgate! ¡No quiero verte! Tú... tú... ¿Sabes cómo eres en la cama? ¡Una nulidad! ¡Una nulidad! ¿Me oyes? ¿Me oís, vecinos?

Silbó otra maceta, el tallo seco que crecía en ella aleteó. Jaskier apenas alcanzó a agacharse. Después de la maceta, voló hacia abajo, girando, un caldero de cobre de una capacidad mínima de dos galones y medio. La multitud de mirones, que se mantenía más allá del alcance de los disparos, rompió a reír. Aquéllos más humoristas dieron bravos y, con malicia, iban incitando a la rubia a pasar a la acción.

—¿No tendrá una ballesta en casa? —se intranquilizó el brujo.

—No puede descartarse —dijo el poeta y señaló con la cabeza hacia el balcón—. Tiene la casa llena de trastos. ¿Has visto los pantalones?

—¿Y no sería mejor que nos fuéramos de aquí? Ya volverás cuando se tranquilice.

—Qué diablos —se enervó Jaskier—. No pienso volver a una casa desde la que se echan sobre mí calumnias y cacharros de cobre. Declaro rota esta corta relación. Esperaremos solamente a que tire mi... ¡Oh, madre, no! ¡Vespula! ¡Mi laúd!

Se lanzó, extendió los brazos, tropezó, cayó, atrapó el instrumento en el último momento, casi en el empedrado ya. El laúd gimió lastimosa y musicalmente.

—Uff —suspiró el bardo, levantándose del suelo—. Lo tengo. Es bien bueno, Geralt, ya podemos irnos. Tengo aún en su casa, cierto, un abrigo de cuello de marta, pero qué se le va a hacer, que sea mi castigo. El abrigo, si no la conozco mal, no lo tira.

—¡Paleto mentiroso! —voceó la rubia y al mismo tiempo lanzó un enorme escupitajo desde el balcón—. ¡Vagamundo! ¡Pavo real afónico!

—¿Por qué está así contigo? ¿Qué es lo que le has liado, Jaskier?

—Lo de siempre —se encogió de hombros el trovador—. Exige monogamia, como todas, y va y ella misma tira a un servidor pantalones ajenos. ¿Has oído lo que ha gritado sobre mí? Por los dioses, yo también conozco a algunas que cierran las piernas de forma más bonita de lo que ella las abre, pero no voy gritándolo por las calles. Vámonos de aquí.

—¿Adónde propones?

—¿Y qué piensas? ¿Al santuario del Fuego Eterno? Ven, vamos a pasarnos por La Punta de Lanza. Tengo que calmarme los nervios.

El brujo, sin protestar, condujo a la yegua siguiendo a Jaskier, quien, a paso vivo, se metía por un estrechísimo callejón. Mientras marchaba, el trovador apretó el mástil del laúd, probó a rasguear las cuerdas, tañó un profundo y vibrante acorde.

Soplaba la brisa de otoño perfumada
y con el viento huía el sentido de las palabras.
Así ha de ser, no pueden cambiar nada
los brillantes en la punta de tus pestañas.

Se detuvo, saludó alegremente con la mano a dos mocosas que pasaron al lado con cestos llenos de verduras. Las mocosas risotearon.

—¿Qué te trae a Novigrado, Geralt?

—Las compras. Atelajes, unos cuantos avíos. Y un gabán nuevo. —El brujo se ajustó la crujiente piel que olía a nuevo—. ¿Qué te parece mi nuevo gabán, Jaskier?

—No vas a la moda. —El bardo torció el gesto y se quitó una pluma de pollo de la manga de su resplandeciente caftán de color azul flor de aciano, con mangas de bullón y cuello recortado en dientes de sierra—. ¡Ah! Me alegro de que nos hayamos encontrado. Aquí, en Novigrado, la capital del mundo, el centro y la cuna de la cultura. ¡Aquí puede el hombre de talento respirar a pleno pulmón!

—Vayamos a respirar a otra callejuela —propuso Geralt mirando al andrajoso sujeto que, en cuclillas y con los ojos desencajados, exoneraba el vientre en un callejón lateral.

—Tu eterno sarcasmo resulta en verdad irritante. —Jaskier torció el gesto de nuevo—. Novigrado, como te digo, es la capital del mundo. Casi treinta mil habitantes sin contar los de paso. ¿Te haces una idea? Casas de buenos muros, calles principales empedradas, puerto de mar, alhóndigas, cuatro molinos de agua, mataderos, serrerías, una gran manufactura de botines, y además todos los gremios y artesanías imaginables. Una casa de cambio, ocho bancos y diecinueve montes de piedad. Un castillo y un cuerpo de guardia que quitan el aliento. Y entretenimientos: un cadalso, una horca con trampilla, treinta y cinco tabernas, una casa de comedias, una casa de fieras, un bazar y doce lupanares. Y santuarios, no recuerdo cuántos. Muchos. Va, y esas mujeres, Geralt, limpitas, peinaditas y perfumadas, esos rasos, esos terciopelos, esas sedas, esos corsetes y cintillas... ¡Oh, Geralt! Los versos mismos saltan a mis labios:

Allá donde vives, ya es blanco de nieve,
ciénagas y lagos se vuelven cristal.
Así ha de ser, a cambiar nada alcanza
la que en tus ojos acecha, nostalgia sin par.

—¿Un nuevo romance?

—Ajá. Lo llamo "Invierno". Pero no está listo todavía, no puedo terminar, estoy totalmente alterado a causa de Vespula y las rimas no me cuajan. Ah, Geralt, me olvidé de preguntarte. ¿Cómo te va con Yennefer?

—No va.

—Entiendo.

—Entiendes una mierda. Venga, ¿dónde está esa taberna?

—Al doblar la esquina. Oh, ya estamos. ¿Ves el letrero?

—Lo veo.

—¡Saludo y me inclino ante vos! —Jaskier sonrió a la mozuela que barría las escaleras—. ¿Nadie le ha dicho a vuesa merced que es preciosa?

La mozuela enrojeció y apretó fuertemente la escoba con las manos. Geralt pensó por un momento que le iba a atizar con ella al trovador. Se equivocaba. La muchacha sonrió con simpatía y pestañeó. Jaskier, como de costumbre, no le prestó la más mínima atención.

—¡Saludos! ¡A los buenos días! —estalló, entrando a la taberna y pasando con fuerza el pulgar por las cuerdas del laúd—. ¡El maestro Jaskier, el más famoso poeta de este país, visita tu poco limpio local, tabernero! ¡Le han entrado ganas de beber cerveza! ¿Valoras el honor que se te hace, sacadineros?

—Lo valoro —dijo tétrico el posadero, saliendo desde detrás de la barra—. Contento estoy de veros, señor cantaor. Veo que en verdad no es humo vuestra palabra. Prometisteis que muy de mañana pasaríais a satisfacer la cuenta de ayer. Y yo juzgué, un simple pensamiento, que mentíais como de costumbre. Vergüenza me doy y mientras viva.

—Sin motivo alguno te avergüenzas, buen hombre —dijo despreocupado el trovador—. Pues ciertamente no tengo dinero. Luego hablaremos de ello.

—No —dijo con frialdad el posadero—. Vamos a hablar de ello ahora. El crédito se ha acabado, honorable señor poeta. Nadie me la da dos veces seguidas.

Jaskier colgó el laúd de un gancho en la pared, se sentó a una mesa, se quitó el sombrerito y observó pensativo la plumilla de garza cosida a él.

—¿Tienes dinero, Geralt? —preguntó con esperanza en la voz.

—No tengo. Todo lo que tenía se me ha ido en el gabán.

—No está bien, no está bien —suspiró Jaskier—. Joder, ni un alma, nadie que pudiera prestar algo. Jefe, ¿qué pasa hoy que está esto tan vacío?

—Demasiado pronto para los clientes habituales. Y los aprendices de albañil, ésos que están arreglando el santuario, ya han tenido tiempo de venir y volverse luego al tajo, llevándose a rastras a su maestro.

—¿Y nadie, de verdad nadie?

—Nadie excepto el honorable mercader Biberveldt, que está desayunando en el camaranchón.

—¿Está Dainty? —se alegró Jaskier—. Había que haber empezado por ahí. Ven al camaranchón, Geralt. ¿Conoces a Dainty Biberveldt, el mediano?

—No.

—No importa. Lo vas a conocer. ¡Jojó! —gritó el trovador, dirigiéndose hacia la parte trasera de la casa—. Percibo desde occidente el aroma y el efluvio de una sopa de cebolla, gloriosa para mis narices. ¡Cucú! ¡Somos nosotros! ¡Sorpresa!

A la mesa central de la estancia, bajo un pilar adornado con guirnaldas de ajos y ramilletes de hierbas, estaba sentado un mediano mofletudo y de cabello rizado con un chaleco de color pistacho. En la mano derecha tenía una cuchara de madera, en la izquierda sujetaba una escudilla de barro. A la vista de Jaskier y Geralt el mediano se quedó petrificado, abrió la boca y sus grandes ojos avellanados se hicieron más grandes a causa del miedo.

—Hola, Dainty —dijo Jaskier, agitando alegre el sombrerillo. El mediano no cambió de posición ni cerró la boca. La mano, como observó Geralt, le temblaba ligeramente y la larga tirilla de cebolla cocida que le colgaba de la cuchara se balanceaba como un péndulo.

—Bbbi... bbbienvenido, Jaskier —tartamudeó y tragó saliva sonoramente.

—¿Tienes hipo? ¿Quieres que te pegue un susto? ¡Atento: en el portazgo han visto a tu mujer! ¡En nada estará aquí! ¡Gardenia Biberveldt en carne y hueso! ¡Ja, ja, ja!

—Cuidado que eres tonto, Jaskier —le reprochó el mediano.

Jaskier lanzó de nuevo una argentina risa que acompañó con dos complicados acordes de las cuerdas del laúd.

—Bueno, porque tienes un gesto, hermano, extraordinariamente estúpido, y nos miras con ojos desencajados como si tuviéramos cuernos y rabo. ¿Y puede que te haya dado miedo el brujo? ¿Qué? ¿Puede que pienses que se ha abierto la veda de la caza de medianos? Puede...

—Basta ya —no aguantó Geralt, acercándose a la mesa—. Perdona, amigo. Jaskier ha sufrido hoy una terrible tragedia personal, todavía no se le ha pasado. Intenta enmascarar a base de bromas su tristeza, abatimiento y vergüenza.

—No me lo digáis. —El mediano sorbió por fin el contenido de la cuchara—. Yo mismo lo adivinaré. Vespula te ha echado por fin con el rabo entre las piernas. ¿Eh, Jaskier?

—No me dejaré entrar en conversación sobre temas tan delicados con personas que tragan y trasiegan mientras los amigos están de pie —dijo el trovador, después de lo cual, sin esperar, se sentó. El media-

106

no tomó una cucharada de sopa y relamió el hilillo de queso que colgaba de ella.

—Quien verdad dice, la dice —afirmó pensativo—. Os invito, pues. Sentaos, que de perdidos al río. ¿Queréis un caldo de cebolla?

—Normalmente no almuerzo a tan tempranas horas. —Jaskier respingó la nariz—. Pero qué le vamos a hacer, comeré. Sólo que no con la tripa vacía. ¡Eh, jefe! ¡Cerveza, si hacéis la merced! ¡Y presto!

Una moza con una imponente y gruesa trenza, que le alcanzaba hasta las nalgas, trajo un pote y una escudilla con sopa. Geralt, al mirar su redondeada boca rodeada de pelusilla, pensó que tendría bonitos labios si se acordara de cerrarlos.

—¡Dríada del bosque! —gritó Jaskier aferrando el brazo de la muchacha y besándola en la palma de la mano—. ¡Sílfide! ¡Hechicera! ¡Deidad de ojos como azules lagos! ¡Bella eres como la mañana y la forma de tus alzados y abiertos...!

—Dadle cerveza, aprisa —gimió Dainty—. O si no habrá problemas.

—No los habrá, no los habrá —aseguró el trovador—. ¿Verdad, Geralt? Difícil encontrar a gente más tranquila que nosotros dos. Yo mismo, señor mercader, soy poeta y músico, y la música suaviza las costumbres. Y el brujo aquí presente sólo es amenaza para seres monstruosos. Os presentaré: éste es Geralt de Rivia, terror de estriges, lobisomes y toda maraña. ¿Has oído hablar de él, Dainty?

—He oído. —El mediano arrojó una mirada desconfiada al brujo—. ¿Qué... qué hacéis en Novigrado, don Geralt? ¿Acaso ha aparecido por aquí algún horrible monstrum? ¿Estáis... ejem, ejem... contratado?

—No —sonrió el brujo—. Estoy aquí para divertirme.

—Oh —dijo Dainty, moviendo nerviosamente los velludos pies que colgaban medio codo por encima del suelo—. Eso está bien...

—¿Qué está bien? —Jaskier tomó una cucharada de sopa y echó un trago de cerveza—. ¿Piensas acaso apoyarnos, Biberveldt? En las diversiones, se entiende. Viene que ni pintado. Aquí, en La Punta de Lanza, teníamos intención de cogernos el punto. Y luego planeamos pasarnos por el Passiflora, una casa de lenocinio muy cara y muy buena, donde podemos costearnos una medioelfa o, quién sabe, puede que hasta una elfa de pura sangre. Necesitamos sin embargo un espónsor.

—¿Qué cosa?

—Uno que pague por todo.

—Me lo imaginaba —murmuró Dainty—. Lo siento. En primer lugar, tengo una cita de negocios. En segundo, no tengo medios para costear tales diversiones. En tercero, al Passiflora sólo dejan entrar a personas.

—¿Y nosotros qué somos entonces, mochuelos? Ah, entiendo. No dejan pasar a medianos. Cierto. Tienes razón, Dainty. Esto es Novigrado. La capital del mundo.

—Sí... —dijo el mediano, mirando aún al brujo y encogiendo de forma extraña los labios—. Yo ya me voy. Tengo una cita...

La puerta del camaranchón se abrió de golpe y, con un estruendo, entró... Dainty Biberveldt.

—¡Dioses! —gritó Jaskier.

El mediano que estaba de pie en la puerta no se diferenciaba en nada del mediano que estaba sentado a la mesa, si descontamos el hecho de que el de la mesa estaba limpio y el de la puerta sucio, desgreñado y con la ropa arrugada.

—¡Te pillé, picha de perro! —bramó el mediano sucio, al tiempo que se lanzaba en dirección a la mesa—. ¡Ladrón!

Su gemelo aseado se levantó, derribando el escabel y tirando la vajilla. Geralt reaccionó instintiva y rápidamente: tomó del banco la espada envainada y le atizó un fuerte golpe a Biberveldt en el cuello. El mediano cayó al suelo, se arrastró, se sumergió por entre las piernas de Jaskier y, a gatas, se dirigió hacia la salida, mientras las manos y los pies se le alargaban como patas de araña. Al verlo, el Dainty Biberveldt sucio blasfemó, aulló y dio un salto a un lado, estrellando con un crujido la espalda contra el tabique de madera. Geralt soltó la vaina con la espada y de una patada quitó de su camino una silla y comenzó la persecución. El Dainty Biberveldt limpio, quien, excepto en el color del chaleco, ya no se parecía en nada a Dainty Biberveldt, saltó el umbral como un saltamontes, salió a la estancia común, tropezándose con la muchacha de la boca medio abierta. Al ver sus largas garras y su fisonomía temblorosa y caricaturesca, la muchacha abrió la boca en toda su amplitud y expulsó un chillido que taladraba los oídos. Geralt, aprovechando la pérdida de ritmo que le había producido el choque contra la muchacha, alcanzó al ser en el centro de la isba y lo derribó sobre el suelo con un hábil puntapié en la rodilla.

—Ni respires, hermano —susurró a través de los dientes apretados mientras ponía la punta de la espada en el cuello de la rareza—. Ni respires.

—¿Qué pasa aquí? —gritó el posadero, acercándose con el mango de una pala en el puño—. ¿Qué es esta cosa? ¡La guardia! ¡Dechka, corre a por la guardia!

—¡Nooo! —aulló el ser, aplastándose contra el suelo y deformándose todavía más—. ¡Por piedad, nooo!

—¡Nada de guardia! —le acompañó el mediano sucio, al salir del camaranchón—. ¡Agarra a la muchacha, Jaskier!

El trovador aferró a Dechka, y pese a la prisa, eligió cuidadosamente el lugar donde aferrar. Dechka chilló y cayó de rodillas al suelo, junto a los pies de él.

—Tranquilo, jefe —dijo Dainty Biberveldt, respirando con fuerza—. Esto es un asunto personal, no vamos a llamar a la guardia. Pagaré todos los destrozos.

—No hay destrozo alguno —respondió con lucidez el tabernero, mirando a su alrededor.

—Pero los habrá —afirmó el rechoncho mediano con voz chirriante—. Porque ahora mismo le voy a apalear. Y cómo. Le voy a dar de palos brutalmente, largo tiempo y con rabia, y él, entonces, lo va a romper todo.

La larga de patas y desleída caricatura de Biberveldt que estaba tendida en el suelo rompió en fúnebres sollozos.

—Nada de eso —dijo con frialdad el posadero, entornando los ojos y alzando levemente el mango de la pala—. Apaleadle en la calle o en el corral, señor mediano. Aquí no. Y yo voy a llamar a la guardia. He de hacerlo, me va la cabeza en ello. Pues eso... ¡no más que algún monstruo es!

—Señor posadero —dijo con tranquilidad Geralt, sin aflojar la presión de la hoja sobre el cuello del ser—. Mantened la calma. Nadie va a romper nada, no habrá destrozo alguno. La situación está controlada. Soy brujo, y al monstruo, como veis, lo tengo bien sujeto. Puesto que esto parece que es un asunto personal, lo resolveremos tranquilamente en el camaranchón. Suelta a la muchacha, Jaskier, y ven aquí. En mi talega tengo unas cadenas de plata. Sácalas y ata con ellas como es debido las patas a su señoría, doblando los codos y a la espalda. No te muevas, amigo.

El ser empezó a gañir por lo bajito.

—Bien, Geralt —dijo Jaskier—. Ya lo he atado. Vamos al camaranchón. Y vos, jefe, ¿qué hacéis ahí parado? He pedido una cerveza. Y a mí, cuando pido una cerveza, tenéis que traerme una tras otra hasta que no grite: «Agua».

Geralt empujó al ser hasta la estancia y sin delicadeza alguna lo sentó junto al pilar. Dainty Biberveldt se sentó también, mirando con disgusto.

—Qué horrible aspecto —dijo—. Mismamente como un montón de masa de levadura. Mira su nariz, Jaskier, si hasta se le va a caer, su perra madre. Y las orejas las tiene como mi suegra antes del entierro. ¡Brrr!

—Espera, espera —murmuró Jaskier—. ¿Tú eres Biberveldt? Sí, sin duda. Pero eso que está junto al pilar era tú hace un rato. Si no me equivoco. ¡Geralt! Todos los ojos están vueltos hacia ti. Eres brujo. ¿Qué diablos está pasando aquí? ¿Qué es esto?

—Un mímico.

—Tu padre será un mímico —dijo roncamente el ser, balanceando la nariz—. No soy ningún mímico, sino un doppler, y me llamo Tellico Lunngrevink Letorte. Abreviadamente, Penstock. Y Dudu para los amigos.

—¡Yo te voy a dar Dudu, hijo de alguna puta! —gritó Dainty, dirigiendo hacia él el puño cerrado—. ¿Dónde están mis caballos? ¡Ladrón!

—Señores —recordó el posadero, entrando con unas jarras y un barrilete—. Prometisteis que habría paz.

—Oh, cerveza —suspiró el mediano—. Cuidado que tengo sed, joder. ¡Y hambre!

—Yo también me tomaría algo —aseveró gorgoteante Tellico Lunngrevink Letorte. Fue completamente ignorado.

—¿Qué es esto? —preguntó el tabernero, mirando al ser, el cual ante la vista de la cerveza sacó una larga lenguaza de entre unos labios caídos y pastosos—. ¿Qué es esta cosa, señores?

—Un mímico —repitió el brujo, sin hacer caso al gesto de enfado del monstruo—. Recibe, en cualquier caso, muchos nombres. Cambión, doblador, vexling, bedak. O doppler, como él se llama a sí mismo.

—¡Vexling! —gritó el posadero—. ¿Aquí, en Novigrado? ¿En mi local? ¡Presto, hay que llamar a la guardia! ¡Y a los sacerdotes! Mi cabeza en ello...

—Despacio, despacio —graznó Dainty Biberveldt, comiendo a toda prisa la sopa de Jaskier de la escudilla que se había salvado de milagro—. Tenemos tiempo de llamar a quien haga falta. Pero luego. Este canalla me robó, no tengo intenciones de dárselo a la autoridad local sin haber recuperado mi propiedad. Os conozco yo, novigradenses, y a vuestros jueces también. Puede que me tocara un décimo, nada más.

—Tened piedad —gimió desgarradamente el doppler—. ¡No me entreguéis a los humanos! ¿Sabéis lo que hacen con los que son como yo?

—Claro que lo sabemos —afirmó el posadero—. A todo doppler que se atrapa los sacerdotes lo exorcizan. Luego se le ata a un palo y se le envuelve bien, a lo redondo, de barro mezclado con limaduras y se le cuece al fuego hasta que el barro se convierte en duro ladrillo. Así por lo menos se hacía antes, cuando se atrapaba a estos monstruos más a menudo.

—Bárbaras costumbres tenéis los humanos —se enojó Dainty, retirando la escudilla vacía—. Pero puede que eso fuera justo castigo por bandolerismo y latrocinio. Venga, habla, canalla, ¿dónde están mis caballos? ¡Vivo, porque te tiro de esa nariz por entre las piernas y te la meto en el culo! ¿Dónde están mis caballos, te digo?

—Los he... vendido —balbuceó Tellico Lunngrevink Letorte, y sus lacias orejas se le recogieron de pronto en bolitas que recordaban a coliflores en miniatura.

—¡Los vendió! ¿Le habéis oído? —El mediano echó espumarajos por la boca—. ¡Ha vendido mis caballos!

—Claro —dijo Jaskier—. Ha tenido tiempo. Está aquí desde hace tres días. Desde hace tres días te veo... es decir, a él... Joder, Dainty, ¿significa esto que...?

—¡Por supuesto que significa esto! —gritó el mercader, pataleando con sus peludos pies—. ¡Me asaltó en el camino, a una jornada de distancia de la ciudad! Vino aquí disfrazado de mí, ¿entendéis? ¡Y vendió mis caballos! ¡Yo lo mato! ¡Lo ahogo con mis propias manos!

—Contadnos cómo sucedió, señor Biberveldt.

—¿Geralt de Rivia, si no me equivoco? ¿El brujo?

Geralt lo confirmó con un gesto de su cabeza.

—Viene que ni pintado —dijo el mediano—. Soy Dainty Biberveldt, natural de Centinodia del Prado, granjero, ganadero y mercader. Llámame Dainty, Geralt.

—Cuéntanos, Dainty.

—Va, fue así. Yo y mis gañanes llevábamos unos caballos a vender, a la feria de Puente del Diablo. A una jornada de la ciudad llegamos a la última venta. Hicimos noche, no sin antes darle finiquito a un barrillillo de aguardiente. En mitad de la noche me despierto, siento que la vejiga casi me se estalla, así que bajo del carromato y aprovecho, pienso, para echar un vistazo a ver cómo están los caballos. Salgo, una niebla del copón, miro de pronto, alguien viene. Quién va, pregunto. Y él, nada. Me acerco y veo... a mí mismo. Como en un espejo. Pienso: no tendría que haber bebido aguardiente, maldito bebedizo. Y éste de aquí... porque era él, ¡me metió una hostia en la cabeza! Vi las estrellas y caí redondo al suelo. Me despierto temprano en no sé qué maldita fronda, con un chichón como un pepino en la frente, alrededor ni un alma, de nuestro campamento ni huella tampoco. Todo el día dando vueltas anduve hasta que por fin hallé el sendero, dos días vagué de acá para allá comiendo raíces y setas crudas. Y él... este bellaco de Dudulico, o como coño se llame, se vino en ese tiempo hasta Novigrado como si fuera yo y se deshizo de mis caballos. Ahora mismo le... ¡Y a esos mis gañanes los azotaré, cien palos voy a dar a cada uno en el culo al aire, lacayos cegatos! ¡Mira que no conocer al propio amo, mira que dejarse engañar así! ¡Idiotas, caras de col, borrachuzos...!

—No se lo tengas a mal, Dainty —dijo Geralt—. No pudieron hacer nada. El mímico copia tan perfectamente que no es posible diferenciarlo del original, es decir, de la víctima a la que ha mirado. ¿Nunca has oído hablar de los mímicos?

—Como oír hablar, he oído. Pero pensaba que eran cuentos.

—No son cuentos. A un doppler le basta acercarse a su víctima para rápidamente y sin fallos adaptarse a la necesaria estructura material. Os llamo la atención sobre que no se trata de una ilusión, sino de una completa y perfecta transformación. En los detalles más nimios. En qué forma hacen esto los mímicos, no se sabe. Los hechiceros suponen que actúa aquí el mismo componente de la sangre que en la licantropía, pero yo pienso que se trata de algo completamente distinto o mil veces más fuerte. Al fin y al cabo el lobisome tiene sólo dos formas, como mucho tres, mientras que el doppler puede transformarse en todo lo que quiera, con la condición de que se corresponda más o menos la masa corporal.

—¿La masa corporal?

—Claro, no se puede cambiar en un mastodonte. Ni en un ratón.

—Entiendo. Y la cadena con la que lo has atado, ¿para qué sirve?

—Plata. Para un licántropo es mortal, para un mímico, como ves, simplemente le impide transformarse. Por eso está aquí en su propia forma.

El doppler recogió las orejas a punto de despegarse y le echó al brujo una rápida mirada de enojo con sus ojos confusos, los cuales habían perdido ya el color almendrado del iris del mediano y se habían vuelto amarillos.

—Y bien está que esté aquí quieto, desvergonzado hideputa —farfulló Dainty—. ¡Cuando pienso que se quedó aquí, incluso, en La Punta, donde yo mismo acostumbro a albergarme! ¡Al tío se le metió en el coco que era yo!

Jaskier agitó la cabeza.

—Dainty —dijo—. Él era tú. Hace tres días que me lo encuentro aquí. Él se veía como tú y hablaba como tú. Pensaba como tú. Y cuando llegaba el momento de soltar la gallina, era tan agarrado como tú. E incluso más.

—Esto último no me molesta —dijo el mediano—, porque puede que recupere una parte de mis dineros. Me da asco tocarlo. Quítale la bolsa, Jaskier, y mira qué hay dentro. Debiera haber mucho, si es verdad que este cuatrero ha vendido mis caballejos.

—¿Cuántos caballos tenías, Dainty?

—Doce.

—Si lo estimamos según los precios internacionales —dijo el trovador, mirando en la escarcela—, lo que hay aquí basta para uno, si lo encuentras viejo e impedido. Si lo estimamos sin embargo según los precios novigradenses, da para dos cabras, como mucho tres.

El mercader no dijo nada, pero tenía el aspecto de estar a punto de ponerse a llorar. Tellico Lunngrevink Letorte dejó fluir la nariz hacia abajo, y el labio inferior aún más abajo, después de lo cual, muy bajito, gorgoteó.

—En una palabra —suspiró por fin el mediano—, me ha despojado y arruinado un ser cuya existencia yo suponía hasta ahora cuento de niños. A esto se le llama tener mala suerte.

—Ni una coma puedo añadir —dijo el brujo, dirigiendo la vista al doppler que se retorcía sobre la silla—. Yo también estaba convencido de que se había acabado con los mímicos hace mucho tiempo. Antes, por lo que he oído, muchos de ellos vivían en los bosques de los alrededores y en la meseta. Pero su habilidad para la mímica incomodaba sobremanera a los primeros colonos y se comenzó a perseguirlos. Bastante eficazmente. Se exterminó a casi todos con mucha rapidez.

—Y una suerte fue esto —dijo el posadero—. Lagarto, lagarto, por el Fuego Sagrado, juro que prefiero un dragón o un diablo, los cuales siempre dragón y diablo son, y así sabe uno a qué tenerse. ¡Pero la lobisomería, tales cambios y transformaciones, son proceder repugnante, demoniaco, engaño y acción traidora, pensada por estos horrendos para a las gentes dañar y perderlas! ¡Os digo, llamemos a la guardia y al fuego con esta asquerosidad!

—¿Geralt? —preguntó con curiosidad Jaskier—. Quisiera escuchar la opinión de un especialista. ¿De verdad son tan peligrosos y agresivos estos mímicos?

—Su capacidad para la copia —dijo el brujo— es una propiedad que sirve más para la defensa que para la agresión. No he oído hablar...

—Voto a mí —le cortó furioso Dainty, golpeando con el puño en la mesa—. Si atizarle a uno en la crisma y robarle no es agresión, entonces no sé qué cosa lo será. Deja de hacerte el listo. El asunto es muy sencillo: he sido asaltado y robado, no sólo de los bienes alcanzados a fuerza de pesado trabajo, sino y hasta de la propia forma. Exijo una satisfacción, no descansaré...

—¡A la guardia, a la guardia hemos de llamar! —dijo el posadero—. ¡Y a los sacerdotes hemos de llamar! ¡Y quemar a este monstrum, a este inhumano!

—Basta ya, jefe. —El mediano alzó la cabeza—. Os estáis poniendo pesado con esa guardia vuestra. Os llamo la atención sobre el hecho de que a vos el tal inhumano nada os hizo, sino a mí. Y, dicho sea entre paréntesis, yo tampoco soy humano.

—Pero qué decís vos, señor Biberveldt —se rió nerviosamente el tabernero—. Dónde va a parar, la diferencia entrambos. Vos sois casi un hombre, y él es por contra un monstrum. Me extraño, señor brujo, de que estéis sentado con tanta calma. ¿Para qué, con perdón, estáis vos? ¿Lo vuestro es matar monstruos o no?

—Monstruos —dijo Geralt con frialdad—. Pero no a miembros de razas dotadas de razón.

—Vamos, hombre —dijo el posadero—. Ahora sos habéis pasado un poquino.

—¡Y tanto! —terció Jaskier—. Demasiado lejos has ido, con eso de la raza dotada de razón, Geralt. Míralo si no.

Tellico Lunngrevink Letorte, de hecho, no recordaba en aquel momento a miembro alguno de razas dotadas de razón. Recordaba más bien a un muñeco modelado de barro y harina, mirando al brujo con una expresión de súplica desde unos turbios ojos amarillos. Tampoco los sonidos de succión que producía una nariz que llegaba a rozar la tabla de la mesa parecían proceder del miembro de una raza dotada de razón.

—¡Basta ya de tanta jodienda! —gruñó de pronto Dainty Biberveldt—. ¡No hay discusión que valga! ¡Lo único que cuenta son mis caballos y mis pérdidas! ¿Lo oyes, cara de robellón? ¿A quién le has vendido mis caballos? ¿Qué has hecho con los dineros? ¡Habla ya mismo porque te pateo, te rajo y te saco la piel!

Dechka abrió un poco la puerta e introdujo en la estancia su cabeza de color de lino.

—Clientes hay en la taberna, padre —susurró—. Los albañiles de la obra y algotros. Les estoy sirviendo, pero no gritéis tan fuerte, porque se empiezan a interesar por el camaranchón.

—¡Por el Fuego Eterno! —se asustó el posadero con la mirada puesta en el desfigurado doppler—. Si alguien echa aquí un ojo y lo cata... Ay, las vamos a tener. Si no hemos de llamar a la guardia, entonces... ¡Señor brujo! Si es un verdadero vexling, decidle que se cambie en algo más honrado, para que no lo conozcan. De momento.

—Cierto —dijo Dainty—. Que se transforme en algo, Geralt.

—¿En qué? —gorgoteó de pronto el doppler—. Puedo tomar toda forma que contemple con atención. ¿En cuál de vosotros, entonces, he de cambiarme?

—En mí no —dijo con presteza el tabernero.

—Ni en mí —se estremeció Jaskier—. Al fin y al cabo eso no sería camuflaje alguno. Todos me conocen, así que la vista de dos Jaskiers en la misma mesa produciría mayor sensación que éste aquí con su propio aspecto.

—Conmigo sucedería parecido —sonrió Geralt—. Sólo quedas tú, Dainty. Y viene que ni pintado. No te enfades, pero tú mismo sabes que los humanos difícilmente distinguen a un mediano de otro.

El mercader no se lo pensó mucho rato.

—Vale —dijo—. Así sea. Quítale la cadena, brujo. Venga, transfórmate en mí, raza dotada de razón.

Después de que le quitaran la cadena, alzó el doppler su pata que parecía pasta de levadura, se masajeó la nariz y dirigió los ojos al mediano. La piel colgante del rostro se estiró y tomó color. La nariz se redujo y se contrajo con un sordo chasquido, sobre el calvo cráneo crecieron unos cabellos rizados. Dainty desencajó los ojos, el posadero abrió los morros en mudo asombro, Jaskier suspiraba y gemía.

Lo último que cambió fue el color de los ojos.

Dainty Biberveldt Segundo carraspeó, se acercó a la mesa, agarró la jarra de Dainty Biberveldt Primero y con avidez aplastó contra ella sus labios.

—No puede ser, no puede ser —dijo Jaskier en voz baja—. Miradlo, una copia fiel. Imposible de diferenciar. Todito, todo. Esta vez hasta los picotazos de los mosquitos y las manchas en las calzas... ¡Justo, en

114

las calzas! ¡Geralt, esto no lo consiguen ni siquiera los hechiceros! ¡Toca, es auténtica lana, no es una ilusión! ¡Increíble! ¿Cómo lo hace?

—Eso no lo sabe nadie —murmuró el brujo—. Él tampoco. He dicho que tiene completa capacidad para cambiar voluntariamente la estructura de la materia, pero se trata de una voluntad orgánica, instintiva...

—Pero las calzas... ¿De qué ha hecho las calzas? ¿Y el chaleco?

—De su propia piel adaptada. No pienso que a él le gustase quitarse esas calzas. En cualquier caso perderían inmediatamente sus características de lana...

—Una pena. —Dainty mostró la rapidez de su pensamiento—. Porque ya andaba pensando en mandarle trasformar un balde de materia en un balde de oro.

El doppler, en aquel momento una copia fiel del mediano, se repantigó con comodidad y sonrió ampliamente, por lo visto contento de ser el centro de interés. Estaba sentado en idéntica posición que Dainty y de la misma forma removía los peludos pies.

—Mucho sabes de los dopplers, Geralt —dijo, tras lo cual tomó un sorbo de la jarra, masticó ruidosamente y eructó—. Cierto, mucho.

—Dioses, la voz y las maneras también son de Biberveldt —dijo Jaskier—. ¿Nadie tiene una cintilla roja? Hay que marcarlo, voto al diablo, o la tendremos buena.

—Pero qué dices, Jaskier —se enojó Dainty Biberveldt Primero—. ¿No me irás a confundir con él? Al primer...

—... vistazo se ve la diferencia —terminó Dainty Biberveldt Segundo y volvió a eructar con un sonidillo—. De verdad, para confundirse hay que ser más tonto que el culo de una yegua.

—¿Qué he dicho? —susurró Jaskier con asombro—. Piensa y habla como Biberveldt. Imposible de diferenciar...

—Exageras. —El mediano despegó los labios—. Exageras mucho.

—No —repuso Geralt—. No es una exageración. Lo creas o no, pero él es en estos momentos tú, Dainty. De un modo que desconocemos, el doppler copia con precisión también la psique de la víctima.

—¿Epsi qué?

—Bueno, las características del intelecto, el carácter, los sentimientos, los pensamientos. El alma. Lo que confirmaría lo que niegan la mayor parte de los hechiceros y todos los sacerdotes. Que el alma es también materia.

—Herejía... —resopló el posadero.

—Y gilipollez —dijo con dureza Dainty Biberveldt—. No nos cuentes cuentos, brujo. Las características del intelecto, ya te vale. Copiar la nariz y las calzas es una cosa, pero la razón no es lo mismo que cagarse en un palo. Ahora mismo te lo demuestro. Si este piojoso doppler hubiera copiado mi razón de mercader, no habría vendido los caballos en

Novigrado, donde no hay demanda, sino que habría ido a Puente del Diablo, a la feria de caballos, donde los precios son de subasta, el que da más. Allí no se pierde...

—Claro que se pierde. —El doppler parodió el gesto enfadado del mediano y resopló de forma peculiar—. En primer lugar, los precios en las subastas de Puente del Diablo están por los suelos porque los mercaderes se ponen de acuerdo para licitar. Y además hay que pagar comisión a los subastadores.

—No me des lecciones de tratante, tontaina —se enojó Biberveldt—. Yo en Puente del Diablo habría sacado noventa y hasta cien por cabeza. Y tú, ¿cuánto conseguiste de los pícaros novigradenses?

—Ciento treinta —dijo el doppler.

—Mientes, guiñapo.

—No miento. Arreé los caballos directamente hasta el puerto, don Dainty, y allí hablé con un mercader de pieles de ultramar. Los peleteros no usan caravanas de bueyes porque los bueyes son demasiado lentos. Las pieles son ligeras pero caras, hay pues que viajar rápido. En Novigrado no hay demanda de caballos, así que tampoco hay caballos. Yo era el único que los tenía, así que dicté los precios. Es sencillo...

—¡Te digo que no me des lecciones! —gritó Dainty, enrojeciendo—. Vale, bien, entonces has ganado mucho. ¿Y dónde está el dinero?

—Lo invertí —dijo con orgullo Tellico, imitando el típico gesto del mediano de pasarse los dedos por la melena—. El dinero, don Dainty, tiene que moverse y el interés tiene que crecer.

—¡Cuídate de que yo no te haga crecer la cabeza! Habla, ¿qué hiciste con la guita que sacaste por los caballos?

—Ya lo he dicho. Compré mercancías.

—¿Qué mercancías? ¿Qué compraste, torpe?

—Co... cochinillas —tartamudeó el doppler, y luego recitó deprisa—. Quinientas fanegas de cochinillas, doscientas setenta arrobas de corteza de mimosas, cincuenta y cinco alcuzas de esencia de rosa, veintitrés barrilillos de aceite de hígado de bacalao, seiscientas escudillas de barro y ochenta libras de cera de abejas. El aceite de hígado de bacalao, por cierto, lo compré muy, muy barato, porque estaba ya un pelín rancio. Ah, casi lo olvido. Compré también cien codos de cuerda de algodón.

Se hizo el silencio, un largo, largo silencio.

—Aceite rancio —dijo por fin Dainty, pronunciando muy despacio cada palabra—. Cuerda de algodón. Esencia de rosa. Esto es un sueño. Sí, seguro, es una pesadilla. En Novigrado se puede comprar de todo, todas las cosas valiosas y útiles, y este cretino tira mi dinero en comprar no sé qué mierda. Con mi aspecto. Estoy acabado, he perdido mi dinero, he perdido mi reputación de mercader. No, estoy harto. Préstame tu espada, Geralt. Me lo cargo aquí mismo.

Las puertas del camaranchón se abrieron rechinando.

—¡Mercader Biberveldt! —cantó la persona que entraba, envuelta en una toga púrpura que colgaba de la delgada figura como de un palo. En la cabeza tenía un sombrerillo de terciopelo con la forma de un orinal vuelto del revés—. ¿Está aquí el mercader Biberveldt?

—Sí —respondieron al mismo tiempo los dos medianos.

Al instante siguiente, uno de los Dainty Biberveldt arrojó el contenido de una jarra sobre el rostro del brujo, dio un hábil puntapié a la silla de Jaskier y se escurrió por debajo de la mesa en dirección a la puerta, derribando en su camino al personaje del ridículo sombrero.

—¡Fuego! ¡Socorro! —gritó al entrar en la sala común—. ¡Asesinos! ¡Se quema!

Geralt se quitó la espuma y se echó tras de él, pero el segundo de los Biberveldt, arrastrándose también hacia la puerta, se resbaló en el serrín y le cayó entre los pies. Ambos quedaron tendidos en el mismo umbral. Jaskier, saliendo de debajo de la mesa, blasfemaba horriblemente.

—¡Asaltooo! —gritó desde el suelo el delgado personaje, enredado en su toga púrpura—. ¡Asaaaltooo! ¡Bandidoooos!

Geralt se retorció bajo el mediano, entró en la taberna, vio cómo el doppler, entrechocándose con los clientes, salía a la calle. Se echó a por él, sólo para golpearse con un elástico, aunque sólido, muro de personas que le cerraba el paso. Pudo tumbar a uno, sucio de barro y apestando a cerveza, pero el resto lo inmovilizó en el férreo abrazo de unas fuertes manos. Se revolvió con rabia, y entonces hubo un chasquido seco de hilos que estallan y cuero rasgado y notó más suelto el sobaco derecho. El brujo blasfemó, dejando de retorcerse.

—¡Lo tenemos! —gritaron los albañiles—. ¡Tenemos al bellaco! ¿Qué hacemos, señor maestro?

—¡Cal! —chilló el maestro, levantando la cabeza de la mesa y mirando alrededor con ojos que no veían.

—¡Guardiaaa! —gritó el de la púrpura, arrastrándose a gatas—. ¡Asalto a un funcionario! ¡Guardia! ¡Al cadalso vas a ir por esto, belitre!

—¡Lo tenemos! —gritaron los albañiles—. ¡Lo tenemos, señor!

—¡No es éste! —chilló el personaje de la toga—. ¡Agarrad al truhán! ¡Perseguidlo!

—¿A quién?

—¡A Biberveldt, el mediano! ¡Tras él, tras él! ¡Al calabozo con él!

—Despacio, despacio —dijo Dainty, saliendo de la alcoba—. ¿Qué decís, señor Schwann? No os llenéis los morros con mi apellido. Y no deis la alarma, no hay necesidad alguna.

Schwann se calló, miró al mediano con asombro. Jaskier salió del camaranchón con el sombrerito ladeado y mirando a su laúd. Los albañiles, susurrando entre ellos, soltaron por fin a Geralt. El brujo, aunque estaba muy enojado, se limitó a escupir abundantemente en el suelo.

—¡Señor mercader Biberveldt! —dijo con voz aguda Schwann, guiñando sus ojos miopes—. ¿Qué significa esto? Atacar a un funcionario municipal os puede salir muy caro... ¿Quién era ése? ¿El mediano que se ha escabullido?

—Un primo —dijo con rapidez Dainty—. Mi primo lejano...

—Sí, sí —le apoyó presto Jaskier, sintiéndose en su elemento—. Un primo lejano de Biberveldt. Conocido como el Grillado Biberveldt. La oveja negra de la familia. Siendo niño se cayó a un pozo. Seco. Pero, por desgracia le cayó el cubo en la cabeza. Por lo general es tranquilo, sólo al ver el púrpura se vuelve loco. Pero no hay de qué preocuparse porque se serena ante la vista de los rojos cabellos de un pubis femenino. Por eso se fue directo hacia el Passiflora. Os digo, señor Schwann...

—Basta, Jaskier —siseó el brujo—. Cierra el pico, coño.

Schwann se estiró la toga, la limpió de serrín y se enderezó, adoptando una expresión de arrogancia.

—Sííí —dijo—. Sed más cuidadoso con los parientes, mercader Biberveldt, porque vos mismo al fin y al cabo sois responsable. Si presentara una denuncia... Pero no tengo tiempo. Estoy aquí por asuntos de servicio. En nombre de la autoridad municipal os reclamo el pago de los impuestos.

—¿Eh?

—Impuestos —repitió el funcionario y puso los labios en una mueca que había seguramente visto a alguien mucho más importante que él—. ¿Qué mosca os ha picado? ¿Os ha soltado alguna el primo? Si se hacen negocios, hay que pagar impuestos. O se le mete a uno en la mazmorra.

—¿Yo? —rugió Dainty—. ¿Yo, negocios? ¡Si yo no tengo más que pérdidas, su puta madre! Yo...

—Cuidado, Biberveldt —susurró el brujo, y Jaskier le atizó al mediano un puntapié disimuladamente en su peluda espinilla. El mediano tosió.

—Claro está —dijo, intentando forzadamente extraer una sonrisa de su rostro mofletudo—. Claro está, señor Schwann. Si se hacen negocios, hay que pagar impuestos. Buenos negocios, muchos impuestos. Y al contrario, me imagino.

—No soy yo quien ha de valorar vuestros negocios, señor mercader. —El funcionario hizo un gesto de desagrado y se sentó a la mesa. De las profundas entrañas de la túnica sacó un ábaco y un manojo de pergaminos que desplegó sobre la mesa, la cual había limpiado antes con la manga—. Yo sólo he de contar y cobrar. Sííí... Hagamos entonces la cuenta... Van a ser... hmmm... Bajo dos, me quedo uno... Sííí... Mil quinientas cincuenta coronas y veintidós coppecs.

De la garganta de Dainty Biberveldt se escapó un ronquido sordo. Los albañiles murmuraron asombrados. El posadero dejó la bandeja. Jaskier suspiró.

—Va, entonces, hasta la vista, compadres —dijo el mediano agriamente—. Si alguien pregunta por mí, decidle que estoy en la mazmorra.

II

—Hasta mañana, al mediodía —gimió Dainty—. Y ese hijo de perra, ese Schwann, así se atragante, el viejo asqueroso, podría haberme prolongado el plazo. Más de mil quinientas coronas, ¿de dónde saco yo hasta mañana tanta tela? ¡Estoy acabado, arruinado, me pudriré en el trullo! ¡No nos quedemos aquí, joder, os digo, vayamos a por ese granuja de doppler! ¡Tenemos que cogerlo!

Estaban sentados los tres en el brocal de mármol del estanque de una fuente que no corría y que ocupaba el centro de una placita no muy grande, entre casas señoriales imponentes, aunque extraordinariamente faltas de gusto. El agua del estanque era verde y estaba muy sucia, los pececillos dorados que nadaban entre los desechos hacían grandes esfuerzos con sus aletas y boquillas abiertas para tomar aire de la superficie. Jaskier y el mediano masticaban unos frisuelos que el trovador acababa de birlar de un puesto callejero.

—En tu lugar —dijo el bardo—, dejaría la persecución a un lado y empezaría a buscar a alguien que te pudiera prestar el dinero. ¿Qué vas a sacar si atrapas al doppler? ¿Piensas que Schwann lo va a aceptar como equivalente?

—Tontunas dices, Jaskier. Si atrapo al doppler le quitaré mi dinero.

—¿Qué dinero? Lo que tenía en la talega se ha ido en pagar los destrozos y en el soborno de Schwann. Más no tenía.

—Jaskier —frunció el ceño el mediano—. En cuestión de poesía puede que algo sepas, pero lo que es en asuntos comerciales, perdóname, pero eres un completo zopenco. ¿Oíste qué impuestos me calculó el Schwann? ¿Y de qué se pagan los impuestos? ¿Eh? ¿De qué?

—De todo —afirmó el poeta—. Yo, hasta por cantar pago. Y un pimiento les importan mis explicaciones de que canto por necesidad interior.

—Tontunas, te digo. En los negocios se pagan impuestos por los beneficios. Por los beneficios. ¡Jaskier! ¿Entiendes? Este granuja de doppler se sirvió de mi persona y se metió en algún negocio, con toda certeza una estafa. ¡Y ganó mucho con ello! ¡Hizo beneficios! ¡Y yo voy a tener que pagar impuestos, y además seguro que cubrir las deudas de ese miserable, si las hizo! ¡Y si no pago, me meterán en el calabozo, me marcarán con un hierro en público, me mandarán a las minas! ¡Diablos!

—Ja —dijo alegremente Jaskier—. No tienes entonces salida, Dainty. Tienes que escapar en secreto de la ciudad. ¿Sabes qué? Tengo una idea. Te envolvemos completamente en una piel de carnero. Cruzas la puerta balando: «Soy una oveja, bee, bee». Nadie te reconocerá.

—Jaskier —dijo sombrío el mediano—. Cierra el pico o te meto una patada. ¿Geralt?

—¿Qué, Dainty?

—¿Me ayudarás a cazar al doppler?

—Escucha —dijo el brujo, todavía intentando sin éxito coser la manga desgarrada de su gabán—. Esto es Novigrado. Treinta mil habitantes, humanos, enanos, medioelfos, medianos y gnomos, seguramente otros tantos forasteros. ¿Cómo pretendes encontrar a nadie entre tal muchedumbre?

Dainty tragó el frisuelo, se chupó los dedos.

—¿Y la magia, Geralt? ¿Esos encantamientos brujeriles vuestros, sobre los que corren tantas leyendas?

—Es posible descubrir al doppler con magia sólo bajo su propia forma y bajo su propia forma él no camina por las calles. E incluso si así fuera, la magia no serviría para nada porque alrededor hay una gran cantidad de débiles señales mágicas. Una de cada dos casas tiene una cerradura mágica en la puerta y tres cuartos de las personas llevan amuletos de lo más diverso, contra los ladrones, las pulgas, las intoxicaciones alimenticias... Imposible contarlos.

Jaskier pasó los dedos por el mástil del laúd, rasgueó las cuerdas.

—¡Vuelve la primavera, que a cálida lluvia huele! —cantó—. No, no está bien. Vuelve la primavera, que a sol... No, voto a tal. No me sale. Ni pizca...

—Deja de chillar —gruñó el mediano—. Me atacas los nervios.

Jaskier echó a los pececillos las sobras del frisuelo y escupió al estanque.

—Mirad —dijo—. Peces dorados. Se dice que tales peces conceden deseos.

—Éstos son rojos —advirtió Dainty.

—Qué más da, eso son minucias. Joder, somos tres y ellos conceden tres deseos. Tocamos a uno por cabeza. ¿Qué, Dainty? ¿No desearías que los pececillos te pagaran los impuestos?

—Por supuesto. Y además de eso, que algo cayera del cielo y le rompiera la crisma al doppler. Y aún...

—Quieto, quieto. Nosotros también tenemos deseos. Yo deseo que los pececillos me digan el final del romance. ¿Y tú, Geralt?

—Déjame en paz, Jaskier.

—No nos agües la fiesta, brujo. Di, ¿qué es lo que deseas?

El brujo se levantó.

—Deseo —murmuró— que el que justo ahora estén intentando rodearnos sea tan sólo un malentendido.

Del callejón frente a la fuente salieron cuatro personajes vestidos de negro, con sombreros redondos de cuero, dirigiéndose hacia la fuente a paso lento. Dainty maldijo en voz baja mientras los contemplaba.

De las calles a su espalda salieron otros cuatro. Éstos no se acercaron más, se dispersaron, bloqueando las callejas. En las manos tenían unos rollos de aspecto extraño, como si fueran pedazos de cables enrollados. El brujo miró alrededor, movió los hombros para acomodar la espada colgada a la espalda. Jaskier gimió.

Desde detrás de los negros personajes salió un hombre no muy alto embutido en un caftán blanco y un corto abrigo gris. Una cadena de oro en su cuello brillaba al ritmo de sus pasos, lanzando reflejos dorados.

—Chappelle... —se lamentó Jaskier—. Es Chappelle...

Los negros personajes detrás de ellos comenzaron a andar lentamente hacia la fuente. El brujo hizo ademán de sacar la espada.

—No, Geralt —susurró Jaskier, acercándose a él—. Por los dioses, no saques el arma. Es la guardia del santuario. Si les ofrecemos resistencia no saldremos vivos de Novigrado. No toques la espada.

El hombre del caftán blanco fue hacia ellos a paso vivo. Los negros personajes le siguieron, en una marcha que rodeó el estanque, tomando posiciones estratégicas, marcadas con precisión. Geralt los observó con atención, enderezándose ligeramente. Los extraños rollos que tenían en las manos no eran, como había juzgado, látigos comunes y corrientes. Eran lamias.

El hombre del caftán blanco se acercó.

—Geralt —susurró el bardo—. Por todos los dioses, mantén la calma.

—No me dejaré tocar —murmuró el brujo—. No me dejaré tocar, me da igual quiénes sean. Cuidado, Jaskier... Cuando empiece la cosa, corred tanto como os dejen los pies. Yo los detendré... por algún tiempo...

Jaskier no respondió. Echando el laúd a la espalda, se inclinó profundamente ante el hombre del caftán blanco, ricamente bordado con hilos de oro y plata siguiendo un diseño de pequeños mosaicos.

—Honorable Chappelle...

El individuo llamado Chappelle se detuvo, pasó la vista por ellos. Sus ojos, como advirtió Geralt, eran terriblemente fríos y tenían color de acero. La frente era pálida, cuajada de un sudor enfermizo, tenía en las mejillas unas manchas de rubor rojas e irregulares.

—Don Dainty Biberveldt, mercader —dijo—. El talentoso don Jaskier. Y Geralt de Rivia, un representante del poco habitual gremio de los brujos. ¿Un encuentro de antiguos amigos? ¿Aquí, en Novigrado?

Nadie respondió.

—Como grande desgracia considero el hecho —siguió Chappelle— de que hayan presentado una denuncia contra vosotros.

Jaskier palideció ligeramente, y al mediano le castañetearon los dientes. El brujo no miraba a Chappelle. No levantaba la vista de las armas de los negros personajes de sombreros de cuero que rodeaban la fuente. En la mayor parte de los países que Geralt conocía, la fabricación y la posesión de lamias anilladas, llamadas látigos de Mayhen, estaban totalmente prohibidas. Novigrado no era una excepción. Geralt había visto personas a las que les habían golpeado con una lamia en el rostro. Aquellos rostros eran imposibles de olvidar.

—El dueño de La Punta de Lanza —continuó Chappelle— tuvo el descaro de acusar a vuesas mercedes de complots con un demonio, un monstruo al que se nombra cambión o vexling.

Nadie respondió. Chappelle se colocó la mano en el pecho y les dirigió una fría mirada.

—Me siento obligado a avisaros de tal denuncia. Os informo también de que el mencionado posadero ha sido arrojado al calabozo. Existe la sospecha de que ha fantaseado bajo el influjo de la birra o el aguardiente. Cierto, ¡qué es lo que no se inventará la gente! En primer lugar, no existen los vexlings. Es un invento de campesinos supersticiosos.

Nadie dijo nada.

—En segundo lugar, ¿qué vexling se hubiera atrevido a acercarse a un brujo —sonrió Chappelle— sin ser muerto inmediatamente? ¿Verdad? La acusación del tabernero sería poco más que risible, de no ser por cierto detalle importante.

Chapelle alzó la cabeza, haciendo una dramática pausa. El brujo oyó cómo Dainty dejaba escapar poco a poco el aire atrapado en los pulmones en una profunda aspiración.

—Sí, cierto detalle importante —repitió Chappelle—. A saber, tenemos aquí herejía y con blasfemia contra lo sagrado. Pues es sabido que ningún, absolutamente ningún vexling, como ningún otro monstruo, podría acercarse a los muros de Novigrado porque aquí, en diecinueve santuarios, arde el Fuego Eterno, cuyo sagrado poder guarda la ciudad. Quien afirme que vio un vexling en La Punta de Lanza, a un tiro de piedra del altar principal del Fuego Sagrado, ése es un blasfemo y hereje y habrá de retirar sus palabras. Si acaso no quisiera retirarlas, se le ayudará a ello en la medida de las fuerzas y medios que, creedme, tenemos a mano en los calabozos. Como veis, no hay de qué preocuparse.

El aspecto de los rostros de Jaskier y del mediano demostraba a todas luces que ambos tenían otra opinión.

—No hay absolutamente ningún motivo para inquietarse —repitió Chappelle—. Pueden los señores dejar Novigrado sin impedimento alguno. No les vamos a retener. Debo sin embargo insistir en que vuesas mercedes no hablen a nadie acerca de las lamentables fantasías del posadero, que no comenten estos acontecimientos. Afirmaciones que denigren la fuerza divina del Fuego Eterno, independientemente de sus intenciones, nosotros, modestos servidores de la iglesia, habríamos de tomarlas como herejía, con todas sus consecuencias. Las propias creencias religiosas de vuesas mercedes, cualesquiera que sean y que yo respeto, no importan. Creed en lo que queráis. Yo soy tolerante en tanto en cuanto alguien honra al Fuego Eterno y no blasfema contra él. Y si blasfema, lo mando quemar y eso es todo. En Novigrado todos son iguales ante la ley. Y la ley es igual para todos: aquél que blasfeme contra el Fuego Eterno va a la hoguera, y sus pertenencias le serán confiscadas. Pero basta. Repito, podéis cruzar las puertas de Novigrado sin estorbo. Lo mejor...

Chappelle sonrió ligeramente, sus mejillas adoptaron un gesto de astucia, pasó la mirada por la plaza. Los pocos paseantes que observaban el suceso apretaron el paso, volvieron las cabezas con rapidez.

—... lo mejor —terminó Chapelle—, lo mejor, ahora mismo. Inmediatamente. Por supuesto, en relación con el respetado mercader Biberveldt tal «inmediatamente» significa «inmediatamente después de poner en regla sus impuestos». Les agradezco a los señores el tiempo que me han concedido.

Dainty, dándose la vuelta, movió los labios sin expulsar sonido. Al brujo no le cupo duda alguna de que tal palabra sin sonido había sido «hijoputa». Jaskier bajó la cabeza, sonriéndose como un tonto.

—Señor brujo —dijo de pronto Chappelle—. Si me hacéis la merced, unas palabrejas a solas.

Geralt se acercó. Chappelle sacó un poco la mano. Si toca mi brazo, lo tumbo, pensó el brujo. Lo tumbo, aunque no sé qué pasará después.

Chappelle no tocó el brazo de Geralt.

—Señor brujo —dijo en voz baja, dando la espalda a los otros—. Sé que otras ciudades, a diferencia de Novigrado, carecen de la protección divina del Fuego Eterno. Pongamos pues que un ser parecido a un vexling ronda por una de tales ciudades. Por curiosidad, ¿cuánto cobraríais por capturar vivo al vexling?

—No me ocupo de cazar monstruos en ciudades habitadas. —El brujo se encogió de hombros—. Podría quizá sufrir daño algún inocente.

—¿Y tanto os interesa la suerte de los inocentes?

—Tanto. Porque por lo general se me carga con la responsabilidad por su suerte. Y se me amenaza con las consecuencias.

—Entiendo. ¿Y no sería esa preocupación por la suerte de los inocentes inversamente proporcional a la cantidad de la paga?

—No lo sería.

—Tu tono, brujo, no me gusta demasiado. Pero no importa, entiendo lo que sugieres con ese tono. Sugieres que no quieres hacer... lo que podría pedirte, por lo que la cantidad de la paga no tiene significado. ¿Y el género de la paga?

—No entiendo.

—No lo creo.

—Aun así.

—Puramente teórico —dijo Chappelle, bajito, tranquilo, sin maldad o amenaza en la voz—, sería posible que la paga por tus servicios fuera la garantía de que tú y tus amigos saldríais vivos de... esa ciudad teórica. Entonces, ¿qué?

—A esa pregunta —el brujo adoptó una sonrisa pavorosa— no se puede responder teóricamente. La situación de la que hablas, honorable Chappelle, convendría comprobarla en la práctica. No tengo prisa ninguna por ello, pero si hiciera falta... si no hubiera otra salida... estoy listo a ejercitarla.

—Ja, y puede que tengas razón —respondió impasible Chappelle—. Teorizamos demasiado. En cuanto a la práctica, veo que no habrá colaboración. ¿Y puede que esto esté bien? En cualquier caso albergo la esperanza de que esto no vaya a ser causa de conflicto entre nosotros.

—Yo también —dijo Geralt— albergo tal esperanza.

—Entonces que arda en nosotros esa esperanza, Geralt de Rivia. ¿Sabes lo que es el Fuego Eterno? ¿La llama que no se apaga, el símbolo de perduración, el camino a seguir en las tinieblas, la promesa de progreso, de un mañana mejor? El Fuego Eterno, Geralt, es la esperanza. Para todos, para todos sin excepción. Porque si hay algo que sea compartido... por ti, por mí... por otros... es justamente la esperanza. Recuérdalo. Encantado de haberte conocido, brujo.

Geralt se inclinó ceremoniosamente, en silencio. Chappelle le miró un segundo, luego se dio la vuelta con energía y marchó a través de la plaza, sin mirar a su escolta. Los hombres armados con lamias se movieron tras de él, formando una columna.

—Ay, madrecita de mis entrañas —lloriqueó Jaskier, mirando asustado a los que se iban—. Cuidado que tuvimos suerte. Si es que se ha acabado. Porque puede que nos agarren ahora...

—Tranquilízate —dijo el brujo— y deja de quejarte. Al fin y al cabo no ha pasado nada.

—¿Sabes quién era ése, Geralt?

—No.

—Ése era Chappelle, el vicario para asuntos de seguridad. El servicio secreto de Novigrado está sujeto a la iglesia. Chappelle no es sacerdote, sino la eminencia gris de la jerarquía, el más poderoso y peligroso individuo de la ciudad. Todos, incluso el concejo y los gremios, se cagan de miedo ante él porque es un canalla de pura cepa, Geralt, embriagado de poder como las arañas de sangre. Aunque en voz baja, se habla en la localidad sobre lo que es capaz de hacer. La gente desaparece sin dejar huella. Falsas acusaciones, torturas, asesinatos secretos, terror, chantaje y robo normal y corriente. Coacción, estafa y chanchullos. Por los dioses, en bonita historia nos has metido, Biberveldt.

—Tranquilo, Jaskier —bufó Dainty—. ¡Tú no eres quien tiene que tener miedo! Nadie toca a un trovador. Por motivos que desconozco sois intocables.

—Un poeta intocable —gimió Jaskier, aún pálido— también puede, en Novigrado, caer bajo las ruedas de un carro desbocado, envenenarse mortalmente con un pescado o, a consecuencia de su mala fortuna, ahogarse en el interior del foso. Chappelle es especialista en tales accidentes. El que haya hablado con nosotros lo considero inédito. Una cosa es segura: no lo ha hecho sin algún motivo. Trama algo. Ya veréis, enseguida nos van a colgar algo, nos atraparán y se pondrán a torturarnos bajo la majestad de la ley. ¡Así se hace aquí!

—En eso que dice —le habló el mediano a Geralt— hay mucho de verdad. Tenemos que tener cuidado. ¡Que todavía un canalla como ese Chappelle holle la tierra! Desde hace años se dice que está enfermo, que la sangre se le envenena y todos están esperando a ver cuándo estira la pata...

—Cállate, Biberveldt —susurró con miedo el trovador, mirando a su alrededor—, porque en cualquier momento te puede oír alguien. Mirad cómo todos nos contemplan. Larguémonos de aquí, os digo. Y aconsejo que nos tomemos en serio lo que nos dijo Chappelle sobre el doppler. Yo, por ejemplo, en mi vida he visto a ningún doppler, si es necesario lo juraré por el Fuego Eterno.

—Mirad —dijo de pronto el mediano—. Alguien corre hacia nosotros.

—¡Huyamos! —chilló Jaskier.

—Tranquilo, tranquilo —sonrió ampliamente Dainty, y se pasó los dedos por la melena—. Lo conozco. Es Almizclete, un mercader local, tesorero del gremio. Hemos hecho negocios juntos. ¡Eh, mirad qué cara pone! ¡Como si se hubiera cagado en los pantalones! ¡Eh, Almizclete! ¿Me buscas a mí?

—¡Por el Fuego Eterno! —jadeó Almizclete, echando hacia atrás la gorrilla de piel de zorro y limpiándose la frente con una manga—. Estaba seguro de que te habían metido en la barbacana. Cierto, un milagro es. Estoy asombrado...

—Muy amable de tu parte —le cortó el mediano con acritud— por asombrarte. Alégranos aún más y cuéntanos por qué.

—No te hagas el tonto, Biberveldt. —Almizclete frunció el ceño—. Toda la ciudad ya sabe qué negocio has hecho con las cochinillas.

Todos hablan de ello, y, claro, a las autoridades y a Chappelle les ha llegado que algún listeras, algún tío hábil, ganó gracias a lo que ha pasado en Poviss.

—¿De qué coño hablas, Almizclete?

—Oh, dioses, deja ya, Dainty, de mover la cola y decir que nones. ¿Compraste cochinillas? ¿Casi gratis, a cinco y veinte la fanega? Las compraste. Aprovechando la poca demanda, pagaste con una letra de cambio, ni un real de dinero líquido metiste en ello. ¿Y qué? En un solo día colocaste toda la carga por cuatro veces su precio, por dinero contante y sonante encima de la mesa. ¿Vas a tener el descaro de afirmar que se trata de una casualidad, que es pura suerte? ¿Que cuando compraste las cochinillas no tenías ni pajolera del golpe en Poviss?

—¿De qué? ¿Pero de qué hablas?

—¡En Poviss hubo un golpe! —gritó Almizclete—. ¡Y esa, cómo se llama, sí... revolución! ¡Derrocaron al rey Rhyd, ahora gobierna allí el clan de los Thyssenidas! La corte, la nobleza y el ejército de Rhyd iban de azul, y por eso las tenerías de allí sólo índigo compraban. Pero el color de los Thyssenidas es el escarlata, así que el índigo se ha abaratado y las cochinillas se han puesto por las nubes, ¡y así ha salido a la luz que justamente tú, Biberveldt, tienes tus zarpas puestas en el único cargamento que hay a mano! ¡Ja!

Dainty callaba, abatido.

—Listeras, Biberveldt, no se puede decir que no —siguió Almizclete—. Y a nadie ni palabra, ni siquiera a los amigos. Si hubieras dicho algo, todos habríamos ganado, incluso una factoría conjunta habríamos podido poner. Pero, no, tú preferías solo, sin decir ni pío. Como quieras, pero no cuentes conmigo nunca más. Por el Fuego Sagrado, verdad es que todos los medianos son unos canallas egoístas y unas mierdas de perro. A mí Vimme Vivaldi nunca me da una letra de cambio, ¿y a ti? Sin pensárselo. Sois todos la misma banda, vosotros, inhumanos de mierda, que sois como veletas, medianos y enanos. ¡Así os cojáis la peste!

Almizclete escupió, se dio la vuelta sobre sus talones y se fue. Dainty, pensativo, se rascó la cabeza, haciendo rechinar sus cabellos.

—Algo se me ocurre, muchachos —dijo por fin—. Ya sé lo que tenemos que hacer. Vamos al banco. Si alguien puede entender algo de todo esto, ese alguien es justamente mi amigo, el banquero Vimme Vivaldi.

III

—Me imaginaba los bancos de otra manera —susurró Jaskier, mirando el establecimiento—. ¿Dónde guardan el dinero, Geralt?

—El diablo lo sabe —respondió en voz baja el brujo, escondiendo la manga rota del gabán—. ¿Quizá en el sótano?

—Y una mierda. He estado mirando todo, aquí no hay sótano.

—Entonces en la troje.

—Por favor, pasad a la oficina —dijo Vimme Vivaldi.

Los jóvenes humanos y los enanos de edad desconocida sentados ante largas mesas estaban ocupados en cubrir pliegos de pergamino con filas de cifras y letras. Todos sin excepción tenían las espaldas dobladas y sacaban un poco la lengua. El trabajo, le parecía al brujo, era diabólicamente monótono, pero parecía absorber por completo a los empleados. En un rincón, en un escabel bajito, se sentaba un abuelete con aspecto de pordiosero ocupado en afilar las plumas. No le iba demasiado bien.

El banquero cerró con cuidado la puerta del despacho, se acarició la larga, blanca y bien cuidada barba, aquí y allá manchada de tinta, y se colocó la almilla de terciopelo color burdeos, abrochándosela con dificultad sobre su considerable barriga.

—Sabéis, don Jaskier —dijo, sentándose tras de una enorme mesa de caoba repleta de pergaminos—. Os imaginaba completamente distinto. Y conozco vuestras canciones, las conozco, las he oído. Sobre la reina Vanda, que se ahogó en un río de Mierde, porque nadie la quería. Y sobre el pájaro martinete, que se cayó a un retrete...

—Eso no es mío. —Jaskier enrojeció de rabia—. ¡En mi vida he escrito algo así!

—Ah. Entonces, perdón.

—¿Podríamos ir al grano? —terció Dainty—. El tiempo vuela y vosotros diciendo chorradas. Estoy metido en un buen lío, Vimme.

—Me lo imaginaba —afirmó con la cabeza el enano—. Como recordarás, te lo advertí, Biberveldt. Te dije hace tres días que no pusieras dinero en ese aceite rancio. ¿Qué más da que fuera barato? El precio nominal no es importante, lo importante es el nivel de beneficio al venderlo. Lo mismo con esa esencia de rosas y esa cera y esas escudillas de barro. ¿Qué mosca te picó, Dainty, para comprar esa porquería, y además con dinero contante y sonante, en vez de, como es razonable, pagar a crédito o con una letra de cambio? Te dije, los costes de almacenaje son aquí en Novigrado terriblemente altos, en dos semanas superarán el valor de tu mercancía y tú...

—Ya —gimió en voz baja el mediano—. Di, Vivaldi. ¿Yo qué?

—Y tú a esto, que no tenga miedo, que vas a vender todo en el curso de veinticuatro horas. Y ahora vienes aquí y me dices que estás en dificultades, además desarmando con tu estúpida sonrisa. No funciona, ¿verdad? Y los costes suben, ¿eh? Ja, no está bien, no está bien. ¿Cómo te tengo que sacar de ésta, Dainty? Si por lo menos hubieras asegurado esa basura, mandaría ahora a alguno de mis empleados a que prendiera fuego a la mercancía a escondidas. No, amigo, lo único que se puede hacer es aproximarse al asunto filosóficamente, o sea, decirse a uno mismo: «Se lo comió el gato». Así son los negocios, a veces se gana, a veces se pierde. ¿Qué es al fin y al cabo ese dinero, ese aceite, esa cera y esa esencia? No valen un pimiento. Hablemos de negocios más importantes. Dime si tengo que vender la corteza de mimosas, porque las ofertas han comenzado a estabilizarse a cinco y cinco sextos.

—¿Eh?

—¿Estás sordo? —frunció el ceño el banquero—. La última oferta es justo cinco y cinco sextos. Has vuelto, espero, para dar la orden. Siete no te va a dar nadie, Dainty.

—¿He vuelto?

Vivaldi se acarició la barba y se quitó de ella unas migas de pan.

—Estuviste aquí hace una hora —dijo despacio— con la orden de aguantar hasta siete. Siete veces el precio que pagaste por ello, son dos coronas cuarenta y cinco coppecs por libra. Es demasiado alto, Dainty, incluso para un mercado tan increíble como con el que te has topado. Los curtidores deben de haberse puesto de acuerdo ya y van a aguantar los precios. Apostaría mi cabeza...

Las puertas se abrieron y al despacho entró algo con un sombrero de fieltro verde y un abrigo de piel de conejos manchos, ceñido por un cinturón de tomiza de cáñamo.

—¡El mercader Sulimir da dos coronas quince! —gritó.

—Seis y un sexto —calculó instantáneamente Vivaldi—. ¿Qué hacemos, Dainty?

—¡Vender! —gritó el mediano—. ¿Seis veces su precio y tú aún te lo piensas, leches?

Al despacho entró un segundo algo, con un sombrerillo gualda y un chaquetón que recordaba a un saco viejo. Como el primer algo, medía alrededor de dos codos de altura.

—¡El mercader Biberveldt ordena no vender por debajo de siete! —gritó, se limpió la nariz con la manga y salió corriendo.

—Ajá —dijo el enano después de un largo rato de silencio—. Un Biberveldt manda vender, otro Biberveldt manda esperar. Interesante situación. ¿Qué hacemos, Dainty? Ahora mismo nos vas a aclarar si esperamos a que un tercer Biberveldt ordene cargar la corteza en una galera y llevarla al País de los Cinocéfalos. ¿Eh?

—¿Qué es eso? —dijo Jaskier señalando al algo del sombrero verde, que todavía estaba de pie junto a la puerta—. ¿Qué es eso, joder?

—Un gnomo joven —dijo Geralt.

—Indudablemente —confirmó Vivaldi con sequedad—. No es un troll viejo, desde luego. No importa al fin y al cabo lo que sea. Venga, Dainty, te escucho.

—Vimme —dijo el mediano—. Te lo pido por favor. No hagas preguntas. Algo horrible ha pasado. Supón simplemente que yo, Dainty Biberveldt de Centinodia del Prado, no tengo ni idea de lo que está pasando. Cuéntame todo, con detalles. Los acontecimientos de los tres últimos días. Por favor, Vimme.

—Interesante —dijo el enano—. Bueno, pero por la comisión que me gano, estoy obligado a cumplir los deseos del mandante, sean los que sean. Escucha entonces. Entraste aquí hace tres días, sofocado, me diste en depósito mil coronas y me pediste una letra de cambio de hasta dos mil quinientas veinte, al portador. Te di la letra.

—¿Sin garantías?

—Sin. Me caes bien, Dainty.

—Sigue, Vimme.

—Al día siguiente por la mañana entraste a trompicones pidiendo que te abriera un crédito en un banco en Wyzima. Por la no pequeña suma de tres mil quinientas coronas. El beneficiario había de ser, por lo que recuerdo, un tal Ther Lukokian, alias Trufas. Bueno, y te abrí el crédito.

—Sin garantías —dijo el mediano con esperanza en la voz.

—Mi simpatía hacia ti, Biberveldt —suspiró el banquero— se acaba alrededor de las tres mil coronas. Esta vez me diste la garantía escrita de que en caso de impago el molino sería mío.

—¿Qué molino?

—El molino de tu suegro, Arno Hardbottom, en Centinodia del Prado.

—No volveré a casa —anunció Dainty sombrío pero decidido—. Me alistaré en algún barco y me haré pirata.

Vimme Vivaldi se rascó la oreja y le miró con recelo.

—Eeeh —dijo—. Hace mucho ya que recuperaste y rompiste esa garantía. Eres solvente. No me extraña, con tales beneficios.

—¿Beneficios?

—Cierto, lo olvidaba —murmuró el enano—. No debiera asombrarme de nada. Hiciste un buen negocio con las cochinillas, Biberveldt. Porque sabes, en Poviss hubo un golpe...

—Ya lo sé —le interrumpió el mediano—. El índigo se abarató y la cochinilla subió de precio. Y yo he ganado con ello. ¿Es verdad, Vimme?

—Verdad. Tienes en mi casa en depósito seis mil trescientas cuarenta y seis coronas y ochenta coppecs. Neto, después de descontar mi comisión y los impuestos.

—¿Has pagado mis impuestos?

—¿Y cómo podría hacer otra cosa? —se asombró Vivaldi—. Pues si hace una hora estuviste aquí y me mandaste pagar. Un empleado ya ha llevado toda la suma al ayuntamiento. Algo así como mil quinientas, porque la venta de los caballos estaba incluida en ello, por supuesto.

La puerta se abrió con un estruendo y al despacho entró algo con un gorro muy sucio.

—¡Dos coronas treinta! —aulló—. ¡El mercader Hazelquist!

—¡No vendáis! —gritó Dainty—. ¡Esperaremos a mejor precio! ¡En marcha, los dos de vuelta a la bolsa!

Los dos gnomos agarraron las monedillas de cobre que les lanzó el enano y desaparecieron.

—Síí... ¿En qué me he quedado? —dijo pensativo Vivaldi, jugueteando con un enorme y extrañamente formado cristal de amatista que le servía de pisapapeles—. Ajá, en las cochinillas compradas con la letra de cambio. Y el crédito, que he mencionado antes, te era necesario para comprar un enorme cargamento de corteza de mimosa. Compraste un montón de esto, pero muy barato, a treinta y cinco coppecs por libra, de un factor de Zangwebar, el tal Trufas o Cagarrias. La galera llegó al puerto ayer. Y entonces comenzó todo.

—Me lo imagino —gimió Dainty.

—¿Para qué es necesaria la corteza de mimosa? —no aguantó Jaskier.

—Para nada —murmuró sombrío el mediano—. Por desgracia.

—La corteza de mimosa, señor poeta —explicó el enano—, es el adobo que se usa para curtir las pieles.

—Si alguien fuera tan idiota —se entrometió Dainty— como para comprar corteza de mimosa de ultramar, cuando en Temeria se puede comprar de roble por casi nada.

—Y aquí justamente yace el vampiro enterrado —dijo Vivaldi—. Porque en Temeria los druidas acaban de anunciar que si no termina de inmediato la destrucción de los robles, enviarán al país una plaga de langosta y de ratas. Las dríadas apoyan a los druidas, y el rey de allí tiene debilidad por las dríadas. En pocas palabras: desde ayer hay un completo embargo de roble temerio, por eso la mimosa está por las nubes. Tenías buena información, Dainty.

Desde la oficina les llegó un ruido de pasos después del cual entró al despacho jadeante un algo con sombrero verde.

—Su merced el mercader Sulimir... —el gnomo tomó aliento— pidió repetir que el mercader Biberveldt, el mediano, es un jabalí lleno de pelos, un especulador y un sacadineros y que él, Sulimir, desea a Biberveldt que se atragante. Da dos coronas cuarenta y cinco y ésta es la última palabra.

—Vender —gritó el mediano—. Venga, pequeño, corre y díselo. Calcula, Vimme.

Vivaldi metió la mano por debajo del montón de pergaminos y extrajo un ábaco de enanos, un verdadero prodigio. A diferencia de los ábacos utilizados por los humanos, los de los enanos tenían una forma de pirámide calada. El ábaco de Vivaldi, sin embargo, estaba realizado en hilos dorados, a través de los cuales se deslizaban unas piececitas de rubíes, esmeraldas, ónices y ágatas negras, pulidas todas ellas en forma de prisma y que encajaban las unas con las otras. Con unos rápidos y hábiles movimientos del pulgar movió el enano durante un rato las piedras preciosas hacia arriba, abajo, al lado.

—Esto hace... humm, humm... Menos los costes y mi comisión... menos impuestos... Sííí. Quince mil seiscientas veintidós coronas y veinticinco coppecs. No está mal.

—Si calculo bien —dijo lentamente Dainty Biberveldt—, entonces, en total, neto, debo de tener en tu banco...

—Exactamente veintiún mil novecientas sesenta y nueve coronas y cinco coppecs. No está mal.

—¿No está mal? —aulló Jaskier—. ¿No está mal? ¡Con esto se puede comprar una aldea grande o un castillo pequeño! ¡En mi vida he visto tanto dinero junto!

—Yo tampoco —dijo el mediano—. Pero sin tanto fervor, Jaskier. Sucede que ese dinero todavía no lo ha visto nadie y no está claro que lo vaya a ver nunca.

—Venga, Biberveldt —se enojó el enano—. ¿De dónde sacas esos pensamientos tan sombríos? Sulimir pagará en líquido o con letra de cambio, y las letras de Sulimir son seguras. ¿De qué vas? ¿Tienes miedo de las pérdidas por el apestoso aceite de hígado de bacalao y por la cera? Con tales beneficios cubres las pérdidas como si nada...

—No se trata de eso.

—¿De qué, entonces?

Dainty carraspeó, bajó la morena cabeza.

—Vimme —dijo, mirando al suelo—. Chappelle anda tras nosotros.

El banquero enmudeció.

—Mala cosa —concedió—. Habría que habérselo esperado, sin embargo. Sabes, Biberveldt, las informaciones de las que te serviste para tus transacciones no tienen sólo importancia comercial, sino también política. Sobre lo que se estaba cociendo en Poviss y en Temeria nadie sabía nada. Chappelle tampoco, y a Chappelle le gusta ser el primero. Ahora bien, como te imaginarás, le da vueltas a la cabeza para saber cómo lo sabías tú. Y pienso que ya ha caído en ello. Como yo he caído.

—Interesante.

Vivaldi pasó la mirada por Jaskier y Geralt, arrugó la chata nariz.

—¿Interesante? Interesante es tu compaña, Dainty —dijo—. Un trovador, un brujo y un mercader. Mis felicitaciones. Don Jaskier viaja de acá para allá, incluso en las cortes de los reyes, y seguro que no pone mal la oreja. ¿Y el brujo? ¿Tu guardia personal? ¿Espantaacreedores?

—Conclusiones apresuradas, señor Vivaldi —dijo Geralt con frialdad—. No estamos juntos.

—Y yo —Jaskier enrojeció— no pongo la oreja en ningún lado. ¡Soy un poeta, no un espía!

—Se dicen cosas —se enojó el enano—. Cosas muy diversas, don Jaskier.

—¡Mentira! —gritó el trovador—. ¡Una puta mentira!

—Vale, vale, lo creo, lo creo. Sólo que no sé si Chappelle también lo va a creer. Pero, quién sabe, quizá quede todo en agua de borrajas. Te digo, Biberveldt, que después del último ataque de apoplejía, Chappelle ha cambiado mucho. Puede que el miedo a la muerte se le haya metido por el culo y le haya obligado a pensarse las cosas. Palabra que no es el mismo Chappelle. Se ha hecho como amable, razonable, tranquilo y... y honrado, diríamos.

—Eeeeh —dijo el mediano—. ¿Chappelle, honrado? ¿Amable? Eso es imposible.

—Te digo como es —le contradijo Vivaldi—. Y es como digo. Por añadidura, ahora la iglesia tiene en la cabeza otro problema que tiene por nombre Fuego Eterno.

—¿Cómo?

—Por todos lados ha de arder el Fuego Eterno, como se dice. Por todos lados, en todos los alrededores habrán de ponerse altares consagrados a ese fuego. Muchísimos altares. No me preguntes por los detalles, Dainty, no comprendo demasiado las supersticiones humanas. Pero sé que todos los sacerdotes, y también Chappelle, no se ocupan prácticamente de otra cosa que de estos altares y de este fuego. Se están haciendo grandes preparativos. Los impuestos subirán mucho, seguro.

—Bueno —dijo Dainty—. Mal de muchos...

Las puertas del despacho se abrieron de nuevo y entró el ya conocido algo con gorro verde y abrigo de conejos.

—El mercader Biberveldt —anunció— ordena comprar más escudillas, porque hacen falta. El precio no importa.

—Maravilloso —sonrió el mediano, y aquella sonrisa recordaba al morrillo fruncido de un gato montés rabioso—. Vamos a comprar un montón de escudillas, la voluntad del señor Biberveldt es una orden para nosotros. ¿Qué más tenemos que comprar? ¿Coles? ¿Alquitrán? ¿Rastrillos de metal?

—Además de esto —habló roncamente el algo enfundado en un abrigo—, el mercader Biberveldt pide trescientas coronas en monedas, porque tiene que dar mordidas, comer algo y beber cerveza, y en La Punta de Lanza tres bribones le robaron la bolsa.

—Ah. Tres bribones —dijo Dainty prolongadamente—. Sí, esta ciudad parece estar llena de bribones. ¿Y dónde, si se puede preguntar, se encuentra el honorable mercader Biberveldt?

—¿Y dónde iba a estar —dijo el algo, sorbiéndose la nariz— si no es en el Mercado de Poniente?

—Vimme —dijo Dainty con fiereza—. No hagas preguntas y encuéntrame aquí un garrote gordo y sólido. Voy a ir al Mercado de Poniente, pero sin garrote no puedo ir allí. Demasiados bribones y granujas.

—¿Un garrote, dices? Lo encontraré. Pero Dainty, una cosa querría saber, porque me requema. Me pediste que no hiciera preguntas, y no lo haré pues, pero adivinaré y tú lo confirmas o lo niegas. ¿De acuerdo?

—Adivina.

—Ese aceite rancio, esa esencia, cera y escudillas, esa soga de mierda, eran sólo una diversión táctica, ¿verdad? Querías desviar la atención de la competencia de las cochinillas y la mimosa. Crear una confusión en el mercado. ¿Eh? ¿Dainty?

La puerta se abrió con violencia y algo sin sombrero entró al despacho.

—¡Acedera informa que todo está listo! —gritó con una voz fina—. Pregunta si echar o no.

—¡Echar! —tronó el mediano—. ¡Echar inmediatamente!

—¡Por las rojas barbas del viejo Rhundurin! —aulló Vimme Vivaldi en el mismo momento que el gnomo cerró la puerta tras de sí—. ¡No entiendo nada! ¿Qué pasa aquí? ¿Qué hay que echar? ¿En qué hay que echar?

—No tengo ni idea —reconoció Dainty—. Pero el dinero, Vimme, tiene que moverse.

IV

Abriéndose paso con esfuerzo por entre la muchedumbre, Geralt anduvo derecho hacia un tenderete donde colgaban cacerolas, peroles y sartenes de cobre que lanzaban rojizos destellos bajo los rayos del sol poniente. En el tenderete había un enano de barbas rojas con una capucha olivácea y pesadas botas de piel de foca. En el rostro del enano se dibujaba un visible desagrado: en pocas palabras, parecía como si estuviera a punto de escupir a la cliente que estaba mirando la mercancía. La cliente meneaba el busto, remecía los dorados rizos y atosigaba al enano con un interminable diluvio de palabras carente de orden y contenido.

La cliente era nada más y nada menos que Vespula, conocida de Geralt como lanzadora de objetos. Sin esperar a que lo reconociera, se sumergió rápidamente entre la masa.

El Mercado de Poniente latía de vida, cruzar a través del tropel de personas recordaba al paso de un cañaveral. A cada trecho algo se enganchaba a las mangas y a las perneras, ahora niños que habían perdido a sus madres cuando éstas intentaban arrancar a los padres del puesto de licores, luego espías de la guardia municipal, más allá estraperlistas que ofrecían gorros que volvían invisible, afrodisiacos y escenas guarras labradas en madera de cedro. Geralt dejó de reírse y comenzó a maldecir, haciendo uso apropiado de los codos.

Escuchó el sonido de un laúd y una conocida y perlada risa. El sonido provenía de un tenderete pintado de colores de cuento de hadas, con un letrero que decía: «Aquí milagros, amuletos y cebos para peces».

—¿Alguien le ha dicho a la señora que es preciosa? —gritó Jaskier, sentado en el puesto y moviendo alegremente las piernas—. ¿No? ¡No puede ser! ¡Ésta es una ciudad de ciegos, nada, sólo una ciudad de ciegos! ¡Venga, buenas gentes! ¿Quién desea escuchar un romance de amor? Quien quiera emocionarse y enriquecer su espíritu, que eche una moneda en el sombrero. Pero, ¿con qué, con qué me vienes aquí, cagonazo? El cobre te lo guardas para los pordioseros, no insultes con cobre a un artista. ¡Puede que yo te lo perdone, pero el arte nunca!

—Jaskier —dijo Geralt, acercándose—. Resulta que nos separamos para buscar al doppler y tú vas y te pones a dar un concierto. ¿No te da vergüenza cantar por los mercados como el ciego de los romances?

—¿Vergüenza? —se asombró el bardo—. Lo importante es qué y cómo se canta, y no dónde se canta. Aparte de ello, tengo hambre, y el propietario del puesto me ha prometido la comida. En lo que respecta al doppler, buscadlo vosotros mismos. Yo no sirvo para persecuciones ni apaleamientos ni para tomarme la justicia por propia mano. Yo soy un poeta.

—Mejor harías en evitar hacer ruido, poeta. Está por aquí tu novia, puede haber problemas.

—¿Mi novia? —Jaskier pestañeó nervioso—. ¿De quién se trata? Tengo varias.

Vespula, sujetando en la mano una sartén de cobre, atravesó por entre la muchedumbre con el ímpetu de un auroch a la carga. Jaskier se echó abajo del puesto y se lanzó a la huida, saltando hábilmente por encima de unas cestas con zanahorias. Vespula se dio la vuelta en dirección al brujo, hinchando las narices.

Geralt retrocedió, su espalda encontró la dura resistencia de la pared del tenderete.

—Geralt —gritó Dainty Biberveldt, saliendo de entre la multitud y empujando a Vespula—. ¡Aprisa! ¡Aprisa! ¡Lo he visto! ¡Oh, allí, huye!

—¡Ya os pillaré, canallas! —gritó Vespula logrando mantener el equilibrio—. ¡Ya me las pagará toda vuestra pandilla de cerdos! ¡Bonita compaña! ¡Un pavo real, un pordiosero y un canijo con las pezuñas llenas de pelos! ¡Os acordaréis de mí!

—¡Por aquí, Geralt! —gritó Dainty, dispersando a un grupo de escolares que estaban jugando a las tres conchas—. ¡Allí, allí, se ha metido entre los carros! ¡Córtale por la izquierda! ¡Aprisa!

Se lanzaron a la persecución, perseguidos ellos mismos por las maldiciones de los vendedores y compradores que iban empujando. Geralt evitó sólo de milagro el tropezón con un chiquillo lleno de mocos que se le salió a los pies. Saltó sobre él, pero derribó dos barriles de arenques, lo que el enfurecido pescadero le premió dándole un golpetazo en la espalda con una anguila viva que estaba mostrando justo en ese momento a unos clientes.

Vieron al doppler, que intentaba escapar corriendo a lo largo de una cerca para ovejas.

—¡Por el otro lado! —gritó Dainty—. ¡Córtale el paso por el otro lado, Geralt!

El doppler corrió como una flecha a lo largo de la valla, relucía su chaleco verde. Se puso de manifiesto por qué no se transformaba en alguien distinto. Nadie podía igualar en velocidad a un mediano. Nadie. Excepto otro mediano. Y el brujo.

Geralt observó cómo el doppler cambiaba violentamente de dirección, levantando una nube de polvo, cuán hábilmente se introducía por un agujero en una empalizada que rodeaba una gran tienda de campaña que servía de matadero y carnicería. Dainty también lo vio. Saltó la barrera y comenzó a abrirse paso por el apiñado rebaño de corderos que balaban en el interior de la cerca. Estaba claro que no iba a llegar a tiempo. Geralt dobló y se lanzó tras las huellas del doppler por entre las tablas de la empalizada. Sintió un tirón, escuchó un chasquido de cuero rasgado y el gabán se soltó también por debajo del otro sobaco.

El brujo se detuvo. Blasfemó. Escupió. Y blasfemó de nuevo.

Dainty entró en la tienda siguiendo al doppler. De dentro surgieron aullidos, el sonido de golpes, anatemas y un horrible rumor.

El brujo blasfemó por tercera vez, extraordinariamente obsceno, después de lo cual apretó los dientes, alzó la mano derecha, puso los dedos en la Señal de Aard y la dirigió directamente hacia la tienda. La tienda parecía como una vela durante un huracán, y de su interior salieron gritos de locura, un estrépito y el mugido de los bueyes. La tienda se vino abajo.

El doppler, arrastrándose sobre la barriga, salió de entre la tela y se echó en dirección a otra tienda, más pequeña, seguramente una enfriadera. Geralt, sin pensárselo, dirigió hacia él la mano y le golpeó en la espalda con la Señal. El doppler cayó al suelo como herido por un rayo, dio una voltereta, pero enseguida se levantó y entró en la tienda. El brujo le pisaba los talones.

La tienda apestaba a carne. Y estaba oscura.

Tellico Lunngrevink Letorte estaba allí, respirando con dificultad, sujetando con las dos manos un medio cerdo que colgaba de un gancho. No había otra salida de la tienda, y la tela estaba sujeta a la tierra con solidez y sin dejar huecos.

—Es un verdadero placer encontrarte de nuevo, mímico —dijo Geralt con frialdad.

El doppler respiraba roncamente, pesadamente.

—Déjame en paz —jadeó al fin—. ¿Por qué me persigues, brujo?

—Tellico —dijo Geralt—. Ésa es una pregunta estúpida. Para hacerte con los caballos y la forma de Biberveldt, le rompiste la cabeza y le dejaste abandonado en un descampado. Sigues usando de su persona y te burlas de los problemas que le causas con ello. El diablo sabe lo que planeas, pero me entrometeré en tus planes de una u otra forma. No quiero matarte ni entregarte a las autoridades, pero tienes que irte de la ciudad. Me cuidaré de que te vayas.

—¿Y si no quiero?

—Entonces te sacaré en una carretilla y metido en una bolsa.

El doppler se dilató de pronto, luego adelgazó con rapidez y empezó a crecer, sus cabellos rizados y castaños se volvieron blanquecinos, crecieron, alcanzándole los hombros. El chaleco verde de mediano adoptó un brillo oleaginoso y se convirtió en cuero negro, en los hombros y las mangas se formaron unos remaches plateados. El rostro redondeado y colorado se alargó y empalideció.

De por detrás del hombro derecho surgió la empuñadura de una espada.

—No te acerques —dijo roncamente el segundo brujo al tiempo que sonreía—. No te acerques, Geralt. No dejaré que me toques.

Pero qué sonrisa más lúgubre tengo, pensó Geralt mientras echaba mano a la espada. Pero qué morros más lúgubres tengo. Pero de qué forma tan lúgubre entorno los ojos. ¿Ése es mi aspecto? Truenos.

La mano del doppler y la mano del brujo tocaron la empuñadura de la espada al mismo tiempo, ambos la sacaron de la vaina al mismo tiempo. Ambos brujos realizaron al mismo tiempo dos rápidos, blandos pasos, uno de frente, otro a un lado. Ambos alzaron la espada al mismo tiempo y la movieron un corto y silbante molinete.

Ambos se quedaron quietos al mismo tiempo, congelaron su posición.

—No me puedes vencer —gruñó el doppler—. Porque soy tú, Geralt.

—Te equivocas, Tellico —dijo el brujo en voz baja—. Suelta la espada y vuelve a la forma de Biberveldt. Si no, lo lamentarás.

—Soy tú —repitió el doppler—. No puedes conseguir ventaja. ¡No me puedes vencer, porque soy tú!

—No tienes ni idea de lo que significa ser yo, mímico.

Tellico bajó la mano que apretaba la espada.

—Soy tú —repitió.

—No —le negó el brujo—. No lo eres. ¿Y sabes por qué? Porque eres un doppler pequeño, pobre y de buena voluntad. Un doppler que, por cierto, podría haber matado a Biberveldt y haber enterrado su cuerpo entre el soto, consiguiendo así la seguridad absoluta de que no sería nunca desenmascarado, nunca, por nadie, incluyendo a la mujer del mediano, la famosa Gardenia Biberveldt. Pero no lo mataste, Tellico, porque no eras capaz. Porque eres un doppler pequeño, pobre y de buena voluntad, al que sus amigos llaman Dudu. Y da igual en quién te transformes, siempre eres el mismo. Sabes copiar solamente lo que es bueno en nosotros, porque lo que es malo no lo entiendes. Así eres tú, doppler.

Tellico retrocedió, apoyando la espalda en la tela de la tienda.

—Por eso —continuó Geralt— te vas a cambiar ahora en Biberveldt y me vas a dar gentilmente tus manos para que las ate. No estás en situación de ofrecerme resistencia, porque yo soy lo que no eres capaz de copiar. Lo sabes muy bien, Dudu. Porque hace unos instantes leíste mis pensamientos.

Tellico se enderezó violentamente, los rasgos de su rostro, que era el rostro del brujo, se deformaron y fluyeron, los cabellos blancos ondularon y comenzaron a oscurecerse.

—Tienes razón, Geralt —dijo torpemente, porque sus labios cambiaban la forma—. He leído tus pensamientos. Por corto tiempo, pero suficiente. ¿Sabes lo que voy a hacer?

El gabán de cuero del brujo tomó un brillante color azul flor de aciano. El doppler sonrió, se colocó el sombrerillo color ciruela con la pluma de garza, se apretó el cinturón del que colgaba el laúd a sus espaldas. Un laúd que hacía escasos segundos era una espada.

—Te diré lo que voy a hacer, brujo —rió la risa sonora y perlada de Jaskier—. Me iré, me perderé entre la multitud y me cambiaré en silencio en cualquiera, aunque sea en un mendigo. Porque prefiero ser mendigo en Novigrado que doppler en un despoblado. Novigrado me debe algo, Geralt. Fue la fundación de esta ciudad lo que destruyó el medio ambiente en el que podíamos vivir, vivir en nuestra forma natural. Nos destruyeron, nos cazaron como a perros rabiosos. Soy uno de los pocos que sobrevivieron. Quiero sobrevivir y sobreviviré. Una vez, cuando me perseguían los lobos en invierno, me transformé en lobo y anduve con la manada durante algunas semanas. Y sobreviví. Ahora también lo haré, porque no quiero arrastrarme por entre los arbustos, ni invernar en agujeros en el suelo, no quiero estar eternamente hambriento, no quiero ser sin tregua objetivo de disparos de flecha. Aquí, en Novigrado, se está caliente, hay comida, se puede ganar dinero y sólo en raras ocasiones se disparan con arcos entre sí. Novigrado es una manada de lobos. Me uniré a esta manada y sobreviviré. ¿Entiendes?

Geralt afirmó con un cierto retraso.

—Les disteis —siguió el doppler, y adoptó la sonrisa descarada de Jaskier— una pequeña oportunidad de asimilarse a los enanos, medianos, gnomos, hasta a los elfos. ¿Por qué tengo yo que ser peor? ¿Por qué se me niega a mí ese derecho? ¿Qué tengo que hacer para poder vivir en esta ciudad? ¿Transformarme en una elfa de ojos grises, cabellos de seda y largas piernas? ¿Qué? ¿En qué es mejor esa elfa que yo? ¿En que a la vista de la elfa se os traban los pies y al verme a mi os dan arcadas? Meteos ese argumento donde os quepa. Yo sobreviviré pese a todo. Sé cómo. Cuando era un lobo corría con la manada, aullaba y me peleaba con los otros por una hembra. Cuando sea habitante de Novigrado voy a mercadear, trenzar cestas de mimbre, mendigar o robar, como uno de vosotros haré lo mismo que uno de vosotros. Quién sabe, puede que hasta me case.

El brujo callaba.

—Sí, como te he dicho —siguió Tellico con tranquilidad—. Voy a salir. Y tú, Geralt, no vas a intentar detenerme, ni siquiera te vas a mover. Porque yo, Geralt, durante un instante he leído tus pensamientos. Incluidos aquéllos que no quieres reconocer, aquéllos que te ocultas hasta a ti mismo. Porque para detenerme habrías de matarme. Y a ti, el pensamiento de matarme a sangre fría te produce repulsión. ¿No es cierto?

El brujo callaba.

Tellico colocó de nuevo el correón del laúd, se dio la vuelta y se dirigió a la salida. Salió con paso decidido, pero Geralt sabía que doblaba el cuello y apretaba los hombros en espera del silbido de la hoja. Introdujo la espada en la vaina. El doppler se detuvo a mitad de camino, le miró.

—Adiós, Geralt —dijo—. Te lo agradezco.

—Adiós, Dudu —respondió el brujo—. Suerte.

El doppler se volvió y anduvo en dirección al tumultuoso mercado, con el enérgico, alegre y bamboleante paso de Jaskier. Al igual que Jaskier saludaba con fuerza con la mano izquierda y al igual que Jaskier sonreía a las mozas. Geralt le siguió despacio. Despacio.

Tellico aferró el laúd mientras andaba, aflojó el paso y tocó dos acordes, después de lo cual rasgueó con habilidad en las cuerdas una melodía conocida de Geralt. Volviéndose ligeramente, cantó.

Completamente igual que Jaskier.

La primavera trae al camino la lluvia,
el calor del sol al corazón alcanza.
Así ha de ser, pues arde en nosotros
ese fuego eterno que es la esperanza.

—Repítele esto a Jaskier, si te acuerdas —gritó—. Y dile que "Invierno" es un feo título. Este romance debiera llamarse "Fuego eterno". ¡Adiós, brujo!

—¡Eh! —se escuchó de pronto—. ¡Pavo real!

Tellico se dio la vuelta sorprendido. De un puestecillo surgió Vespula, agitando violentamente los pechos, midiéndolo con una mirada furiosa.

—¿A las mozas miras, embustero? —siseó agitándose cada vez más amenazadoramente—. ¿Cancioncillas cantas, canalla?

Tellico se quitó el sombrerillo y se inclinó, sonriendo con la amplia sonrisa característica de Jaskier.

—Vespula, querida mía —dijo zalamero—. Qué contento estoy de verte. Perdóname, bonita. Te debo...

—Me debes, me debes —le cortó Vespula a gritos—. ¡Y lo que me debes me lo vas a pagar ahora! ¡Aquí tienes!

Una enorme sartén de cobre rebrilló al sol y con un grave y sonoro golpe se estrelló contra la cabeza del doppler. A Tellico se le quedó congelado en el rostro un gesto de indescriptible estupidez, se dobló y cayó con los brazos en cruz, su fisonomía comenzó a cambiarse, a fluir, y a perder parecido con cualquier cosa. Al verlo, el brujo saltó sobre él, arrancó al paso por un puesto una gran alfombra. Tendiendo la alfombra en el suelo, empujó dentro al doppler con dos patadas y rápidamente le envolvió muy apretado.

Se sentó sobre el paquete mientras se secaba el sudor de la frente. Vespula, agarrando la sartén, le miró con enojo, la multitud creció a su alrededor.

—Está enfermo —dijo el brujo y sonrió esforzadamente—. Es por su bien. No os acerquéis tanto, buenas gentes, el pobre necesita aire.

—¿No habéis oído? —preguntó con tranquilidad pero en alta voz Chappelle, abriéndose paso de pronto por entre la multitud—. ¡Por favor, no forméis grupos! ¡Separaos! Está prohibido formar grupos. ¡Castigado con una multa!

La masa, en un abrir y cerrar de ojos, se echó a un lado, sólo para descubrir a Jaskier, que se acercaba a paso decidido y entre el sonido del laúd. Al verlo Vespula lanzó un grito estridente, tiró la sartén y echó a correr por la plaza.

—¿Qué le ha pasado? —preguntó Jaskier—. ¿Ha visto al diablo?

Geralt se levantó del paquete, que comenzó a moverse ligeramente. Chapelle se acercó con lentitud. Estaba solo, no se veía por ningún lado a su guardia personal.

—No me acercaría —dijo en voz baja Geralt—. Si yo fuera vos, señor Chappelle, no me acercaría.

—¿Piensas? —Chappelle apretó los amplios labios, mirándole con frialdad.

—Si fuera vos, señor Chappelle, haría como que no he visto nada.

—Sí, seguro —dijo Chappelle—. Pero tú no eres yo.

Desde detrás de la tienda salió corriendo Dainty Biberveldt, sin aliento y bañado en sudor. A la vista de Chappelle se detuvo, comenzó a silbar, puso las manos a la espada e hizo como si admirara el tejado de la alhóndiga.

Chappelle fue hacia Geralt, muy cerca. El brujo no se movió, solamente entornó los ojos. Se miraron durante un instante, luego Chappelle se inclinó sobre el paquete.

—Dudu —dijo a las extrañamente deformes botas de cordobán de Jaskier, que sobresalían de la alfombra—. Copia a Biberveldt, rápido.

—¿Qué, qué? —gritó Dainty, dejando de mirar la alhóndiga—. ¿Qué, cómo?

—Silencio —dijo Chappelle—. ¿Qué, Dudu, cómo va?

—Ya. —De la alfombra surgió un apagado jadeo—. Ya... Ahora...

Las botas de cordobán que sobresalían de la alfombra se disolvieron, fluyeron y se transformaron en los peludos pies desnudos del mediano.

—Sal, Dudu —dijo Chappelle—. Y tú, Dainty, cállate. Para los humanos todos los medianos parecen iguales. ¿Cierto?

Dainty murmuró algo inaudible. Geralt, aún con los ojos entornados, miraba a Chappelle acusadoramente. El vicario se enderezó y miró alrededor, y entonces, de los mirones que aún estaban cerca sólo quedó el sonido que desaparecía en la lejanía de unos zuecos de madera.

Dainty Biberveldt Segundo salió con esfuerzo y se desenvolvió del paquete, estornudó, se sentó, se limpió los ojos y la nariz. Jaskier tomó asiento en una caja que yacía no muy lejos, rasgueó el laúd con moderada curiosidad en el rostro.

—¿Quién es éste, qué piensas, Dainty? —preguntó amigablemente Chappelle—. Muy parecido a ti, ¿no crees?

—Es mi primo —respondió el mediano y sonrió—. Un pariente muy cercano. Dudu Biberveldt de Centinodia del Prado, una gran cabeza para los negocios. Justo acababa de decidir...

—¿Sí, Dainty?

—Acababa de decidir nombrarlo mi factor en Novigrado. ¿Qué dices a eso, primo?

—Oh, gracias, primo —sonrió el pariente muy cercano, el orgullo del clan de los Biberveldt, la gran cabeza para los negocios. Chappelle también sonrió.

—¿Se ha cumplido el sueño? —murmuró Geralt—. ¿De la vida en la ciudad? ¿Qué es lo que veis en esta ciudad, Dudu... y tú, Chappelle?

—Si hubieras vivido en los brezales —repuso Chappelle—, hubieras comido raíces, siempre húmedo y helado, lo sabrías. También nosotros queremos algo de la vida, Geralt. No somos peores que vosotros.

—Cierto —afirmó Geralt—. No lo sois. Sucede a veces que sois mejores. ¿Qué hay del verdadero Chappelle?

—Cayó fulminado —susurró Chappelle Segundo—. Hará dos meses. Apoplejía. Así le sea leve la tierra, así le ilumine el Fuego Eterno. Justamente estaba por allí cerca... Nadie lo advirtió... ¿Geralt? No irás a...

—¿El qué no advirtió nadie? —preguntó el brujo con el rostro inmóvil.

—Gracias —murmuró Chappelle.

—¿Hay más de vosotros aquí?

—¿Acaso importa?

—No —reconoció el brujo—. No importa.

De detrás de los carromatos y tenderetes surgió corriendo al trote una figura de dos codos de altura con sombrerillo verde y abrigo de conejos manchos.

—Señor Biberveldt —jadeó el gnomo y se atragantó mirando, posando los ojos de un mediano a otro.

—Pienso, pequeño —dijo Dainty— que traes un recado para mi primo, Dudu Biberveldt. Habla, habla, ése es él.

—Acedera comunica que todo ha funcionado —dijo el gnomo y sonrió, mostrando unos agudos dientes—. A cuatro coronas la pieza.

—Resulta que sé de qué va esto —dijo Dainty—. Una pena que no esté aquí Vivaldi, habría calculado el beneficio en un segundo.

—Permite, primo —llamó la atención Tellico Lunngrevink Letorte, abreviadamente Penstock, para los amigos Dudu, y para todo Novigrado miembro de la numerosa familia de los Biberveldt—. Permite que lo calcule. Tengo una memoria infalible para las cifras. Como para otras cosas.

—Por favor —se inclinó Dainty—. Por favor, primo.

—Los costes —arrugó la frente el doppler— fueron bajos. Dieciocho la esencia, ocho cincuenta por el aceite de hígado, hmmm... Todo junto, incluyendo la cuerda, cuarenta y cinco coronas. Solución: seiscientos por cuatro coronas, es decir dos mil cuatrocientos. Sin comisiones, porque no hubo intermediarios.

141

—Pido que no se olviden los impuestos —recordó Chappelle Segundo—. Pido que no olvides que delante de vosotros hay un representante del poder municipal y de la iglesia, el cual trata sus obligaciones con seriedad y conciencia.

—Libres de impuestos —declaró Dudu Biberveldt—. Porque se trata de una venta para un objetivo santo.

—¿Qué?

—Mezclados en apropiadas proporciones el aceite, la cera, la esencia, coloreados con los restos de las cochinillas —explicó el doppler—, bastaría con echar en las escudillas de barro y meter en ellas un cachito de cuerda. Si se prende fuego a la cuerda produce un fuego hermoso y rojo que arde largo tiempo y apenas produce mal olor. El Fuego Eterno. Los sacerdotes necesitaban lamparillas para el altar del Fuego Eterno. Ya no las necesitan.

—Rayos... —murmuró Chappelle—. Tienes razón... Eran necesarias las lamparillas... Dudu, eres genial.

—Es por parte de madre —dijo, con modestia, Tellico.

—Y que lo digas, clavadito a su madre —confirmó Dainty—. Mirarle esos ojos de listeras. Clavadito a Begonia Biberveldt, mi querida tía.

—Geralt —jadeó Jaskier—. ¡En tres días ha ganado más dinero que yo en toda mi vida de cantante!

—En tu lugar —dijo el brujo con seriedad— me dejaría de cantes y me metería en el comercio. Díselo, igual te toma como aprendiz.

—Brujo. —Tellico le tiró de la manga—. Dime cómo podría... agradecerte...

—Veintidós coronas.

—¿Qué?

—Para un gabán nuevo. Mira lo que ha quedado del mío.

—¿Sabéis qué? —gritó de pronto Jaskier—. ¡Vámonos todos al lupanar! ¡Al Passiflora! ¡Los Biberveldt pagan!

—¿Pero dejan pasar a los medianos? —se preocupó Dainty.

—Que intenten no dejaros. —Chappelle adoptó un gesto de amenaza—. Que lo intenten, y condeno a todo ese burdel por herejía.

—Va —gritó Jaskier—. Entonces, todo bien. ¿Geralt? ¿Vienes?

El brujo se rió bajito.

—¿Sabes, Jaskier? —dijo—. Con gusto.

Un pequeño sacrificio

I

La sirena sacó la mitad del cuerpo del agua y golpeó violentamente la superficie con sus manos. Geralt advirtió que tenía unos pechos hermosos, casi perfectos. Tan sólo el color rompía el efecto: los pezones eran verde oscuro, y la areola alrededor de ellos sólo un poquito más clara. Adaptándose con habilidad al paso de una ola, la sirena se dobló con gracia, agitó los claros y húmedos cabellos verdes y cantó melodiosamente.

—¿Qué? —El príncipe se asomó por la borda de la carabela—. ¿Qué dice?

—Lo rechaza —dijo Geralt—. Dice que no quiere.

—¿Le has explicado que la amo? ¿Que no me imagino vivir sin ella? ¿Que quiero casarme con ella? ¿Que sólo ella, ninguna otra?

—Se lo he explicado.

—¿Y qué?

—Y nada.

—Pues repítelo.

El brujo se tocó los labios con los dedos y lanzó un trino desafinado. Formando palabras y melodías con visible esfuerzo, comenzó a traducir las palabras del príncipe.

La sirena se tumbó de espaldas sobre el agua y le interrumpió.

—No traduzcas, no te canses —cantó—. Lo he entendido. Cuando dice que me ama siempre pone esa cara de tonto. ¿Ha dicho algo concreto?

—No mucho.

—Una pena. —La sirena agitó el agua y se sumergió, doblando la poderosa cola y removiendo el mar con una aleta partida en dos que recordaba a la de una ballena.

—¿Qué? ¿Qué ha dicho? —preguntó el príncipe.

—Que es una pena.

—¿El qué es una pena? ¿Qué significa eso de pena?

—Me parece que era un rechazo.

—¡A mí no se me rechaza! —gritó el príncipe, enfrentándose a los hechos manifiestos.

—Señor —murmuró el capitán de la carabela, acercándose a él—. La red tenemos lista, basta con echarla y será vuestra...

—No lo aconsejaría —dijo Geralt en voz baja—. Ella no está sola. Debajo del agua hay más de ellos y en las profundidades, por debajo de nosotros, puede haber un kraken.

El capitán se asustó, palideció y se aferró el trasero con las dos manos, en un gesto sin sentido.

—¿Kra... kraken?

—Kraken —confirmó el brujo—. No recomiendo ninguna bromita con las redes. Basta que ella dé un grito y de esta gabarra no quedarán más que tablillas flotando, y a nosotros nos ahogarán como a gatitos. Y en cualquier caso, Agloval, decídete, ¿quieres casarte con ella o atraparla en una red y guardarla en un tarro?

—La amo —dijo Agloval con voz fría—. La quiero como esposa. Pero para eso ella tiene que tener piernas y no una cola llena de escamas. Y esto se puede hacer, porque por dos libras de hermosas perlas compré un elixir mágico de toda garantía. Lo beberá y le crecerán pies. Sólo sufrirá un poco, tres días, nada más. Llámala, brujo, díselo otra vez.

—Se lo he dicho ya dos veces. Dijo que para nada, que no acepta. Pero añadió que conoce a una hechicera marina, una marfanta, que está dispuesta a cambiar con un conjuro tus piernas por una elegante cola. Y sin dolor.

—¡Se habrá vuelto loca! ¿Que yo me tengo que dejar cola de pez? ¡Nunca jamás! ¡Llámala, Geralt!

El brujo se inclinó sobre la borda. El agua en la sombra del barco era verdosa y parecía tan densa como gelatina. No tuvo que llamarla. La sirena surgió de pronto sobre la superficie envuelta en un chorro de agua. Durante un momento se mantuvo enhiesta sobre la cola, luego se zambulló en la ola, se dio la vuelta y se tendió de espaldas, mostrando en toda su integridad aquello que tenía hermoso. Geralt tragó saliva.

—¡Eh, vosotros! —cantó—. ¿Todavía mucho? ¡La piel se me seca del sol! Peloblanco, pregúntale si acepta.

—No acepta —cantó el brujo—. Sh'eenaz, entiéndelo, él no puede tener cola, no puede vivir bajo el agua. ¡Tú puedes respirar en la superficie, pero él bajo el agua no!

—¡Lo sabía! —gritó con voz aguda la sirena—. ¡Lo sabía! ¡Evasivas, tontas e ingenuas evasivas, y ni un pequeño sacrificio! ¡Quien ama se sacrifica! ¡Yo me sacrifiqué por él, todos los días tenía que encaramarme a los acantilados por él, me rompí las escamas del trasero, la aleta se me rasgó, me constipé por él! ¿Y él no quiere sacrificar por mí esos dos horribles palitroques? ¡El amor no significa solamente recibir, hay que saber también renunciar, sacrificarse! ¡Repíteselo!

—¡Sh'eenaz! —gritó Geralt—. ¿No lo entiendes? ¡Él no puede vivir en el agua!

—¡No acepto excusas tan tontas! Yo también... yo también lo amo y quiero tener alevines con él, pero, ¿cómo, si él no quiere convertirse en macho? ¿Dónde voy a colocarle las huevas? ¿En el sombrero?

—¿Qué dice? —gritó el príncipe—. ¡Geralt! No te he traído aquí para conversar con ella, sino...

—Se obceca en su opinión. Está enfadada.

—¡Dadme esa red! —aulló Agloval—. Voy a dejarla un mes en una piscina y...

—¡Y ésta! —Le respondió gritando el capitán, al tiempo que demostraba con el codo lo que era ésta—. ¡Debajo de nosotros puede haber un kraken! ¿Habéis visto alguna vez un kraken, señor? ¡Tiraos al agua, si es vuesa voluntad, agarradla con vuestras manos! Yo no voy a meter mis narices en esto. ¡Yo vivo de esta carabela!

—¡Vives de mi merced, bellaco! ¡Dame la red o mando que te cuelguen!

—¡Besadle a un perro en el culo! ¡En esta carabela mi voluntad está por encima de la vuestra!

—¡Callaos, los dos! —gritó Geralt, furioso—. ¡Ella está hablando, es un dialecto difícil, tengo que concentrarme!

—¡Estoy harta! —aulló melodiosamente Sh'eenaz—. ¡Tengo hambre! En fin, peloblanco, que decida él, que decida ahora mismo. Repítele una cosa más: no pienso seguir siendo motivo de burla ni pienso quedar con él si sigue teniendo el aspecto de una estrella de mar de cuatro patas. Repítele que para los jueguecitos que él me propone en los acantilados, tengo yo unas amigas que lo hacen mucho mejor. Pero eso son diversiones de adolescentes, buenas para niños que todavía no han cambiado las escamas. Yo soy una sirena normal y sana...

—Sh'eenaz...

—¡No me interrumpas! ¡Todavía no he terminado! Estoy sana, soy normal y madura para el desove, y él, si de verdad me desea, ha de tener cola, aleta y todo como un tritón normal. ¡De otro modo no quiero saber nada de él!

Geralt tradujo con rapidez, intentando no ser vulgar. No lo consiguió. El príncipe enrojeció, lanzó unas feas maldiciones.

—¡Puta indecorosa! —gritó—. ¡Sardina frígida! ¡Que se busque un bacalao!

—¿Qué ha dicho? —se interesó Sh'eenaz, nadando más cerca.

—¡Que no quiere tener cola!

—¡Pues dile... dile que se seque!

—¿Qué ha dicho?

—Ha dicho —tradujo el brujo— que te ahogues.

II

—Eh, una pena —dijo Jaskier— que no pude ir con vosotros, pero qué se le va a hacer, en el mar me da por vomitar de tal forma que para qué decir nada. Y sabes, en la vida he hablado con una sirena. Una pena, su perra madre.

—Como te conozco —dijo Geralt mientras ataba las alforjas— y aun así escribirás un romance.

—Pues claro. Ya tengo la primera estrofa. En mi romance la sirena se sacrifica por el príncipe, cambia su cola de pez por hermosas piernas, pero a cambio pierde la voz. El príncipe la traiciona, la abandona y entonces ella muere de pena, se transforma en espuma del mar con los primeros rayos del sol...

—¿Quién puede creer tamaña tontería?

—No importa —resopló Jaskier—. Un romance no se escribe para que se crea en él. Se escribe para conmover con él. Pero para qué voy a hablar contigo, si no tienes ni idea de esto. Mejor dime, ¿cuánto te pagó Agloval?

—No me ha pagado nada. Afirmó que no he sido capaz de realizar mi tarea. Que esperaba algo distinto, y que él paga por los resultados y no por los buenos deseos.

Jaskier meneó la cabeza, se quitó el gorrillo y miró al brujo con una mueca de tristeza en los labios.

—¿Esto quiere decir que seguimos sin dinero?

—Eso parece.

Jaskier hizo una mueca todavía más triste.

—Todo es por mi culpa —suspiró—. Todo es culpa mía. Geralt, ¿estás enfadado conmigo?

No, el brujo no estaba enfadado con Jaskier. En absoluto.

Lo que les había pasado era por culpa de Jaskier, no había duda. Nadie sino Jaskier había insistido en que se fueran a la fiesta de los Cuatro Arces. Preparar fiestas, había aclarado el poeta, satisfacía profundas y naturales necesidades de las personas. De cuando en cuando, afirmó el bardo, el ser humano ha de encontrarse con otras personas en un lugar donde se pueda reír y cantar, comer brochetas y pollos asados hasta reventar, beber cerveza, escuchar música y apretar durante el baile las sudorosas protuberancias de las mozas. Si cada persona quisiera satisfacer tales necesidades en detalle, intermitentemente y desorganizadamente, aclaraba el poeta, se formaría un desorden indescriptible. Por eso se habían inventado las fiestas y festines. Y dado que existían las fiestas y festines, había por tanto que acudir a ellos.

Geralt no porfió, aunque en la lista de sus propias, naturales y profundas necesidades, la participación en fiestas ocupaba un lugar muy, pero que muy bajo. Sin embargo, aceptó acompañar a Jaskier, contando también que en tal multitud de gentes podría informarse sobre alguna posible tarea o trabajo: desde hacía tiempo no había trabajado para nadie y sus reservas monetarias se reducían peligrosamente.

El brujo no estaba enfadado con Jaskier por la pendencia con los Forestales. Tampoco él estaba falto de culpa: podría haber intervenido y haber sujetado al bardo. No lo hizo porque tampoco él soportaba a los famosos Guardianes de Despoblados, llamados Forestales, formación de voluntarios que se ocupaba de combatir a los inhumanos. Él también se había irritado al escuchar cómo se vanagloriaban de haber atravesado con flechas, desollado o colgado a elfos, borovikis y rariesposas. En cambio Jaskier, quien viajando con el brujo había cobrado convencimiento de su impunidad, se había salido de sus casillas. Los Guardianes al principio no habían reaccionado a sus burlas, provocaciones y obscenas sugerencias, las cuales habían provocado un huracán de risas entre los aldeanos que observaban el suceso. Sin embargo, cuando Jaskier cantó un puerco e insultante cuplé compuesto a vuelapluma, que terminaba con las palabras «si no vales para nada, los Forestales te llaman», comenzó el redropelo y una tumultuosa y generalizada pelea. El sotechado que servía como sala de baile acabó convertido en humo. Intervino una cuadrilla del comes Budadios, llamado el Calvillo, en cuyos dominios estaba Cuatro Arces. A los Forestales, a Jaskier y a Geralt se los reconoció como culpables conjuntos de todos los destrozos y crímenes, incluyendo en ellos la seducción de cierta mudita pelirroja y menor de edad, a la que después de todo aquel suceso se encontró entre los matojos más allá de las ruinas, completamente colorada, con una sonrisa de tonta, y con las enaguas subidas hasta los sobacos. Por suerte, el comes Calvillo conocía a Jaskier, por lo que todo terminó en el pago de una multa, que, sin embargo, se tragó todo el dinero que tenían. Tuvieron también que salir huyendo de Cuatro Arces porque los Forestales, que habían sido expulsados de la aldea, amenazaron con vengarse y su cuadrilla al completo, que contaba con más de cuarenta mozos, se encontraba cazando náyades en los bosques vecinos. Geralt no tenía la más mínima gana de probar el gusto de una flecha de los Forestales: las flechas de los Forestales tenían dientes de sierra como arpones y causaban unas cicatrices terribles.

Tuvieron entonces que dejar su plan primigenio, que se componía de un viaje a unas aldeas al borde de los despoblados donde el brujo tenía alguna que otra perspectiva de trabajo. En vez de ello huyeron hacia el mar, hacia Bremervoord. Por desgracia, excepto el lío amoroso con previsibles pocas posibilidades de éxito del príncipe Agloval y la sirena Sh'eenaz, el brujo no había encontrado trabajo. Ya se habían fusilado el sello de oro de Geralt y el broche de alexandritas que el trovador había recibido hacía tiempo como recuerdo de alguna de sus incontables novias. Lo tenían negro. Pero no, el brujo no estaba enfadado con Jaskier.

—No, Jaskier —dijo—. No estoy enfadado contigo.

Jaskier no le creyó, lo que se veía por el hecho de que guardó silencio. Jaskier raras veces guardaba silencio. Palmoteó al caballo en el cuello, por ni se sabe qué vez rebuscó en las alforjas. Geralt sabía que no iba a encontrar allí nada que pudiera convertir en dinero. La brisa traía de la posada cercana un olor a comida que resultaba insoportable.

—¿Maestro? —gritó alguien—. ¡Eh, maestro!

—Decidme. —Geralt se dio la vuelta. Del carro de dos ruedas tirado por un par de onagros que se había parado a su lado salió con grandes trabajos un hombre gallardo y barrigón, que llevaba unas botas de fieltro y pesado capote de piel de lobo.

—Eeeh... Esto —tartamudeó el barrigudo al acercarse—. No a vos llamaba, señor... sino al maestro Jaskier...

—Hele aquí —se enderezó el poeta con orgullo, colocándose el gorrillo con la pluma de garza—. ¿En qué se os puede servir, buen hombre?

—Mis respetos —dijo el tripudo—. Soy Teleri Drouhard, tratante de especias, mayor del gremio local. Un mi hijo, Gaspard, se acaba de comprometer con Dalia, la hija de Mestvin, capitán de carabelas.

—Ja —dijo Jaskier, manteniendo una seriedad altiva—. Os felicito y mis parabienes para los novios. No sé sin embargo en qué pueda seros útil. A no ser que se trate del derecho de prima nocte. Eso no lo rechazo nunca.

—¿Eh? No, no es eso... O sea, el festín y el banquete de compromiso han de ser esta noche. La mi mujer, en cuanto que se corrió la voz, que vos, maestro, hasta Bremervoord llegado habíais, a darme se puso la vara... Mujer que es. Cucha, Teleri, va y dice, les vamos a enseñar a todos que no somos unos gualtrapas como ellos, que sabemos preciar el arte y la curtura. Que si montamos un bodorrio, es un bodorrio espiritual, y no pa que sólo se trague y se degüelva. Y yo a ella, mujer tonta, le digo, pos si no ves que ya he contratado a otro bardo, ¿es que no te sobra? Y ella, que uno es poco, que leches, el maestro Jaskier, que eso sí que es fama, los vecinos se van a comer las uñas. ¿Maestro? Hacernos este honor... Veinticinco taleros tengo preparados, como símbolo, ha de entenderse... Pues eso, para apoyar el arte...

—¿Acaso me fallan los oídos? —preguntó Jaskier prolongando las palabras—. ¿Que yo tengo que hacer de segundo bardo? ¿Complemento para algún otro músico? ¿Yo? ¡Aún no he caído tan bajo, honorable señor, como para tener que acompañar a nadie!

Drouhard enrojeció.

—Perdonarme, maestro —tartamudeó—. No era mi intención... Pero la parienta... Perdonar... Hacernos el honor...

—Jaskier —susurró bajito Geralt—. No seas orgulloso. Necesitamos esos durillos.

—¡No me des lecciones! —se enfadó el poeta—. ¿Que yo soy orgulloso? ¿Yo? ¡Miradlo! ¿Y qué decir de ti que un día no y otro también rechazas proposiciones bien rentables? Hirikkas no matas porque están en peligro de extinción, peleones tampoco porque no son perjudiciales, nocheadoras menos porque son graciosas, dragones no porque el código lo prohíbe. ¡Yo, imagínate, también me respeto! ¡También tengo mi código!

—Jaskier, te lo pido, hazlo por mí. Un pequeño sacrificio, hombre, nada más. Te prometo que no le voy a poner peros a la próxima tarea que salga. Venga, Jaskier...

El trovador miró al suelo, se rascó la barbilla, que estaba cubierta de una pelusa clara y blanda. Drouhard, abriendo los morros, se acercó.

—Maestro... Hacernos ese honor. La parienta no me perdonará si no sus llevo. Va... Que sean treinta.

—Treinta y cinco —dijo Jaskier con dureza.

Geralt sonrió, respiró con esperanza el aroma de la comida que le llegaba de la venta.

—De acuerdo, maestro, de acuerdo —dijo rápidamente Teleri Drouhard, tan rápido que estaba claro que habría dado cuarenta si hubiera hecho falta—. Y enhora... La mi casa es, si vuesas mercedes quieren apoltronarse y descansar, vuestra casa. Y vos, señor... ¿cómo sus llaman?

—Geralt de Rivia.

—Y vos, señor, se entiende, también estáis invitado. Comer algo, beber...

—Por supuesto, con gusto —dijo Jaskier—. Mostradnos el camino, querido señor Drouhard. Y así, entre nosotros, ese segundo bardo, ¿quién es?

—La noble señora Essi Daven.

III

Geralt frotó otra vez con las mangas los remaches plateados de su jubón y la hebilla del cinturón, se pasó los dedos por los cabellos sujetos con una cinta y se limpió las botas pasando la caña de una sobre la otra.

—¿Jaskier?

—¿Sí? —El bardo acarició la pluma de garza prendida en el sombrerillo, se arregló y se tensó el jubón. Ambos habían ocupado medio día en limpiar las ropas y llevarlas a un cierto estado de orden—. ¿Qué, Geralt?

—Intenta comportarte de modo que nos expulsen después del banquete y no antes.

—Estás de broma —contrapuso el poeta—. Tú eres el que tiene que cuidar de sus modales. ¿Nos vamos?

—Nos vamos. ¿Escuchas? Alguien está cantando. Una mujer.

—¿Ahora te das cuenta? Es Essi Daven, llamada Ojazos. ¿Qué, nunca te encontraste con una mujer trovadora? Cierto, había olvidado que tú evitas los lugares donde florece el arte. Ojazos es una dotada poeta y cantante, aunque no carente de defectos, entre los cuales la desvergüenza, por lo que oigo, no es el menor. Lo que está cantando justo ahora es un romance mío. Por ello va a tener que oír unas cuantas palabritas, y tales que los ojos se le van a anegar.

—Jaskier, ten piedad. Nos echarán.

—No te metas. Esto son asuntos de trabajo. Entremos.

—¿Jaskier?

—¿Eh?

—¿Por qué Ojazos?

—Ya lo verás.

El banquete se celebraba en un gran almacén del que habían sacado los barriles de arenques y aceite de hígado de bacalao. El olor había sido desterrado —no del todo— a base de colgar donde les había parecido ramos de muérdago y brezo decorados con cintillas de colores. Aquí y allí, como mandaba la costumbre, colgaban también ristras de ajos que tenían la misión de espantar a los vampiros. Las mesas y los bancos, pegados a las paredes, estaban cubiertos de tela blanca, en un rincón se había improvisado un gran hogar con un palo de asar. Estaba todo repleto, pero no había mucho ruido. Más de medio centenar de personas de los más diversos estados y profesiones, y también el novio lleno de granos y la novia de nariz respingona que no hacía más que mirarle, escuchaban concentrados y en silencio un sonoro y melodioso romance cantado por una muchacha con un modesto vestido azul cielo, que estaba sentada en una plataforma con el laúd apoyado en el regazo. La muchacha no podía tener más de dieciocho años y era muy delgada. Sus cabellos, largos y con volumen, eran del color del oro oscuro. En el preciso momento en el que entraron terminó la muchacha su canción, agradeció los sonoros aplausos con una inclinación de cabeza, se le agitaron los cabellos.

—Bienvenido, maestro, bienvenido. —Drouhard, vestido de fiesta, se acercó a ellos presto, los atrajo al centro del almacén—. Y bienvenido vos, don Gerardo... Muy honrado... Sí... Permitirme... ¡Distinguidas damas y caballeros! He aquí a nuestro güesped de honor que un honor nos hace y nos honra... El maestro Jaskier, famoso cantaor y hace-versos... Poeta, quiero decir, que nos honra un honor... Honorémosle entonces...

Estallaron los gritos y los aplausos en el momento justo, pues parecía que Drouhard se iba a ahogar de tanta honra. Jaskier, rojo de orgullo, adoptó un gesto de altivez y se inclinó rígidamente, luego saludó con la mano a las muchachas que estaban en un largo banco como gallinas en la percha de un gallinero, escoltadas por una vieja dueña. Las muchachas estaban muy tiesas, daban la impresión de que las habían pegado al banco con cola de carpintero u otro aglutinante del mismo efecto. Todas sin excepción descansaban las manos sobre las rodillas muy apretadas y tenían la boca medio abierta.

—Y enhora —gritó Drouhard—, ¡hale, a por la cerveza, compadres, a llenar el buche! ¡Haced la merced, haced la merced! Mi casa es...

La muchacha del vestido azul se abrió camino por entre la multitud que, como ola marina, se estrelló contra la mesa donde estaba la comida.

—Hola, Jaskier —dijo.

Geralt pensaba que la frase «ojos como estrellas» era banal y gastada, sobre todo desde que comenzó a viajar con Jaskier y hubo de sufrir la costumbre que el trovador tenía de lanzar este cumplido a diestro y siniestro, para colmo casi siempre inmerecidamente. Sin embargo, en lo que se refería a Essi Daven, incluso alguien tan poco dado a la poesía como el brujo había de reconocer lo acertado de su apodo. En una carita simpática y agradable, pero sin nada que la distinguiese, ardía un enorme, hermoso, centelleante ojo azul oscuro del que era imposible desviar la mirada. El segundo ojo de Essi Daven estaba la mayor parte del tiempo escondido tras un rizo de oro que le caía por la mejilla. A intervalos, Essi lo retiraba con un movimiento de cabeza o con un soplido y entonces podía verse que el segundo ojo de Ojazos no se quedaba atrás con respecto al primero.

—Hola, Ojazos —dijo Jaskier, frunciendo el ceño—. Bonito romance has cantado hace un momento. Has mejorado bastante tu repertorio. Siempre he dicho que, si no se sabe escribir versos, hay que tomar prestados los ajenos. ¿Has tomado muchos?

—Unos cuantos —contestó inmediatamente Essi Daven y sonrió, mostrando sus blancos dientes—. Dos o tres. Quería más, pero no pude. Unas tonterías tremendas, y las melodías, aunque graciosas y sin pretensiones en su simpleza, por no decir primitivismo, no son lo que espera mi público. ¿Has escrito algo nuevo, Jaskier? Creo que no lo he oído.

—No es de extrañarse. —El bardo resopló—. Yo canto mis romances en lugares adonde se invita solamente a gentes famosas y con talento, y por eso no estás tú allí nunca.

Essi enrojeció ligeramente y sopló el rizo.

—Cierto —dijo—. No suelo visitar lupanares, su atmósfera me molesta. Te compadezco, tener que cantar en tales sitios. Pero en fin, qué le vamos a hacer. Si no se tiene talento, se evita aparecer en público.

Ahora fue Jaskier el que enrojeció visiblemente. Ojazos en ese momento sonrió con alegría, le echó de pronto las manos al cuello y le besó sonoramente en las mejillas. El brujo se asombró, pero no demasiado. Alguien de la misma profesión que Jaskier no podía al fin y al cabo diferenciarse mucho de él en lo que respecta a su previsibilidad.

—Jaskier, tú, viejo verde —dijo Essi, manteniendo su tenaza en el cuello del bardo—. Me alegro de encontrarte de nuevo, en buen estado de salud y pleno de fuerzas intelectuales.

—Eh, Marioneta. —Jaskier tomó a la muchacha por el cinturón, la levantó y la agitó hasta que el traje le revoloteó—. Estuviste estupenda, por los dioses, hace tiempo que no escuchaba tan hermosas maldades. ¡Disputas aún mejor que cantas! ¡Y tienes un aspecto simplemente maravilloso!

—Cuántas veces te he pedido —Essi sopló el rizo y le echó el ojo a Geralt— que no me llames Marioneta, Jaskier. Aparte de eso, creo que ya es hora de que me presentes a tu camarada. Por lo que veo, no pertenece a nuestra hermandad.

—No lo quieran los dioses —bromeó el trovador—. Él, Marioneta, no tiene ni voz ni oído, y no es capaz más que de rimar «beber» con «joder». Es un representante del gremio de los brujos, Geralt de Rivia. Acércate, Geralt, da un beso a Ojazos en la mano.

El brujo se acercó sin saber bien qué hacer. En la mano o en el anillo se solía besar exclusivamente a damas de duquesa para arriba y había que inclinarse para ello. En relación con féminas de estado más bajo, tal gesto se tenía aquí en el sur como algo eróticamente ambiguo y, como tal, reservado sólo para parejas cercanas la una a la otra.

Ojazos despejó sin embargo sus dudas al levantar muy alto y con viveza la mano con los dedos dirigidos hacia abajo. La tomó con poca gracia y marcó en ella un beso. Essi, dirigiendo hacia él su hermoso ojo, se ruborizó.

—Geralt de Rivia —dijo—. No te juntas con cualquiera, Jaskier.

—El honor es mío —murmuró el brujo, consciente de que imitaba la elocuencia de Drouhard—. Señorita...

—Al diablo —bufó Jaskier—. No molestes a Ojazos con esos tartamudeos y esos títulos. Ella se llama Essi, él se llama Geralt. Fin de las presentaciones. Vayamos al grano, Marioneta.

—Si me llamas otra vez Marioneta de doy un guantazo. ¿Cuál es ese grano al que tenemos que ir?

—Hay que aclarar cómo vamos a cantar. Yo propongo uno tras otro, unos cuantos romances. Para conseguir un efecto. Por supuesto, cada uno canta sus propios romances.

—Está bien.

—¿Cuánto te paga Drouhard?

—No es de tu incumbencia. ¿Quién empieza?

—Tú.

—Vale. Eh, mirad allí quién nos visita. Su alteza el príncipe Agloval. Está entrando, mirad.

—Je, je —se alegró Jaskier—. El público gana en calidad. Aunque, por otro lado, no hay que contar mucho con él. Es un roñoso. Geralt lo puede confirmar. Al príncipe local no le gusta para nada pagar sus deudas. Te contrata y eso es todo. Lo peor es pagar.

—Algo de eso he oído. —Essi, mirando a Geralt, se quitó el rizo de la mejilla—. Se hablaba de ello en el puerto y en el atracadero. La famosa Sh'eenaz, ¿no es cierto?

Agloval respondía con un corto ademán de cabeza a las profundas inclinaciones de la fila que estaba delante de la puerta, casi inmediatamente se acercó a Drouhard y lo arrastró hacia un rincón, mostrando que no esperaba atenciones ni honores en el centro de la sala. Geralt lo observó por el rabillo del ojo. La conversación era en voz baja pero se veía que ambos estaban excitados. Drouhard cada dos por tres se limpiaba la frente con las mangas, movía la cabeza, se rascaba el cuello. Hacía preguntas a las que el príncipe, tétrico y malhumorado, respondía encogiéndose de hombros.

—El señor príncipe —dijo en voz baja Essi, acercándose a Geralt— tiene el aspecto de alguien con problemas. ¿De nuevo asuntos del corazón? ¿El malentendido comenzó hoy por la mañana con la famosa sirena? ¿Qué, brujo?

—Es posible. —Geralt miró a la poetisa de soslayo, sorprendido por sus preguntas y extrañamente irritado por ellas—. En fin, todo el mundo tiene algún problema personal. Sin embargo, no a todos les gusta que se vaya cantando de sus problemas por los mercados.

Ojazos empalideció ligeramente, sopló el rizo y le miró retadora.

—¿Diciendo esto pretendías insultarme o sólo herirme?

—Ni una cosa ni otra. Únicamente quería evitar nuevas preguntas relacionadas con los problemas de Agloval y la sirena. Preguntas que no me siento autorizado a responder.

—Entiendo. —El hermoso ojo de Essi Daven se estrechó un poquito—. No te pondré de nuevo ante semejante dilema. No te haré las preguntas que tenía en mente, las que, si te he de ser sincera, no tenían que servir sino como introducción e invitación a una conversación agradable. En fin, no habrá entonces tal conversación y no habrás de temer que su contenido sea cantado en algún mercado. He tenido mucho gusto.

Se dio la vuelta con rapidez y salió en dirección a las mesas, donde de inmediato la recibieron con respeto. Jaskier se apoyó en una y otra pierna y tosió significativamente.

—No diré que hayas sido con ella el más atento del mundo, Geralt.

—Resultó bastante tonto —accedió el brujo—. Cierto, la he herido sin motivo. ¿Crees que debo ir y pedirle perdón?

—Déjala en paz. —Y añadió sentencioso—: Nunca se tiene una segunda oportunidad de causar una primera impresión. Ven, mejor nos tomamos una cerveza.

No tuvieron tiempo de beberse una cerveza. A través de un grupo de burgueses que conversaban alegres se abrió paso Drouhard.

—Don Gerardo —dijo—. Permitir. Su alteza quiere hablar con vos.

—Ya voy

—Geralt. —Jaskier lo agarró de la manga—. No te olvides.

—¿De qué?

—Prometiste aceptar cualquier tarea, sin hacerle ascos. Te tomo la palabra. ¿Cómo dijiste? ¿Un pequeño sacrificio?

—Vale, Jaskier. Pero, ¿cómo sabes si Agloval...?

—Lo huelo. Recuerda, Geralt.

—Vale, Jaskier.

Se fue con Drouhard a un rincón de la sala, lejos de los invitados. Agloval estaba sentado tras una mesita baja. Le acompañaba un tostado hombre de corta barba negra, vestido de muchos colores, a quien Geralt no había advertido antes.

—De nuevo nos vemos, brujo —comenzó el príncipe—. Aunque esta mañana aún me juraba a mí mismo que no quería verte más. Pero no tengo otro brujo a mano, así que tienes que bastarme. Éste es Zelest, mi alguacil y apoderado para la pesca de perlas. Habla, Zelest.

—Hoy por la mañana —dijo en voz baja el moreno personaje— pensé en la pesca extender más allá de los terrenos habituales. Una barca siguió hacia occidente, detrás del cabo, del lado de los Colmillos del Dragón.

—Los Colmillos del Dragón —terció Agloval— son dos grandes arrecifes volcánicos al borde del cabo. Se ven desde nuestra playa.

—Sí —confirmó Zelest—. Normalmente hasta aquellos lares no se navega, pues cantos hay, rompientes, bucear es peligroso. Pero en la costa, cada vez menos perlas hay. Así que allá se fue una barca. Siete personas, dos marineros y cinco buceadores, entre éstos una hembra. Cuando no volvieron a la tarde, comenzamos a preocuparnos, aunque la mar estaba tranquila como balsa de aceite. Mandé allá unos cuantos esquifes rápidos y en breve encontramos la barca, a la deriva en la mar. En la barca no había nadie, ni un alma. Humo se hicieron. No sabemos qué pasó. Mas una buena pelea hubo de haber, una verdadera carnicería. Había señales...

—¿Cuáles? —El brujo entrecerró los ojos.

—Va, todita la cubierta estaba llena de sangre.

Drouhard siseó y miró a su alrededor intranquilo. Zelest bajó la voz.

—Tal era, como digo —repitió, apretando las mandíbulas—. La barca estaba bañada en sangre, a lo largo y a lo ancho. No otra cosa pudo ser, sino que en la cubierta una verdadera matanza hubiera. Algo mató a aquellas gentes. Dicen que un monstruo marino. Lo dicho, un monstruo marino.

—¿No piratas? —preguntó Geralt en voz baja—. ¿Ni la competencia? ¿Descartáis la posibilidad de una simple pelea a cuchillo?

—Descartado —dijo el príncipe—. No hay aquí pirata alguno ni competencia. Y las peleas a cuchillo no se acaban con la desaparición de todos, hasta el último. No, Geralt. Zelest tiene razón. Se trata de un monstruo marino, no otra cosa. Escucha, nadie se atreve a salir a la mar, ni siquiera hasta los criaderos cercanos y conocidos. El miedo se ha apoderado de la gente y el puerto está paralizado. Ni siquiera las carabelas ni las galeras se alejan del muelle. ¿Entiendes, brujo?

—Entiendo —afirmó Geralt con un ademán de cabeza—. ¿Quién me enseña ese lugar?

—Ja. —Agloval puso la mano sobre la mesa y tamborileó con los dedos—. Esto me gusta. Esto es de verdad a lo brujo. Directamente al grano, sin conversaciones innecesarias. Sí, me gusta. Ves, Drouhard, te lo he dicho, un buen brujo es un brujo hambriento. ¿Qué, Geralt? Pues si no hubiera sido por tu musical amigo, hoy te irías otra vez a acostar sin cena. Estoy bien informado, ¿verdad?

Drouhard bajó la cabeza. Zelest dirigió la mirada al vacío.

—¿Quién me enseña ese lugar? —repitió el brujo, mirando con frialdad a Agloval.

—Zelest —dijo el príncipe, dejando de sonreír—. Zelest te mostrará los Colmillos del Dragón y el camino hacia ellos. ¿Cuándo te quieres poner manos a la obra?

—A primera hora de la mañana. Esperadme en el muelle, don Zelest.

—De acuerdo, señor brujo.

—Estupendo. —El príncipe se frotó las manos, de nuevo sonrió burlón—. Geralt, cuento con que te irá mejor con este monstruo que con el asunto de Sh'eenaz. De verdad cuento con ello. Ajá, todavía una cosa. Prohíbo chamullar sobre lo sucedido, no quiero más pánico que el que

155

ya tengo que aguantar. ¿Entendido, Drouhard? Te mandaré sacar la lengua si abres de más los morros.

—Entendido, príncipe.

—Bien. —Agloval se levantó—. Entonces me voy, no aguaré la fiesta, no provocaré rumores. Adiós, Drouhard, felicita a los novios en mi nombre.

—Gracias, príncipe.

Essi Daven, sentada en un escabel, rodeada de un denso círculo de oyentes, cantaba un romance melodioso y melancólico que trataba sobre la trágica suerte de una amante traicionada. Jaskier, apoyado en un pilar, murmuraba algo para sí mientras contaba tiempos y sílabas con los dedos.

—Bueno, ¿y qué? —dijo—. ¿Tienes trabajo?

—Tengo. —El brujo no entró en detalles que, al fin y al cabo, tampoco le importaban al bardo.

—Te lo dije, huelo el dinero. Bien, muy bien. Yo gano dinero, tú ganas dinero, habrá con lo que irse de parranda. Nos iremos a Cidaris, todavía alcanzaremos la fiesta de la vendimia. Y ahora, perdóname por un momento. Allí, en el banco, he visto algo interesante.

Geralt siguió la mirada del poeta pero, excepto algunas muchachas de labios entreabiertos, no alcanzó a ver nada interesante. Jaskier se tiró del jubón, se torció el sombrerillo sobre la oreja derecha y a grandes pasos se dirigió hacia el banco. Evitando con una hábil maniobra lateral a la dueña que vigilaba a las doncellas, comenzó su ritual de sonrisas.

Essi Daven terminó su romance, recibió unos bravos, una pequeña bolsa y un gran ramo de hermosos, aunque un tanto pasados, crisantemos.

El brujo dio unas vueltas entre los invitados, aguardando la ocasión para ocupar por fin un lugar a la mesa de las viandas. Contempló con amargura las delicadezas que desaparecían a marchas forzadas, los arenques marinados, las tórtolas con col, las cabezas de bacalao hervido, las chuletas de cordero, las ristras de chorizos calados en cachitos, los capones, los salmones ahumados abiertos a cuchillo y los jamones de cerdo. El problema radicaba en que en los bancos delante de la mesa no había ni un sitio libre.

Las doncellas y dueñas, un tanto más osadas, rodearon a Jaskier y con chillidos le pedían que actuara. Jaskier les lanzó una sonrisa falsa y se negó, dándoselas torpemente de modesto.

Geralt, controlando su turbación, casi con violencia, se hizo un lugar en la mesa. Un anciano caballero, que olía fuertemente a vinagre, le dejó sitio con tan extraordinaria amabilidad y buena voluntad que por poco no hizo caer del banco a unos cuantos de sus vecinos. Geralt se echó sobre la comida sin dudarlo y en un suspiro dejó limpia la única escudilla que pudo alcanzar. El caballero que olía a vinagre le

156

pasó otra. El brujo escuchó con agradecimiento y atención la larga tirada del caballero tocante a los tiempos presentes y la presente juventud. El caballero definió con énfasis la libertad de costumbres como «liberar el vientre», por lo que Geralt tuvo ciertas dificultades para mantener la seriedad.

Essi estaba junto a la pared, sola entre ramos de muérdago, afinando el laúd. El brujo vio cómo se acercaba a ella un joven con un caftán calado lleno de brocados, cómo le decía algo a la poetisa, sonriendo pálidamente. Essi miró al joven, torció leves los hermosos labios, dijo unas cuantas palabras con rapidez. El joven se agachó y se fue a toda velocidad, y sus orejas, rojas como rubíes, se mantuvieron encendidas en la semioscuridad todavía durante mucho rato.

—... una asquerosidad, un insulto y una vergüenza —siguió el caballero que olía a vinagre—. Liberar el vientre, digo, señor.

—Cierto —dijo Geralt inseguro mientras limpiaba el plato con un pedazo de pan.

—Silencio por favor pedimos, distinguidas damas, nobles señores —gritó Drouhard, saliendo al centro de la sala—. ¡El famoso maestro Jaskier, aunque cansado y un tanto tocado en el cuerpo, va a cantar para nosotros aquel romance preclaro de la reina Marienn y el Cuervo Negro! Lo hará a petición de la señorita Bimienta la molinera, petición que, según dice, no puede rechazar.

La señorita Bimienta, una de las menos hermosas muchachas de la mesa, embelleció en un abrir y cerrar de ojos. Estallaron bravos y ovaciones que acallaron una nueva liberación ventral del caballero que olía a vinagre. Jaskier esperó a que hubiera un completo silencio, tocó en el laúd una introducción muy efectiva y comenzó a cantar sin levantar la vista de la señorita Bimienta, la cual se hacía más hermosa de estrofa en estrofa. Rayos, pensó Geralt, este hideputa actúa con mayor eficiencia que las cremas y los afeites hechiceriles que vende Yennefer en su tiendecilla de Vengerberg.

Vio cómo Essi se deslizaba furtivamente por detrás de la multitud semicircular que escuchaba a Jaskier, cómo con mucho cuidado desaparecía por la salida a la terraza. Movido por un inexplicable impulso se levantó con energía de la mesa y la siguió.

Estaba inclinada, apoyada en los codos sobre la barandilla, escondida la cabeza en los pequeños brazos levantados. Contemplaba el encrespado mar, brillante bajo la luz de la luna, y los fuegos que brillaban en el puerto. Las tablas bajo los pies de Geralt rechinaron. Essi se incorporó.

—Perdón, no quería molestar —dijo con torpeza, buscando en los labios de ella aquella repentina mueca con la que hacía un momento había saludado al muchacho de los brocados.

—No me molestas —repuso, sonrió, se apartó el rizo—. No busco aquí la soledad, sino un poco de aire fresco. ¿A ti también te molesta el humo y el calor?

—Un poco. Pero más me molesta la consciencia de que te he herido. Me he acercado a pedirte perdón, Essi, a intentar recuperar la oportunidad de una conversación agradable.

—Yo soy la que tiene que pedir perdón —dijo, apoyando la mano en la balaustrada—. Reaccioné con demasiada dureza, no sé controlarme. Perdona y dame una segunda oportunidad. De conversar contigo.

Él se acercó, se apoyó en la barandilla junto a ella. Percibió el calor que surgía de ella, un ligero perfume a verbena. Le gustaba el perfume a verbena, aunque el perfume a verbena no fuera el perfume a lilas y grosellas.

—¿Qué te sugiere el mar, Geralt? —preguntó de pronto.

—Inquietud —respondió casi sin pensar.

—Interesante. Y pareces tan tranquilo y con tanto dominio de ti mismo.

—No he dicho que esté inquieto. Has preguntado por lo que me sugería.

—Lo que te sugiere es una imagen de tu espíritu. Algo sé sobre ello, soy poetisa.

—¿Y a ti, Essi, qué te sugiere el mar? —preguntó con rapidez, para poner punto y final a las divagaciones sobre la inquietud que verdaderamente sentía.

—Eterno movimiento —respondió al cabo—. Cambio. Y misterio, secretos, algo que no soy capaz de abarcar, que podría describir de mil formas en mil versos sin alcanzar jamás su corazón, su verdadero ser. Sí, creo que eso.

—Entonces —dijo, mientras sentía cómo la verbena ejercía cada vez más influencia sobre él—, eso que sientes es inquietud. Y pareces tan tranquila y llena de autodominio.

Se volvió hacia él, se retiró el rizo dorado, clavó en él sus hermosos ojos.

—Ni soy tranquila ni tengo dominio de mí misma.

Sucedió de pronto, sin esperarlo. El gesto que Geralt realizó y que había de ser solamente una caricia, un ligero toque de sus brazos, se transformó en la fuerte tenaza de sus dos manos sobre su delgado talle, la atrajo con rapidez, aunque sin violencia, hasta que se encontraron sus cuerpos en una brusca unión que hacía bullir la sangre. Essi se puso rígida de pronto, se tensionó, arqueó el cuerpo con fuerza hacia atrás, apoyó sus manos en las de él, fuertemente, como si quisiera quitarlas de su talle. Pero en vez de ello las apretó aún más, inclinó la cabeza hacia delante y abrió los labios, vaciló.

158

—¿Por qué...? ¿Por qué esto? —susurró. Sus ojos estaban abiertos como platos, su rizo dorado se deslizaba por su mejilla.

Lentamente, con serenidad, Geralt inclinó la cabeza, acercó su rostro y unieron los labios en un beso. Essi ni siquiera entonces dejó libres las manos que le rodeaban el talle y seguía haciendo retroceder el pecho, evitando el contacto con su cuerpo. En esta posición giraron lentamente, como en un baile. Ella lo besó con deseo, con habilidad. Y durante largo tiempo.

Después, se deshizo del abrazo de él con destreza y sin hacer fuerza, se dio la vuelta, se apoyó en la balaustrada, metió la cabeza entre los brazos. Geralt se sintió de pronto indescriptiblemente estúpido. Este sentimiento le impedía acercarse a ella, abrazar su espalda.

—¿Por qué? —preguntó ella con frialdad, sin volverse—. ¿Por qué lo has hecho?

Le miró por el rabillo de un ojo y el brujo comprendió de pronto qué error había cometido. De pronto supo cómo la falsedad, la mentira, el fingimiento y la baladronada le conducían hacia a un pantano donde entre él y el abismo sólo habría una mullida y fina capa de hierba y musgo, a punto de ceder a cada momento, de estallar, de abrirse.

—¿Por qué? —repitió.

No respondió.

—¿Buscas mujer para una noche?

No respondió. Essi se dio la vuelta poco a poco, tocó sus brazos.

—Volvamos a la sala —dijo con ligereza, pero no le engañaba esta ligereza, percibía cuán nerviosa estaba ella—. No pongas esa cara. No ha pasado nada. Y el que yo no busque un hombre para una noche no es culpa tuya. ¿No es cierto?

—Essi...

—Volvamos, Geralt. Jaskier ya ha dado tres bises. Es mi turno. Ven, voy a cantar...

Le miró con una extraña expresión y de un soplo se quitó el rizo de encima del ojo.

—Voy a cantar para ti.

IV

—Vaya, vaya. —El brujo se hizo el sorprendido—. ¿Así que aquí estás? Pensaba que no ibas a volver en toda la noche.

Jaskier echó el cerrojo, colgó de un clavo el laúd y el sombrerillo con la pluma de garza, se quitó el jubón, lo dobló y lo colocó sobre las bolsas que yacían en un rincón del cuartucho. Excepto estas bolsas, una tina y un enorme jergón relleno de cáscara de guisante, no había mueble alguno en el cuarto situado bajo el tejado: incluso la vela estaba en el suelo, sobre un montón de cera cuajada. Drouhard admiraba a Jaskier pero, por lo visto, no tanto como para dejarle disponer de una cámara o una alcoba.

—¿Y puede saberse —dijo Jaskier mientras se quitaba las botas— por qué pensabas que no iba a volver a dormir?

—Pensé —el brujo se incorporó sobre los codos, haciendo crujir las cáscaras de guisantes— que ibas a ir a cantar serenatas bajo la ventana de la señorita Bimienta, toda la noche has estado sacando la lengua delante de ella como el perro perdiguero al ver a una perra.

—Ja, ja —se rió el bardo—. Serás tonto y primitivo. No has entendido nada. ¿Bimienta? Ni un pito me importa Bimienta. No quería más que producirle celos a la señorita Akeretta, a la que atacaré mañana. Échate para allá.

Jaskier se tumbó en el jergón y le quitó la manta a Geralt. Geralt, sintiendo una extraña furia, volvió la cabeza en dirección al ventanuco a través del cual, si no hubiera sido por una esforzada araña, se habría podido ver el cielo estrellado.

—¿Qué mosca te ha picado? —preguntó el poeta—. ¿Te molesta que haga la corte a las muchachas? ¿Desde cuándo? ¿Te has hecho druida y has hecho votos de pureza? O puede...

—Deja de cacarear. Estoy cansado. ¿No te has dado cuenta de que por primera vez en dos semanas tenemos jergón y techo sobre nuestra cabeza? ¿No te alegra el pensamiento de que por la mañana no nos va a llover en las narices?

—Para mí —Jaskier comenzó a soñar despierto—, un jergón sin muchacha no es jergón. Es una fortuna incompleta, ¿y qué es una fortuna incompleta?

Geralt gimió gravemente, como siempre que a Jaskier le daba por dar la tabarra nocturna.

—Una fortuna incompleta —siguió el bardo, absorto en el sonido de su propia voz— es como... como un beso interrumpido... ¿Por qué rechinas los dientes, si se puede saber?

—Eres terriblemente aburrido, Jaskier. Nada, sólo jergón, muchachas, culos, tetas, fortuna incompleta y besos, interrumpidos por los perros que te azuzan los padres de las muchachas. En fin, por lo visto no sabes otra cosa. Por lo visto sólo la frivolidad sin cadenas, por no decir el desenfreno sin medida, os permite hacer romances, escribir versos y cantar. Por lo visto, apunta esto, se trata de la cara oscura del talento.

Había dicho demasiado y su voz no había sido lo suficientemente fría. Jaskier lo descifró con facilidad y sin error alguno.

—Ajá —dijo sereno—. Essi Daven, llamada Ojazos. Los hermosos ojazos de Ojazos se posaron sobre el brujo y le han causado confusión al brujo. El brujo se ha comportado con Ojazos como un crío con una princesa. Y en vez de echarse la culpa a sí mismo, la culpa a ella y busca caras oscuras.

—Deliras.

—No, querido mío. Essi te ha impresionado, no lo ocultes. En cualquier caso, no veo en ello nada vergonzoso. Pero ten cuidado, no cometas errores. Ella no es lo que piensas. Si su talento tiene una cara oscura, no es en cualquier caso la que tú te imaginas.

—Doy por sentado —dijo el brujo, controlando la voz— que la conoces muy bien.

—Bastante bien. Pero no como tú piensas. No así.

—Bastante original, para ser tú, reconócelo.

—Eres idiota. —El bardo se tumbó, puso las dos manos por detrás del cuello—. Conozco a Marioneta casi desde que era niña. Es para mí... sí... como una hermana menor. Repito, no cometas con ella errores estúpidos. Le causarías un daño enorme, porque tú también le has impresionado. Reconócelo, ella te excita.

—Incluso si así fuera, al contrario que tú no acostumbro a hablar de ello —dijo Geralt ácidamente—. Ni a componer cancioncillas. Te agradezco lo que has contado, porque puede ser verdad que me hayas evitado cometer un error estúpido con ella. Pero en esto se acaba. Considero el tema agotado.

Jaskier estuvo un momento inmóvil y en silencio, pero Geralt lo conocía demasiado bien.

—Ya lo entiendo —dijo por fin el poeta—. Ahora entiendo todo.

—Una mierda entiendes

—¿Sabes en qué reside tu problema? Tú crees que eres distinto. Arrastras contigo esa diferencia, eso que consideras como anormalidad. Te cargas con el peso de esa anormalidad sin darte cuenta de que para la mayor parte de la gente, aquéllos que piensan razonablemente, eres de lo más normal bajo el sol y ojalá fueran todos tan normales. ¿Qué más da que tengas reacciones muy rápidas o que la pupila se te haga un punto a la luz del sol? ¿Que veas en las tinieblas como los gatos? ¿Que sepas de hechizos? Vaya cosa. Yo, querido mío, conocí una vez a un tabernero que era capaz de tirarse pedos sin parar durante diez minutos, de tal forma que tocaba la melodía del salmo "Bienvenida seas, bienvenida, mañanita tempranera". Descontando su, en cualquier caso poco cotidiano, talento, el mencionado tabernero era el más normal entre los normales, tenía mujer, hijos y una abuela afectada de parálisis...

—¿Qué tiene todo esto que ver con Essi Daven? ¿Puedes explicármelo?

—Por supuesto. Pensaste equivocadamente que Ojazos se interesaba por ti a causa de una curiosidad insana, quizá incluso perversa, que te miraba como si tuvieras monos en la cara, fueras un cordero de dos cabezas o una salamandra en una casa de fieras. Y al punto te pusiste de morros, a la primera ocasión le diste una reprimenda descortés e inmerecida, le devolviste un golpe que ella no había dado. Yo mismo fui testigo. Testigo del curso de los acontecimientos siguientes no fui, pero observé vuestra huida de la sala y vi sus mejillas ruborizadas cuando volvisteis. Sí, Geralt. Yo te prevengo contra un posible error y tú ya lo has cometido. Querías vengarte de su insana, en tu opinión, curiosidad. Decidiste aprovecharte de esa curiosidad.

—Te repito...

—Probaste —siguió el bardo, sin inmutarse— a ver si te la podías llevar al huerto, a ver si sentía curiosidad por saber lo que es hacer el amor con una rareza, con un brujo mutante. Por suerte, Essi se mostró más inteligente que tú, comprendió la causa de tu estupidez y se apiadó benévolamente de ella. Saco esta conclusión del hecho de que no volviste del balcón con la jeta hinchada.

—¿Has terminado?

—He terminado.

—Entonces, buenas noches.

—Sé por qué te pones rabioso y rechinas los dientes.

—Seguro. Tú lo sabes todo.

—Sé quién te ha deformado, gracias a quién no eres capaz de comprender a una mujer normal. ¡Pero te dio pal pelo esa tu Yennefer, que me cuelguen si sé qué es lo que ves en ella!

—Déjalo, Jaskier.

—¿De verdad no prefieres a una muchacha normal, como Essi? ¿Qué tienen las hechiceras que no tenga Essi? ¿Quizá edad? Ojazos puede que no sea la más joven del mundo, pero tiene los años que parece. ¿Y sabes lo que me confesó Yennefer una vez después de un par de copas? Ja, ja... Me dijo que cuando lo hizo por primera vez con un hombre fue justo un año después de que inventaran el arado de dos dentales.

—Mientes. Yennefer no te soporta y en la vida se sinceraría contigo.

—Como quieras, mentí, accedo.

—No tienes que hacerlo. Te conozco.

—Piensas quizá que me conoces. No lo olvides, soy de naturaleza complicada.

—Jaskier —suspiró el brujo, sintiendo de verdad sueño—. Eres un cínico, un cerdo, un putero y un mentiroso. Y nada, créeme, nada de todo ello es complicado. Buenas noches.

—Buenas noches, Geralt.

—Temprano te levantas, Essi.

La poetisa sonrió, sujetándose los cabellos movidos por el viento. Entró con cuidado en el muelle, evitando los agujeros y las tablas podridas.

—No podía perderme la oportunidad de ver a un brujo en el trabajo. ¿De nuevo me vas a tener por una curiosa? En fin, no te ocultaré que de verdad siento curiosidad. ¿Cómo te va?

—¿Cómo que cómo me va?

—Oh, Geralt —dijo—. No valoras mi curiosidad, mi talento para recoger e interpretar información. Sé ya todo sobre el suceso de los pescadores, conozco los detalles de tu contrato con Agloval. Sé que buscas a un pescador que quiera ir contigo allá, hacia los Colmillos del Dragón. ¿Lo has encontrado?

La contempló inquisitivamente durante un momento, luego se decidió.

—No —repuso—. No lo he encontrado. Ni a uno.

—¿Tienen miedo?

—Lo tienen.

—¿Cómo entonces harás un reconocimiento si no puedes navegar por el mar? ¿Cómo, sin un barco, quieres hacerte con la piel del monstruo que mató a los pescadores?

La tomó de la mano y la sacó del muelle. Anduvieron con lentitud al borde del mar, por una playa pedregosa, junto a barcazas varadas en la orilla, entre hileras de redes prendidas en pértigas, entre cortinas de peces partidos y puestos a secar que el viento agitaba. Geralt, inesperadamente, se dio cuenta de que la compañía de la poetisa no le molestaba para nada, de que no era molesta ni inoportuna. Además, tenía la esperanza de que una conversación tranquila y razonable pudiera borrar las consecuencias de aquel estúpido beso en la terraza. El hecho de que Essi hubiera venido al muelle lo llenaba de esperanza de que no se sintiera herida. Estaba contento.

—Hacerse con la piel del monstruo —murmuró, repitiendo sus palabras—. Si supiera cómo. Poco sé de monstruos marinos.

—Extraño. Por lo que sé, en el mar hay muchos más monstruos que en la tierra, tanto por su número como por la cantidad de géneros. Parecería pues que el mar debiera de ser un buen campo de exhibición para los brujos.

—No lo es.

—¿Por qué?

—La expansión de los seres humanos en el mar —volvió el rostro para toser— dura desde hace poco tiempo. Los brujos eran necesarios antes, en la tierra, en las primeras etapas de colonización. No servimos para la lucha con seres que habitan los mares, aunque es verdad que en ellos hay todo tipo de porquerías agresivas. Pero nuestras capacidades brujeriles no bastan contra los monstruos marinos. Estos seres son para nosotros o demasiado grandes, o demasiado bien acorazados, o demasiado seguros en su hábitat. O todo a la vez.

—¿Y el monstruo que mató a los pescadores? ¿No te imaginas cuál pudo ser?

—¿Puede que un kraken?

—No. Un kraken habría destrozado el barco, y el barco estaba entero. Y, por lo que dicen, llenito de sangre. —Ojazos tragó saliva, palideció visiblemente—. No pienses que me hago la lista. Me crié junto al mar, he visto de todo.

—En ese caso, ¿qué pudo ser? ¿Un calamar gigante? Pudo haber arrastrado a aquellas gentes de la cubierta...

—No habría habido sangre. No fue un calamar, Geralt, ni una orca, ni un dragón tortuga, porque ese algo no destrozó ni dio la vuelta al barco. Ese algo subió a la cubierta y provocó allí una masacre. Puede que cometas un error buscando eso en el mar.

El brujo pensó en ello.

—Comienzo a admirarte, Essi —dijo. La poetisa se ruborizó—. Tienes razón. Podría haber atacado desde el aire. Podría haber sido un ornitodrago, un grifo, un viverno, un cometa o un doblecolas. Incluso puede que un...

—Perdona —dijo Essi—. Mira quién viene.

Por la orilla venía Agloval, solo, con la ropa completamente mojada. Estaba visiblemente enfadado y al verlos hasta enrojeció de rabia.

Essi hizo una ligera inclinación, Geralt bajó la cabeza, colocando el puño sobre el pecho. Agloval escupió.

—He estado sentado en los acantilados durante tres horas, casi desde el amanecer —aulló—. Ni siquiera se dejó ver. Tres horas, como un idiota, en los acantilados bañados por las olas.

—Lo siento... —murmuró el brujo.

—¿Lo sientes? —estalló el príncipe—. ¿Lo sientes? Es tu culpa. Tú reventaste el asunto. Lo rompiste todo.

—¿Qué rompí? Yo sólo hice de traductor...

—Al diablo con tal trabajo —le cortó con rabia Agloval, poniéndose de perfil. El perfil era verdaderamente de rey, digno de figurar en las monedas—. Truenos, mejor habría sido que no te hubiera contratado. Suena paradójico, pero mientras no teníamos traductor, Sh'eenaz y yo nos entendíamos mejor, si ves lo que quiero decir. Y ahora... ¿Sabes lo que hablan en la ciudad? Murmuran por los rincones que los pescadores desaparecieron porque yo hice enfadarse a la sirena. Que ésta es su venganza.

—Tonterías —comentó con frialdad el brujo.

—¿Y cómo puedo saber que es una tontería? —gruñó el príncipe—. ¿O sé acaso lo que te dijo entonces? ¿O sé acaso de lo que es capaz? ¿Con qué monstruos intima allá, en las profundidades? Venga, demuéstrame que son tonterías. Tráeme la cabeza del monstruo que mató a los pescadores. Ponte a trabajar en vez de entretenerte flirteando en la playa...

—¿Al trabajo? —se enfureció Geralt—. ¿Cómo? ¿Tengo que navegar por el mar metido en un barril? Tu Zelest amenazó a los pescadores con torturas y picotas y pese a ello ninguno quiere. El propio Zelest tampoco se atreve. Entonces, ¿cómo...?

—¿Y a mí qué me importa cómo? —gritó Agloval, cortándole—. ¡Eso es asunto tuyo! ¿Para qué están los brujos sino para que la gente normal no tenga que romperse la cabeza en cómo librarse de los monstruos? Te contraté para este trabajo y exijo que lo efectúes. ¡Y si no, lárgate de aquí o te haré correr a latigazos hasta las fronteras de mis dominios!

—Tranquilizaos, poderoso príncipe —dijo Ojazos, bajito, pero su palidez y el temblor de sus manos delataban su nerviosismo—. Y no amenacéis, por favor, a Geralt. Resulta que Jaskier y yo tenemos algunos amigos. El rey Ethain de Cidaris, por citar sólo uno, nos aprecia muchísimo a nosotros y a nuestros romances. El rey Ethain es un rey de mundo y siempre dice que nuestros romances no son solamente animosas piezas de música y rima, sino que son medios de comunicación, crónicas de la humanidad. ¿Deseáis, poderoso príncipe, veros descrito en la crónica de la humanidad? Puedo arreglaros eso.

Agloval la miró durante un instante con una mirada fría, despectiva.

—Los pescadores que desaparecieron tenían mujer e hijos —dijo por fin, bastante más bajo y tranquilo—. El resto, cuando el hambre les llegue a las cazuelas, saldrá corriendo a navegar de nuevo. Pescadores de perlas, de esponjas, ostras y bogavantes, todos. Ahora tienen miedo, pero el hambre embota el miedo. Saldrán al mar. Pero, ¿volverán? ¿Qué dices, Geralt? ¿Señorita Daven? Interesante será vuestro romance, el que cuente esto. Un romance sobre un brujo que se queda en la playa sin hacer nada, mirando las ensangrentadas cubiertas de los barcos y los niños que lloran.

Essi palideció aún más, pero pese a ello alzó la cabeza, se sopló el rizo y ya se preparaba para responder. Geralt le tomó la mano con rapidez y la apretó, adelantándose a ella.

—Basta —dijo—. En todo este diluvio de palabras sólo una tiene verdadero significado. Me contratase, Agloval. Acepté la tarea y la cumpliré si se puede cumplir.

—Cuento con ello —dijo el príncipe—. Hasta la vista, entonces. Saludos, señorita Daven.

Essi no hizo una reverencia, inclinó solamente la cabeza. Agloval se tiró de las calzas mojadas y comenzó a andar en dirección al puerto, manteniendo apenas el equilibrio por las piedras. Sólo entonces Geralt se dio cuenta de que todavía sujetaba la mano de la poetisa y de que ella no intentaba liberarse. La soltó. Essi, recuperando color poco a poco, volvió la cara hacia él.

—Fácil es conseguir que acometas un peligro —dijo—. Bastan unas pocas palabras sobre mujeres y niños. Y tanto se habla de que sois, al parecer, insensibles, vosotros, los brujos. Geralt, a Agloval le importan un pimiento las mujeres, los niños y los ancianos. Él quiere que empiece de nuevo la pesca de perlas, porque pierde con cada día que no se las entregan. Él te pone el cebo de los niños hambrientos y al punto estás listo para arriesgar la vida...

—Essi —la cortó—. Soy brujo. Es mi profesión, arriesgar la vida. Los niños no tienen nada que ver.

—No me engañas.

—¿Por qué piensas que lo intento?

—Porque si fueras un profesional tan frío como pretendes, intentarías subir el precio. Y tú ni una palabra has dicho sobre la paga. Ah, basta, es suficiente ya. ¿Volvemos?

—Andemos un poquito más.

—Con gusto. ¿Geralt?

—Dime.

—Ya te he dicho que me crié junto al mar. Sé manejar un barco y...

—Quítate eso de la cabeza.

—¿Por qué?

—Quítatelo de la cabeza —repitió con aspereza.

—Podrías formularlo —dijo— con mayor delicadeza.

—Podría. Pero te lo tomarías por... los diablos saben qué. Y yo soy un brujo insensible y un frío profesional. Arriesgo mi propia vida. La ajena, nunca.

Essi se sumió en el silencio. Él vio cómo apretaba los labios, cómo agitaba la cabeza. Un golpe de viento agitó de nuevo sus cabellos, por un instante su rostro quedó cubierto por una confusión de tiras doradas.

—Sólo quería ayudarte —dijo.

—Lo sé. Gracias.

—¿Geralt?

—Dime.

—¿Y si los rumores de los que hablaba Agloval tuvieran sentido? Sabes que las sirenas no siempre y no en todos lados son amistosas. Ha habido casos...

—No lo creo.

166

—Las marfantas —siguió Ojazos, pensativa—. Nereidas, tritones, ninfas marinas. Quién sabe de qué son capaces. Y Sh'eenaz... tenía motivos...

—No lo creo —la cortó.

—No lo crees o no quieres creer.

No contestó.

—¿Y tú quieres dártelas de frío profesional? —preguntó, con una extraña sonrisa—. ¿De alguien que piensa con el filo de la espada? Si quieres te diré cómo eres de verdad.

—Sé cómo soy de verdad.

—Eres sensible —le dijo en voz baja—. En el interior de tu alma, lleno de inquietud. No me engaña tu rostro de piedra ni tu voz fría. Eres sensible, y justamente esa sensibilidad es la que te hace tener miedo ahora de que eso con lo tengas que luchar espada en mano tenga sus propias razones, tenga ventaja moral sobre ti...

—No, Essi —dijo lentamente—. No busques en mí tema para romances emotivos, romances sobre un brujo que está dividido en su interior. Puede que yo desee que fuera así, pero no lo es. Mis dilemas morales los soluciona por mí el código y la educación. El adiestramiento.

—No hables así —se enojó—. No entiendo por qué intentas...

—Essi —la cortó de nuevo—. No quiero que tengas una falsa impresión de mí. No soy un caballero andante.

—Tampoco eres un frío asesino sin conciencia.

—No —aceptó él con tranquilidad—. No lo soy, aunque hay algunos que piensan de otro modo, pero no son mi sensibilidad ni las cualidades de mi carácter las que me elevan, sino el orgullo y la arrogancia de un profesional convencido de su valor. Profesional al que le inculcaron que el código de su profesión y la fría rutina son más útiles que las emociones, que le evitarán cometer errores que podría cometer cuando haya de mezclarse en los dilemas del bien y el mal, del Orden y el Caos. No, Essi. No soy yo el que es sensible, sino tú. Al fin y al cabo es necesario para tu profesión, ¿cierto? Tú eres la que te inquietaste al pensar que una simpática sirena, humillada, atacó a los pescadores de perlas en un acto de venganza desesperada. Al momento buscas justificaciones para la sirena, circunstancias atenuantes, te resistes a pensar que el brujo, pagado por el príncipe, matará a la hermosa sirena sólo porque ella se atrevió a dejarse llevar por las emociones. Y el brujo, Essi, está libre de tales dilemas. Y de las emociones. Incluso si sucediera que la sirena fuera culpable, el brujo no matará a la sirena porque el código se lo prohíbe. El código soluciona el dilema por el brujo.

Ojazos le miró, levantando súbitamente la cabeza.

—¿Todos los dilemas? —preguntó con brusquedad.

Sabe de Yennefer, pensó. Sabe de ella. Oh, Jaskier, maldito cotilla...
Se miraron el uno al otro.

¿Qué se esconde tras de tus ojos celestes, Essi? ¿Curiosidad? ¿Fascinación por lo extraño? ¿Cuál es la cara oscura de tu talento, Ojazos?

—Perdón —dijo—. La pregunta es estúpida. E ingenua. Sugiere que he creído en lo que me has contado. Volvamos. Este viento se mete hasta los huesos. Mira cómo se agita el mar.

—Lo veo. Sabes, Essi, es extraño...

—¿Qué es extraño?

—Me jugaría la cabeza a que la peña donde Agloval se suele encontrar con la sirena estaba más cerca de la orilla y era mayor. Y ahora no se la ve.

—La marea —dijo cáusticamente Essi—. Pronto llegará el agua hasta allí, hasta el acantilado.

—¿Hasta allí?

—Sí. El agua se eleva y cae con mucha fuerza, más de diez codos, porque aquí, en la corriente y la salida del río, aparecen lo que se llama ecos de la marea, o como los llamen los marinos.

Geralt miró en dirección al cabo, a los Colmillos del Dragón, clavados en la tronante y espumosa marejada.

—Essi —preguntó—. ¿Y cuando comience el reflujo?

—¿Entonces qué?

—¿Hasta dónde retrocede el mar?

—Y qué... Ah, entiendo. Sí, tienes razón. Retrocede hasta la línea de los bajíos.

—¿La línea de qué?

—Bueno, como si fueran plataformas que forman el fondo, unos llanos bajos, cortados en arista justo al borde de las profundidades.

—Y los Colmillos del Dragón...

—Están justo en esa arista.

—Y se pueden alcanzar a pie. ¿Cuánto tiempo tendría?

—No sé. —Ojazos frunció el ceño—. Habría que preguntar a los de aquí. Pero no me parece, Geralt, que sea una buena idea. Mira, entre la tierra y los Colmillos hay acantilados, toda la orilla está llena de cabos y fiordos. En cuanto comience el reflujo aparecerán allí barrancos y hoyas llenos de agua. No sé si...

Desde el mar, desde una roca apenas visible, les llegó un chapoteo. Y un sonoro y musical grito.

—¡Peloblanco! —llamó la sirena, saltando con gracia por la cresta de una ola, agitando las aguas con cortos y elegantes golpes de cola.

—¡Sh'eenaz! —repuso, y la saludó con la mano.

La sirena se acercó a las rocas, se quedó suspendida perpendicular al agua verde y espumosa, se echó el pelo hacia atrás con las dos manos, presentando al mismo tiempo el torso junto con todos sus encantos. Geralt miró a Essi. La muchacha se ruborizó ligeramente y con visible tristeza y turbación en el rostro, miró por un momento sus propios encantos, apenas insinuándose bajo el vestido.

—¿Dónde está el mío? —cantó Sh'eenaz, acercándose—. Tendría que estar aquí.

—Estuvo. Esperó tres horas y se fue.

—¿Se fue? —se asombró la sirena con un agudo trino—. ¿No esperó? ¿No aguantó tres simples horas? Lo imaginaba. ¡Ni un pequeño sacrificio! ¡Ni una pizca! ¡Asqueroso, asqueroso, asqueroso! ¿Y qué haces tú aquí, peloblanco? ¿Has venido a pasear con tu amada? Hacéis una buena pareja, sólo esos pies vuestros os desfiguran.

—No es mi amada. Apenas nos conocemos.

—¿Sí? —se asombró Sh'eenaz—. Una pena. Pegáis el uno con el otro, os veis bien juntos. ¿Quién es ella?

—Soy Essi Daven, poetisa —cantó Ojazos con acento y melodía ante los que la voz del brujo sonaba como el graznido de un cuervo—. Encantada de conocerte.

La sirena recorrió el agua con los dedos, se rió sonoramente.

—¡Qué hermoso! —gritó—. ¡Conoces nuestra lengua! Os doy mi palabra, me asombráis, humanos. En verdad no nos separa tanto como se suele decir.

El brujo no estaba menos sorprendido que la sirena, aunque hubiera debido imaginarse que Essi, que estaba bien educada y era muy leída, conocía mejor que él la Vieja Lengua, el idioma de los elfos, que era el que, en una versión cantarina, usaban las sirenas, marfantas y nereidas. También debía de haber supuesto que la difícil melódica de la cantarina lengua de las sirenas, que para él suponía una complicación, para Ojazos la hacía más fácil.

—Sh'eenaz —habló Geralt—. ¡Algo nos separa sin embargo, y ese algo que a veces nos separa suele ser la sangre derramada! ¿Quién... quién mató a los pescadores de perlas, allá, junto a las dos rocas? ¡Dímelo!

La sirena se sumergió, agitando el agua. Al cabo surgió de nuevo en la superficie y su hermosa carita se torció en un feo gesto.

—¡No os atreváis! —gritó atronadoramente—. ¡No os atreváis a acercaros a los Colmillos! ¡Eso no es para vosotros! ¡No os midáis con ellos! ¡No es para vosotros!

—¿Qué? ¿Qué no es para nosotros?

—¡No es para vosotros! —aulló Sh'eenaz, lanzándose de espaldas contra una ola.

Las gotas de agua revolotearon hasta muy alto. Todavía un momento vieron su cola, la aleta partida, doble, chapoteando en las olas. Luego desapareció en las profundidades.

Ojazos se arregló los cabellos, movidos por un golpe de viento. Estaba de pie, inmóvil, con la cabeza baja.

—No sabía —Geralt carraspeó— que conocieras tan bien la Vieja Lengua, Essi.

—No podías saberlo —dijo, con perceptible amargura en la voz—. Pues tú... pues tú apenas me conoces.

VI

—Geralt —dijo Jaskier, mirando a su alrededor y olisqueando como un sabueso de caza—. Aquí apesta, ¿no te parece?

—Yo qué sé. —El brujo aspiró—. He estado en lugares en los que olía peor. Esto no es más que el olor del mar.

El bardo volvió la cabeza y escupió por entre las rocas. El agua borboteaba en los rompientes, haciendo espuma y siseando, dejando al descubierto hoyas llenas de guijarros y pulidas por las olas.

—Mira qué bien que se ha secado todo esto, Geralt. ¿Dónde se ha metido esta agua? ¿Qué es lo que son estos flujos y reflujos, joder? ¿De dónde salen? ¿No has pensado nunca en ello?

—No. Tengo otras preocupaciones.

—Pienso —Jaskier tembló ligeramente— que allá, en lo profundo, en el mismo fondo de este maldito océano, está sentado un enorme monstruo, una masa gorda, escamosa, un sapo con cuernos sobre su horrorosa cabeza. Y cada cierto tiempo llena la tripa de agua, y con el agua todo lo que vive y se puede comer: peces, focas, tortugas, todo. Y luego, una vez que ha quedado satisfecho, mea el agua y ya tenemos la marea. ¿Qué piensas de esto?

—Pienso que estás tonto. Yennefer me dijo una vez que las mareas las produce la luna.

Jaskier se rió.

—¡Vaya una sandez! ¿Qué tendrá que ver la luna con el mar? Los perros aúllan a la luna, y nada más. Te la dio con queso, Geralt, esa mentirosilla tuya, se burló de ti. Y por lo que sé, no por vez primera.

El brujo no comentó nada. Miró a las rocas brillantes de humedad que habían surgido tras el reflujo. Todavía se retorcía en ellas el agua llena de espuma, pero parecía que se podía pasar.

—Venga, al tajo —dijo levantándose y colocándose la espada de su espalda—. No podemos esperar más porque no nos daría tiempo antes de la subida de la marea. ¿Aún tienes ganas de ir conmigo?

—Sí. Un tema para un romance no es una piña que se encuentra debajo de un árbol. Aparte de eso, mañana es el cumpleaños de Marioneta.

—No veo la relación.

—Pues es una pena. Entre nosotros, la gente normal, existe la costumbre de hacerse regalos con ocasión del cumpleaños. No tengo para comprar nada. Encontraré algo para ella en el fondo del mar.

—¿Un arenque? ¿Una sepia?

—Tonterías dices. Ámbar, quizá un caballito de mar, puede que alguna bonita concha. Se trata de un símbolo, de una prueba de simpatía, de que se la recuerda. Me gusta Ojazos, quiero darle una alegría. ¿No lo entiendes? Me lo imaginaba. Movámonos. Tú por delante, porque puede que por acá haya algún monstruo.

—Vale. —El brujo saltó desde la orilla a la resbaladiza piedra cubierta de algas—. Iré delante para, en caso de peligro, cubrirte. En prueba de simpatía y recuerdo. Sólo que, no te olvides, si acaso grito, agárrate bien y no te pongas al alcance de mi espada. No vamos allá a recoger caballitos de mar. Vamos a vérnoslas con monstruos que matan personas.

Se dirigieron hacia abajo, hacia el fondo de la grieta dejada al descubierto por el reflujo. Pisaban a trechos el agua que se escondía todavía entre las chimeneas de piedra. Se hundían en huecos rellenos de arena y algas. Para colmo, comenzó a llover, así que en poco tiempo estuvieron mojados de los pies a la cabeza. Jaskier se detenía a cada momento, hurgaba con el talón entre los guijarros y los ovillos de plantas marinas.

—Oh, mira, Geralt, un pececillo. Completamente rojo, que me lleven los diablos. Y aquí, oh, una pequeña anguila. ¿Y esto? ¿Qué es esto? Parece una gigantesca pulga transparente. Y esto... ¡Ay madre! ¡Geraaalt!

El brujo se dio la vuelta rápidamente, con la mano en la espada.

Era un cráneo humano, blanco, alisado contra las rocas, encerrado en una grieta, lleno de arena. Y no sólo. Jaskier, al ver salir por la cavidad ocular un ciempiés marino, se asustó y emitió un desagradable sonido. El brujo se encogió de hombros, dirigiéndose hacia una meseta de piedra que había quedado al descubierto por el reflujo, en dirección a los dos arrecifes llamados Colmillos del Diablo y que ahora parecían montañas. Se acercó con precaución. El fondo estaba lleno de pepinos de mar, de moluscos, de montones de varec. En charcos y hoyas cimbreaban enormes medusas y se retorcían ofiúridos. Pequeños cangrejos, con tantos colores como un colibrí, huían ante ellos, corriendo de lado y moviendo ágilmente las pinzas.

Geralt ya había visto de lejos el cadáver que estaba hundido entre las piedras. El ahogado meneaba el torso visible por debajo de unas plantas marinas, aunque en esencia no tenía ya nada que mover. Le bullían los cangrejos, por dentro y por fuera. No podía haber estado en el agua más de una jornada, pero los cangrejos le habían dejado de tal modo que una exploración detenida carecía de sentido. El brujo, sin decir palabra, cambió la dirección de marcha y evitó el cadáver haciendo un arco. Jaskier no se percató de nada.

—Cuidado que apesta aquí a podrido —maldijo, alcanzó a Geralt, escupió, escurrió el agua de su sombrerillo—. Y llueve, y hace frío. Me voy a constipar, voy a perder la voz, su puta madre...

—No refunfuñes. Si quieres volverte, ya sabes el camino.

Justo detrás de la base de los Colmillos del Diablo se extendía una raña pedregosa, y más allá estaba el mar, profundo, ondulando pacíficamente. La frontera de la marea baja.

—Ja, brujo. —Jaskier miró alrededor—. Este monstruo tuyo ha tenido, por lo que parece, suficiente seso como para retroceder a pleno mar junto con el agua. Y tú seguro que pensabas que iba a estar tendido aquí, en algún lado, con la tripa al sol, esperando a que te lo cargases.

—Estate callado.

El brujo se acercó a los límites de la meseta, se hincó de rodillas, apoyó la mano con precaución sobre los afilados moluscos que cubrían la roca. No vio nada, el agua estaba oscura, la superficie enturbiada, empañada por la llovizna.

Jaskier escarbó en la falda de los arrecifes, expulsando a puntapiés a los cangrejos más atrevidos, miró y tentó las rocas que chorreaban agua, barbadas de algas caídas, moteadas de ásperas colonias de crustáceos y de moluscos.

—Eh, Geralt.

—¿Qué?

—Mira esos moluscos. Son ostras perlíferas, ¿no?

—No.

—¿Sabes algo del tema?

—No sé nada.

—Entonces guárdate tu opinión hasta el momento en que comiences a saberlo. Esto son ostras perlíferas, estoy seguro. Me voy a poner a recoger perlas, así al menos sacaremos algún beneficio de este asunto, no sólo un catarro. ¿Las recojo, Geralt?

—Recoge. El monstruo ataca a los pescadores. Los recolectores también caen dentro de esta categoría.

—¿He de hacer de cebo?

—Recoge, recoge. Toma los moluscos más grandes, si no tienen perlas, haremos una sopa con ellos.

—Lo que nos faltaba. Voy a coger sólo las perlas y a los moluscos que les den por culo. Rayos... La muy hija de su madre... ¿Cómo se... puta seas... abre? ¿No tienes un cuchillo, Geralt?

—¿Ni siquiera has traído un cuchillo?

—Soy poeta y no navajero. Así le caiga un rayo, me lo guardo en la bolsa, ya sacaremos las perlas más tarde. ¡Eh, tú! ¡Largo de aquí!

El cangrejo del que se libró con un puntapié voló por encima de la cabeza de Geralt y fue a estrellarse contra una ola. El brujo siguió andando despacio a lo largo de los límites de la plataforma, observando la impenetrable agua negra. Escuchó el rítmico golpeteo de la piedra con la que Jaskier extraía los moluscos de la roca.

—¡Jaskier! ¡Ven aquí, mira!

La desgarrada y agrietada meseta terminaba de pronto en un borde afilado, igualado, que caía hacia abajo verticalmente. Bajo la superficie del agua podían verse con claridad unos enormes, angulosos y regulares bloques de mármol blanco, recubiertos de algas, moluscos y actinias, que ondulaban en el agua como flores al viento.

—¿Qué es esto? Parecen... escalones.

—Porque son escalones —susurró Jaskier con asombro—. Oooh, esto son escalones que conducen a una ciudad submarina. A la legendaria Ys, que se tragaron las olas. ¿Has oído alguna vez la leyenda del lugar de las profundidades, de Ys bajo las Aguas? Oooh, escribiré sobre ello un romance tal que la competencia se comerá las uñas. He de verlo de cerca... Mira, ahí hay algo como un mosaico, algo tallado o grabado. ¿Un letrero? Quita de en medio.

—¡Jaskier! ¡Está muy hondo! Vas a resbalar...

—Qué dices. Si ya estoy mojado. Mira, apenas cubre, por la cintura, en este primer escalón. Y hay sitio como en una sala de baile. Ay, su puta madre...

Geralt saltó como un relámpago al agua y sujetó al bardo que estaba sumergido hasta el cuello.

—Me he tropezado con la mierda ésta. —Jaskier, tomando aire, se sacudió, alzando con las dos manos un enorme molusco plano, del que chorreaba el agua, y que tenía una concha de color azul cobalto, cubierta de pequeñas algas—. Hay montones de ellos en estas escaleras. Bonito color, ¿no te parece? Dame, lo meteré en tu zurrón, mi bolsa ya está llena.

—Sal de ahí —gritó el brujo enfurecido—. Sal inmediatamente, Jaskier. Esto no es un juego.

—Calla. ¿Has oído? ¿Qué ha sido eso?

Geralt lo había oído. El sonido llegaba desde las profundidades, de debajo del agua. Sordo y grave, aunque al mismo tiempo menudo, bajito, corto, precipitado. El sonido de una campana.

—Una campana, así me... —susurró Jaskier, encaramándose a la plataforma—. Tenía razón, Geralt. Es la campana de la ciudad sumergida de Ys, la campana de la mansión de los vampiros, embotada por el peso de las profundidades. Así nos recuerdan los ahogados...

—¿Te vas a callar?

El sonido se repitió. Bastante más cerca.

—... nos recuerdan —siguió el bardo, mientras se retorcía los faldones del jubón, que estaban completamente húmedos— su terrible destino. Esta campana es un aviso...

El brujo dejó de hacer caso a la voz de Jaskier y puso su atención en sus otros sentidos. Percibía. Percibía algo.

—Es un aviso. —Jaskier sacó un poco la lengua, lo que solía hacer cuando se concentraba—. Aviso, o bien.. hmmm... Para que no olvidemos... hmmm... hmmm... ¡Ya lo tengo!

Suena sorda la campana, canta su canción de muerte,
muerte que es ligera siempre, al contrario que el olvido...

El agua que estaba junto al brujo explotó. Jaskier aulló. El monstruo de ojos saltones que surgió de entre la espuma saltó hacia Geralt armado con una hoja ancha, dentada, parecida a una guadaña. Geralt tenía la espada en la mano en el mismo momento en que el agua había comenzado a agitarse, así que ahora sólo tuvo que afirmarse, girar las caderas y cortar al monstruo por debajo de la lacia y escamosa garganta. Inmediatamente se dio la vuelta hacia el otro lado, donde el agua se retorcía de nuevo con el siguiente monstruo, que portaba un extraño yelmo y armas de algo que recordaba al cobre enmohecido. El brujo, con un golpe de espada muy abierto, repelió la hoja de la corta lanza que se dirigía hacia él y con el ímpetu que había cobrado atravesó el morro lleno de dientes y con aspecto de pez. Dio un salto hacia los bordes de la plataforma, pisoteando el agua.

—¡Huye, Jaskier!

—¡Dame la mano!

—¡Huye, maldita sea!

El siguiente monstruo surgió de las olas, haciendo relucir un sable curvo que sujetaba en una garra áspera y verdosa. El brujo apoyó la espalda contra la roca cuajada de moluscos y se colocó en posición, pero el monstruo de ojos de pez no se acercó. Su estatura era parecida a la de Geralt, el agua también le llegaba hasta la cintura, pero la imponente cresta erizada sobre su cabeza y las branquias infladas le hacían parecer mayor. El gesto producido por la amplia y torcida mandíbula armada de finos dientes recordaba asombrosamente a una macabra sonrisa.

El ser, sin prestar atención a los dos cuerpos que se retorcían en el agua enrojecida, alzó su sable, que aferraba con las dos manos en una larga empuñadura desprovista de guardamanos. Desplegando aún más la cresta y las branquias, hizo girar la hoja en el aire. Geralt escuchó cómo la ligera hoja silbaba y aleteaba.

El ser dio un paso al frente, enviando una ola hacia el brujo. Geralt hizo un molinete con la espada como respuesta. Y también dio un paso, aceptando el reto.

El ojos de pez, con habilidad, hizo resbalar los largos dedos sobre el puño y poco a poco bajó los brazos acorazados con carey y cobre, los sumergió hasta los codos, cubriendo el arma con agua. El brujo aferró la espada con las dos manos: la mano derecha justo debajo del gavilán, la izquierda por la perilla. Alzó el arma hacia arriba y un poco hacia un lado, por encima de su hombro derecho. Miró a los ojos al monstruo, pero eran unos ojos irisados, de pez, unos ojos de iris en forma de gotas, que brillaban fríos y metálicos. Ojos que nada expresaban y nada traicionaban. Nada que pudiera advertir del ataque.

De las profundidades, del fondo de las escaleras que desaparecían en la oscura sima, surgió el sonido de una campana. Cada vez más cerca, cada vez más claramente.

El ojos de pez se movió hacia delante, arrancó la hoja de debajo del agua, atacó con la velocidad del rayo, cortando desde abajo hacia un lado. Geralt tuvo pura suerte: apostó a que el golpe vendría dado por la derecha. Paró con la hoja dirigida hacia abajo, retorciendo con fuerza el cuerpo, acto seguido dio la vuelta a la espada, enlazándola perpendicularmente con el sable del monstruo. Ahora todo dependía de cuál de los dos iba a ser más rápido en volver los dedos sobre la empuñadura, cuál iba a ser el primero en cambiar de la estática sujeción de la hoja al golpe, un golpe cuya fuerza iban ya construyendo los dos, pasando el peso del cuerpo al pie adecuado. Geralt ya había comprendido que ambos eran igual de rápidos.

Pero el ojos de pez tenía los dedos más largos.

El brujo lo cortó por el lado, por encima de las caderas, giró en semivuelta, apretó la hoja más hondo con el peso de su cuerpo, evitó sin problemas el contraataque amplio y descontrolado, desesperado y falto de gracia. El monstruo, abriendo su boca de pez sin ruido, desapareció bajo el agua, en la que flotaban nubecillas de color rojo oscuro.

—¡Dame la mano! ¡Deprisa! —aulló Jaskier—. ¡Vienen a montones! ¡Los veo!

El brujo agarró la mano derecha del bardo y salió del agua a la plataforma de piedra. Detrás de él, con fuerza, se estrelló una ola.

Comenzaba la marea alta.

Huyeron a toda prisa, perseguidos por el agua. Geralt miró y vio cómo del mar surgían muchos más seres ícteos, cómo se lanzaban en su persecución, saltando ágiles con unos pies musculosos. Aceleró el paso sin decir palabra.

Jaskier suspiraba, corría pesadamente, haciendo saltar el agua que ya llegaba hasta las rodillas. De pronto se tropezó, cayó, gateó por entre las algas y sargazos apoyándose en unas manos hinchadas. Geralt lo agarró por el cinturón, lo arrancó de entre la espuma que se había formado a su alrededor.

—¡Corre! —gritó—. ¡Los contendré!

—Geralt...

—¡Corre, Jaskier! ¡Pronto el agua llenará la grieta y entonces no podremos salir! ¡Corre mientras tengas fuerzas!

Jaskier gimió y echó a correr. El brujo le siguió, contando con que los monstruos se separarían en la persecución. Sabía que en una lucha con todo el grupo estaba perdido.

Lo alcanzaron junto a la misma grieta, porque el agua ya estaba tan alta que podían nadar, mientras que él, sumergido en la espuma, trepó con esfuerzo hacia arriba por las resbaladizas piedras. La grieta era, sin embargo, demasiado estrecha como para que pudieran atacarle desde todos los ángulos. Se detuvo en una hoya, allí donde Jaskier había encontrado la calavera.

Se detuvo, se dio la vuelta. Y se tranquilizó.

Al primero le clavó la punta de la espada en el lugar donde debiera estar la sien. Al segundo, armado con algo parecido a un hacha corta, le abrió la barriga. El tercero huyó.

El brujo se lanzó hacia la salida del agujero, pero en ese mismo momento se estrelló una ola contra él, lo ahogó en espuma, creó un remolino en la chimenea, lo arrancó de las rocas y lo tiró hacia abajo, hacia el ojo del remolino. Se estrelló contra un ser pez que se sacudía en el remolino, lo alejó de un puntapié. Alguien le agarró de una pierna y tiró de él hacia abajo, hacia el fondo. Apoyó la espalda en las rocas, abrió los ojos justo a tiempo para ver unas oscuras siluetas, dos rápidos brillos. El primer brillo lo paró con la espada, el segundo le hizo cubrirse inconscientemente con la mano izquierda. Sintió el golpe, el dolor, y acto seguido la ácida mordedura de la sal. Golpeó con los pies en el fondo, se impulsó hacia arriba, hacia la superficie, colocó los dedos, prendió la Señal. La explosión fue sorda, hirió sus oídos en un corto paroxismo de dolor. Si salgo de ésta, pensó, agitando el agua con manos y pies, si salgo de ésta, iré a ver a Yen a Vengerberg, intentaré otra vez... Si salgo de ésta...

Le pareció escuchar el sonido de una trompa. O de un cuerno.

La ola, estallando de nuevo en la chimenea, lo impulsó hacia la superficie, lo arrojó de bruces sobre la gran plataforma. Ahora escuchaba con claridad el sonido de un cuerno, los gritos de Jaskier, que parecían llegar de todos lados al mismo tiempo. Resopló para expulsar el agua salada de su nariz, miró alrededor, mientras se retiraba los cabellos mojados del rostro.

Estaba en la playa, junto al lugar del que habían partido. Estaba tendido de bruces en las piedrecillas, en su entorno la espuma blanca se preparaba para la subida de la marea.

Detrás de él, en la plataforma, ahora apenas un estrecho cabo, bailaba sobre las olas un enorme delfín gris. En sus lomos, agitando unos cabellos de verde celadón, cabalgaba una sirena. Tenía unos hermosos pechos.

—¡Peloblanco! —cantó, saludando con la mano en la que sujetaba una enorme concha cónica, retorcida, en espiral—. ¿Estás vivo?

—Estoy vivo —se asombró el brujo. La espuma a su alrededor tomó un color rosáceo. El brazo izquierdo estaba rígido, la sal le roía. El brazo de su jubón tenía un corte recto e igualado, de la abertura manaba la sangre. Salí de ésta, pensó, lo conseguí de nuevo. Pero no, jamás iré.

Vio a Jaskier, que corría hacia él, tropezando con el suelo mojado.

—¡Los he detenido! —cantó la sirena y sopló de nuevo en la concha—. ¡Pero no por mucho tiempo! ¡Huye y no vuelvas por aquí, peloblanco! El mar... ¡no es para vosotros!

—¡Lo sé! —repuso—. ¡Lo sé! ¡Gracias, Sh'eenaz!

VII

—Jaskier —dijo Ojazos mientras cortaba con los dientes la punta del vendaje y lo anudaba sobre la muñeca de Geralt—. Explícame de dónde ha salido todo ese montón de conchas de caracolas que hay bajo las escaleras. En este momento la mujer de Drouhard lo está limpiando y no oculta el juicio que ambos le merecéis.

—¿Conchas? —se hizo el sorprendido Jaskier—. ¿Qué conchas? No tengo ni idea. ¿No las habrán dejado allí algunos patos voladores?

Geralt sonrió, volviendo el rostro hacia la oscuridad. Sonreía al recordar las blasfemias de Jaskier, que había pasado toda la tarde abriendo moluscos y rebuscando en la viscosa carne, se había cortado el dedo y ensuciado la camisa, pero no había hallado ni una sola perla. Y no es de asombrarse, puesto que lo más seguro es que no fueran perlíferos, sino simples chirlas o mejillones. La idea de hacer una sopa con ellos la habían descartado cuando Jaskier abrió la primera concha: la carne se veía tan poco apetitosa y apestaba de tal modo que hasta les saltaban lágrimas de los ojos.

Ojazos terminó el vendaje y se sentó en la tina vuelta del revés. El brujo le dio las gracias, al tiempo que se miraba la mano elegantemente vendada. La herida era profunda y bastante larga, afectaba también al codo, que dolía con rabia cuando lo movía. La había vendado ya provisionalmente a la orilla del mar, pero en lo que alcanzaron la casa había comenzado a sangrar de nuevo. Antes de que llegara la muchacha, Geralt había echado en el antebrazo herido un elixir para coagular la sangre, tomó del elixir anestésico y Essi les había descubierto en el momento en que junto con Jaskier intentaba coser la herida con ayuda de un sedal atado a un anzuelo de pesca. Ojazos les había gritado y ella misma había cosido la herida, mientras que Jaskier le gratificó con una colorida descripción de la lucha, reservándose varias veces los derechos exclusivos para un romance sobre todo el acontecimiento. Essi, está claro, ahogó a Geralt con un diluvio de preguntas a las que no supo responder. Se lo tomó a mal, había sacado por lo visto la impresión de que le ocultaban algo. Se amohinó y dejó de preguntar.

—Agloval ya lo sabe —dijo—. Os vieron al volver, y la de Drouhard, cuando vio la sangre en las escaleras, corrió a cotillear. La gente se aprieta en las rocas con la esperanza de que las olas echen algo, todavía están dando vueltas por allí, por lo que sé no han encontrado nada.

—Y no lo encontrarán —dijo el brujo—. Iré a ver a Agloval mañana, pero avísale, si puedes, para que prohíba a la gente andar junto a los Colmillos del Dragón. Pero por favor, ni una palabra sobre esas escaleras ni sobre las fantasías de Jaskier acerca de la ciudad de Ys. Enseguida saldrían los buscadores de tesoros y de emociones y habría más cadáveres...

—No soy ninguna charlatana. —Essi puso mala cara, se apartó violentamente el rizo—. Si pregunto algo no es para salir corriendo a la fuente y contárselo a las lavanderas.

—Lo siento.

—Tengo que salir —comunicó de pronto Jaskier—. Tengo una cita con Akeretta. Geralt, me llevo tu jubón, el mío está inhumanamente sucio, aparte de húmedo.

—Todo aquí está húmedo —dijo con sarcasmo Ojazos y, dando señales de repugnancia, asestó un golpecito con la punta del pie a las piezas de ropa desparramadas acá y allá—. ¿Cómo se puede ser así? Hay que colgar esto, dejarlo secar como es debido... Sois horribles.

—Se seca solo. —Jaskier tomó la almilla mojada del brujo y miró con alegría las tachuelas de plata de las mangas.

—No pongas excusas. ¿Y qué es esto? Va, no me digas, esta bolsa todavía está llena de fango y algas. Y esto... ¿Qué es esto? ¡Puaj!

Geralt y Jaskier contemplaron en silencio la concha azul cobalto que Essi sujetaba con dos dedos. Se habían olvidado. El molusco estaba ligeramente abierto y apestaba visiblemente.

—Es un regalo —dijo el trovador, deslizándose hacia la puerta—. Mañana es tu cumpleaños, ¿no es cierto, Marioneta? Pues esto es un regalo para ti.

—¿Esto?

—¿Bonita, verdad? —Jaskier sorbió aire y añadió con rapidez—. Es de parte de Geralt. Él la eligió para ti. Oh, ya es tarde. Con dios...

Después de su salida, Ojazos calló por un momento. El brujo miró al apestoso molusco y se avergonzó. De Jaskier y de sí mismo.

—¿Te acordaste de mi cumpleaños? —preguntó Essi, manteniendo el molusco lejos de sí—. ¿De verdad?

—Dame eso —dijo él con aspereza. Se alzó en el jergón, protegiendo la mano vendada—. Te pido perdón por ese idiota...

—No —protestó, tomando un cuchillito con su vaina del cinturón—. De verdad que es una concha bien bonita, la guardaré como recuerdo. Sólo hay que limpiarla, y antes librarse de... su contenido. Lo tiraré por la ventana, que se lo coman los gatos.

Algo golpeó contra el pavimento, rodó. Geralt hizo más amplia la retina y vio aquel algo bastante antes que Essi.

Era una perla. Una hermosa, opalina y brillante perla de color azul pálido, grande como un guisante.

—Por los dioses. —Ojazos la vio—. Geralt... ¡Una perla!

—Una perla —se rió él—. Así pues, has recibido un regalo, Essi. Me alegro.

—Geralt, no puedo aceptarlo. Esta perla vale...

—Es tuya —la interrumpió—. Jaskier, aunque se haga el tonto, se acordó de verdad de tu cumpleaños. Y es verdad que quería darte una alegría. Habló de ello, habló en voz alta. Así que el destino le oyó y concedió lo que era necesario.

—¿Y tú, Geralt?

—¿Y yo?

—¿Acaso tú... también querías darme una alegría? Esta perla es tan hermosa... Debe de valer muchísimo... ¿No lo lamentas?

—Me alegro de que te guste. Y si hay algo que lamente es que sólo hubiera una. Y que...

—¿Sí?

—Que no te conozca desde hace tanto tiempo como Jaskier, tanto tiempo como para poder saber y recordar tu cumpleaños. Para poder hacerte regalos y darte alegrías. Para poder... llamarte Marioneta.

Se acercó a él y de pronto le echó los brazos al cuello. Geralt previó su movimiento hábilmente y con rapidez evitó sus labios, la besó con frialdad en la mejilla, la abrazó con el brazo sano, con torpeza, con reserva y delicadeza. Percibió cómo la muchacha se frenaba y retrocedía poco a poco, pero sólo a la distancia de los brazos, aún descansando en sus hombros. Él sabía lo que esperaba, pero no lo hizo. No la atrajo hacia sí.

Essi le soltó, se dio la vuelta hacia el ventanuco sucio y entreabierto.

—Por supuesto —dijo de improviso—. Apenas me conoces. Olvidaba que tú apenas me conoces.

—Essi —contestó él, al cabo—. Yo...

—Yo tampoco te conozco apenas —estalló, interrumpiéndole—. ¿Y qué más da? Te quiero. Nada puede evitarlo. Nada.

—¡Essi!

—Sí. Te quiero, Geralt. Me da igual lo que pienses. Te quiero desde el momento en el que te vi, allá, en la fiesta...

Calló, bajó la cabeza.

Estaba de pie delante de él y Geralt lamentó que fuera ella y no el ser pez con su sable escondido bajo el agua. Con el ser pez tenía al menos una posibilidad de salir del paso. Con ella, no.

—No dices nada —afirmó un hecho—. Nada, ni una palabra.

Estoy cansado, pensó, y horriblemente débil. Tengo que sentarme, se me nubla la vista, he perdido sangre y no he comido... Tengo que sentarme. Maldito cuartucho, pensó, así estallara en la próxima tormenta tocado por un rayo. Esta maldita falta de muebles, dos malditas sillas y una mesa, que sirve para separar, ante la que hablar es tan fácil y tan seguro, se puede incluso sujetar la mano del otro. Y yo tengo que sentarme en el jergón, tengo que pedirle que se siente junto a mí. Y el jergón lleno de cáscaras de guisantes es muy peligroso, de aquí no puede uno ni siquiera escaparse, retirarse...

—Siéntate junto a mí, Essi.

Se sentó. Con una pequeña vacilación. Con delicadeza. Lejos. Demasiado cerca.

—Cuando me enteré —susurró, rompiendo un largo silencio—, cuando escuché que Jaskier te había traído cubierto de sangre, salí corriendo de casa como una loca, corrí a ciegas, sin prestarle atención a nada. Y entonces... ¿sabes lo que pensé entonces? Que es magia, que me echaste un encantamiento, que en secreto, a traición, me hechizaste, con tus Señales, con tu medallón de lobo, con tus ojos malos. Así pensé, pero no me detuve, seguí corriendo, porque comprendí que lo deseaba... que deseaba estar bajo tu poder. Y la realidad resultó ser aún más terrible. No me habías echado ningún hechizo. ¿Por qué, Geralt? ¿Por qué no me hechizaste?

Él guardó silencio.

—Si esto fuera magia —siguió—, todo sería sencillo, fácil. Me doblegaría ante tu poder y sería feliz. Y así... Tengo... No sé qué me pasa...

Diablos, pensó Geralt, si Yennefer cuando está conmigo se siente como yo ahora, la compadezco. Nunca más me asombraré. Nunca más la odiaré... Nunca.

Porque puede que Yennefer sienta esto mismo que yo siento ahora, sienta una profunda seguridad de que debiera conceder lo que es imposible de conceder, incluso aún más imposible que la relación entre Agloval y Sh'eenaz. La seguridad de que no bastaría un pequeño sacrificio, de que haría falta sacrificar todo y no se sabe siquiera si eso sería suficiente. No, no voy ya a odiar a Yennefer porque no pueda y no quiera darme algo más que un pequeño sacrificio. Ahora sé que un pequeño sacrificio es muchísimo.

—Geralt —gimió Ojazos, sujetando la cabeza entre los brazos—. Me da tanta vergüenza. Me avergüenzo de lo que siento, que es como una maldita anemia, como un resfriado, como el asma...

Él callaba.

—Siempre pensé que sería un hermoso y elevado estado del alma, noble y orgulloso, incluso si producía la infelicidad. ¿Acaso no he escrito tantos romances sobre algo así? Y resulta que esto es orgánico, Geralt, terrible y absolutamente orgánico. Así se siente alguien que está enfermo, que ha bebido veneno. Porque del mismo modo que alguien que haya bebido veneno se está dispuesto a todo a cambio del antídoto. A todo. Incluso a la humillación.

—Essi. Por favor...

—Sí. Me siento humillada, humillada porque te lo he confesado todo, olvidándome de la dignidad, que obliga a sufrir en silencio. Porque con mi confesión te he metido en problemas. Me siento humillada por causarte problemas. Pero no puedo hacer otra cosa. Carezco de fuerzas. A merced de la gente, como alguien con una enfermedad terminal. Siempre he tenido miedo de las enfermedades, del momento en que esté débil, sin fuerzas, sin saber qué hacer, sola. Siempre he tenido miedo de las enfermedades, siempre he pensado que una enfermedad sería lo peor que me podría pasar...

Calló.

—Sé —gimió de nuevo—. Sé que debiera estarte agradecida de que... de que no te aproveches de la situación. Pero no te estoy agradecida. Y esto también me avergüenza. Porque odio ese tu silencio, esos tus ojos aterrorizados. Te odio. Porque callas. Porque no mientes, no... Y a ella también la odio, a esa tu hechicera, de buena gana le clavaría el cuchillo. Porque... la odio. Mándame irme, Geralt. Ordéname que salga de aquí. Porque yo sola, de propia voluntad, no puedo, y quiero salir de aquí, ir a la ciudad, a la taberna... Quiero vengarme de ti por mi vergüenza, mi humillación, quiero encontrar al primero que pase...

Pena negra, pensó Geralt, al escuchar cómo su voz iba decayendo como una pelota de trapo por unas escaleras. Se va a poner a llorar, pensó, dos frases más y se pondrá a llorar. ¿Qué hacer, dioses, qué hacer?

Los hombros encogidos de Essi temblaron con fuerza. La muchacha volvió la cabeza y comenzó a llorar, con un llanto bajito, terriblemente sereno, incontenible.

No siento nada, afirmó con horror, nada, ni la más mínima compasión. Esto, el que ahora abrazo su espalda, es un gesto pensado, medido, no espontáneo. La abrazo porque siento que es preciso, no porque lo desee. No siento nada.

Cuando la abrazó ella dejó inmediatamente de llorar, se limpió las lágrimas, agitando con violencia la cabeza y volviéndose de tal modo que no pudo verle la cara. Y luego se aferró a él más fuerte, apretando la cabeza contra su pecho.

Un pequeño sacrificio, pensó, sólo un pequeño sacrificio. Al menos esto la tranquilizaría, el abrazo, el beso, unas serenas caricias... Ella no desea más. E incluso si lo quisiera, ¿qué? Un pequeño sacrificio, un muy pequeño sacrificio, pues ella es hermosa y se lo merece... Si quisiera más... La tranquilizará. Un acto de amor quedo, sereno, delicado. Y yo... A mí, al fin y al cabo, me da todo igual, porque Essi huele a verbena y no a lilas y grosellas, no tiene esa fría y electrizante piel, los cabellos de Essi no son un negro tornado de rizos brillantes, los ojos de Essi son hermosos, blandos, cálidos y celestes, no arden con un frío, impasible y profundo violeta. Essi se dormirá después, volverá la cabeza, abrirá ligeramente los labios. Essi no se sonreirá con expresión de triunfo. Porque Essi...

Essi no es Yennefer.

Y por eso no puedo. No puedo cargar sobre mí el peso de ese pequeño sacrificio.

—Por favor, Essi, no llores.

—No lo haré. —Se apartó de él muy poquito a poco—. No lo haré. Entiendo. No puede ser de otro modo.

Callaron, sentados el uno junto al otro sobre el jergón relleno de cáscaras de guisantes. La noche se iba acercando.

—Geralt —dijo ella de improviso, y la voz le temblaba—. Y puede... pudiera ser... como con el molusco ése, como con ese extraño regalo. ¿Y pudiera ser que de verdad halláramos una perla? ¿Más tarde? ¿Después de algún tiempo?

—Veo esa perla —dijo él con énfasis—. Envuelta en plata, en florecillas de plata de pétalos misteriosos. La veo en tu cuello, como yo llevo mi medallón. Será tu talismán, Essi. Un talismán que te protegerá de todo mal.

—Mi talismán —repitió, bajando la cabeza—. Mi perla, que engarzaré en plata, de la que nunca me separaré. Mi joya, que recibí como sustituto. ¿Acaso un talismán así puede traer buena suerte?

—Sí, Essi. Estate segura de ello.

—¿Puedo quedarme un rato más? ¿Contigo?

—Puedes.

Se acercaba el ocaso, cayeron las sombras, y ellos aún estaban sobre el jergón relleno de cáscaras de guisantes, en el cuartucho bajo el tejado en el que no había muebles, en el que sólo había una tina y una vela apagada en el suelo, sobre un montón de cera derretida.

Estuvieron en completo silencio, sin hablar, durante mucho tiempo. Y luego llegó Jaskier. Escucharon cómo se acercaba, rasgueando el laúd y canturreando. Jaskier entró, los vio y no dijo nada, ni palabra. Essi también se mantuvo en silencio, se levantó y salió, sin mirarlos.

Jaskier no dijo ni una palabra. Pero el brujo veía en sus ojos las palabras que no habían sido pronunciadas.

VIII

—Una raza dotada de razón —repitió pensativo Agloval, apoyando el codo en el brazo de la silla y la barbilla en la mano—. Civilización sumergida. Seres peces que viven en el fondo del mar. Escaleras que conducen a las profundidades. Geralt, tú me tienes por un príncipe extremadamente crédulo.

Ojazos, que estaba de pie junto a Jaskier, resopló con rabia. Jaskier agitó la cabeza sin dar crédito. Geralt no se inmutó.

—Me es igual —dijo— si me crees o no. Mi obligación es sin embargo advertirte. Cualquier barco que se acerque a los Colmillos del Dragón, o personas que vayan allá en el momento del reflujo, están en peligro. Peligro mortal. Si quieres comprobar si esto es verdad, si quieres arriesgarte, es tu problema. Yo simplemente te advierto.

—Ja —habló de improviso el alguacil Zelest, que estaba sentado detrás de Agloval en el alféizar de la ventana—. Si son monstruos como elfos u otros goblines, no nos asustan ésos. Que fuera algo peor, me temía, algo, nos guarden los dioses, hechizado. Por lo que el brujo relató, son ésos alguna especie de topes marinos u otros pecejos. Hay métodos para ellos. A los oídos míos llegó que un hechicero en un quita y pon se las apañó con los topes en el lago Mokva. En el agua, una barrica de filtro mágico echó, y adiós a los putos topes. Ni huellas quedaron.

—Cierto —dijo Drouhard, que hasta ahora había callado—. Ni huellas quedaron. Y de las tencas, lucios, cangrejos y almejas tampoco. Hasta las gusarapas de los fondos se secaron y hasta los alisos de las orillas.

—Maravilloso —dijo con sarcasmo Agloval—. Gracias por tan estupenda sugerencia, Zelest. ¿Tienes más como ésta?

—Toma, y puede que verdad sea. —El alguacil enrojeció—. El mágico apretó demasiado la tuerca, se le fue la mano. Pero y sin mágicos que podemos nosotros apañárnoslas, príncipe. Dice el brujo que con las monstruosidades ésas luchar se puede y matarlas se puede. Entonces guerra, señores. Como antiguamente. No nos pilla de nuevas, ¿no? ¿Acaso vivían los bobolacos en las sierras, donde ahora? Verdad que por los bosques todavía los elfos salvajes y las rariesposas corrinquean, pero y hasta a ellos el final también les habrá de llegar... Nos tomaremos lo que es nuestro. Como los nuestros abuelos...

—¿Y las perlas las verán tan sólo mis nietos? —se enfadó el príncipe—. Demasiado tiempo para esperar, Zelest.

—Bueno, tan malo no va a ser. A mí se me da que... Digamos así: por cada barca de pescadores, dos barcas de arqueros. Ya les enseñaremos a los monstruos ésos a razonar. Les enseñaremos a temernos. ¿No es verdad, señor brujo?

Geralt le contempló con una mirada fría, no respondió.

Agloval volvió la cabeza, mostrando su noble perfil, se mordió los labios. Luego miró al brujo mientras entrecerraba los ojos y se masajeaba la frente.

—No has cumplido tu tarea, Geralt —dijo—. Has fallado de nuevo. No niego que hayas mostrado buena voluntad. Pero yo no pago por la buena voluntad. Pago por resultados. Por efectos. Y el efecto, perdona la expresión, es una mierda. Y una mierda es lo que te has ganado.

—Muy bonito, poderoso príncipe —se mofó Jaskier—. Una pena que no estuvierais con nosotros allí, en los Colmillos del Dragón. Os daríamos el brujo y yo una oportunidad para encontraros con uno de aquéllos, del mar, con la espada en la mano. Puede que entonces entendierais de qué se trata y dejarais de regatear en el precio...

—Como una verdulera —terció Ojazos.

—No tengo por costumbre regatear, mercadear ni discutir —dijo Agloval sereno—. Dije que no te pagaré ni un duro, Geralt. El contrato era: eliminar el peligro, eliminar la amenaza, permitir que se puedan pescar perlas sin riesgo para las personas. ¿Y tú? Me vienes y me cuentas no sé qué acerca de una raza dotada de razón de las profundidades del mar. Me aconsejas que me mantenga lejos del lugar que me proporciona buenos beneficios. ¿Qué hiciste? Mataste a algunos... ¿A cuántos?

—No importa a cuántos. —Geralt palideció—. Al menos para ti, Agloval.

—Justamente. Y más que faltan pruebas. Si al menos me hubieras traído la mano derecha de estos peces-ranas, quién sabe, puede que me hubiera permitido soltar la suma habitual, como la que le pago a mi guardabosques por un par de orejas de lobo.

—En fin —dijo el brujo con frialdad—. No me queda más que despedirme.

—Te equivocas —dijo el príncipe—. Te queda algo todavía. Un trabajo fijo por la comida y una buena soldada. El cargo y la patente de capitán de mi guardia armada. La que desde ahora va a acompañar a mis pescadores. No tiene por qué ser para siempre, es suficiente con que sea hasta el momento en que la mencionada raza, al parecer dotada de razón, sea tan razonable como para mantenerse lejos de mis barcos, evitarlos como si fueran el fuego. ¿Qué dices a esto?

—Gracias, no lo acepto. —El brujo se enojó—. No me gusta ese trabajo. Hacer la guerra a otros pueblos lo considero una estupidez. Puede que sea una estupenda diversión para príncipes llenos de tedio y hartos de pan. Pero no para mí.

—Oh, qué orgulloso —sonrió Agloval—. Qué altanero. En verdad, rechazas una proposición de una forma de la que más de un rey no se avergonzaría. Rechazas un buen montón de dinero con gesto de rico que acaba de volver de una copiosa comida. ¿Geralt? ¿Has almorzado hoy? ¿No? ¿Y mañana? ¿Y pasado mañana? Veo pocas posibilidades, brujo, muy pocas. Incluso en condiciones normales, difícil es ganarlo, y ahora, con esa mano en cabestrillo...

—¿Cómo te atreves? —gritó con fina voz Ojazos—. ¡Cómo te atreves a decir eso, Agloval! ¡La mano que lleva en cabestrillo se la hirieron cuando cumplía tus órdenes! Cómo puedes ser tan infame...

—Déjalo —dijo Geralt—. Déjalo, Essi. Esto no tiene sentido.

—No es cierto —dijo con rabia—. Esto tiene sentido. Alguien ha de decirle por fin la verdad a la cara a este príncipe que se nombró príncipe a sí mismo, aprovechando el hecho de que nadie competía con él por el título de señorío sobre este pedazo de playa rocosa, y que ahora se piensa que puede humillar a todo el que quiera.

Agloval enrojeció y apretó los labios, pero ni dijo palabra ni se movió.

—Sí, Agloval —siguió Essi—. Te diviertes y te alegras de la posibilidad de humillar a otros, eres feliz con el desprecio que puedes mostrar a un brujo capaz de jugarse el cuello por tus dineros. Pero has de saber que al brujo le importan un pimiento tu desprecio y tu humillación, que no le causan la más mínima impresión, que ni siquiera las advierte. No, el brujo no siente ni siquiera lo que sienten tus siervos y súbditos, Zelest y Drouhard, y ellos sienten vergüenza, una profunda y ardiente vergüenza. El brujo tampoco siente lo que nosotros sentimos, Jaskier y yo, y nosotros sentimos asco. ¿Sabes, Agloval, por qué es así? Yo te lo diré. El brujo sabe que él es mejor. Vale mucho más que tú. Y esto le da las fuerzas que tiene.

Essi se sumió en el silencio, bajó la cabeza, no lo suficientemente rápido como para que Geralt no alcanzara a ver una lágrima. La muchacha se tocó con la mano una florecilla de pétalos de plata que llevaba al cuello, una florecilla en cuyo centro brillaba una gran perla azul. La florecilla tenía unos misteriosos pétalos trenzados, realizados con maestría. Drouhard, pensó el brujo, ha estado a la altura de la tarea.

El platero recomendado por él había hecho un buen trabajo. Y no le había querido coger ni un céntimo. Drouhard había corrido con los gastos.

—Por ello, poderoso príncipe —recomenzó Ojazos, alzando la cabeza—, no te pongas en ridículo proponiendo al brujo el papel de un mercenario en el ejército que quieres organizar contra el océano. No te hagas el hazmerreír, porque tu proposición sólo sirve para provocar la risa. ¿Todavía no lo has comprendido? Al brujo le puedes pagar para que realice una tarea, puedes contratarle para que proteja a la gente del mal, para que conjure el peligro que les amenaza. Pero al brujo no le puedes comprar, no lo puedes usar para tus propios fines. Porque el brujo, incluso herido y hambriento, es mucho mejor que tú. Vale mucho más. Por eso se burla de tu miserable oferta. ¿Has entendido?

—No, señorita Daven —dijo Agloval con la voz fría—. No entiendo. Al contrario, cada vez entiendo menos. Lo principal es que aún no comprendo cómo todavía no he hecho colgar a todo vuestro trío, después de haberos dado de bastonazos y haberos marcado con el acero al rojo. Vos, señorita Daven, intentáis provocar la sensación de que lo sabéis todo. Decidme entonces por qué no hago eso.

—Por supuesto —saltó de inmediato la poetisa—. No lo hacéis, Agloval, porque allá, profundo, en vuestro interior, arde todavía una llamita de decencia, un resto de honor, aún no sofocado por el orgullo de nuevo rico y de mercader. En el centro, Agloval. En el fondo de vuestro corazón. Un corazón que todavía es capaz de amar a una sirena.

Agloval se puso blanco como el papel y apretó las manos sobre los brazos del sillón. Bravo, pensó el brujo, bravo, Essi, maravilloso. Estaba orgulloso de ella. Pero al mismo tiempo sentía pena, una monstruosa pena.

—Largo —dijo Agloval con la voz baja—. Idos de aquí. Adonde queráis. Dejadme en paz.

—Adiós, príncipe —dijo Essi—. Y en la despedida, acepta un buen consejo. Un consejo que debiera darte el brujo, pero yo no quiero que él te lo dé. Que se humille hasta el punto de darte consejos. Lo haré por él.

—Te escucho.

—El océano es grande, Agloval. Nadie todavía ha investigado qué hay más allá, detrás del horizonte, si acaso algo hubiera. El océano es mayor que cualquier despoblado a cuyo seno hayáis expulsado a los elfos. Es más difícil de penetrar que cualquier montaña y cualquier garganta en las que hayáis masacrado a los bobolacos. Y allá, en el fondo del océano, vive un pueblo que usa armas, que conoce los secretos de los metales. Guárdate, Agloval. Si con los pescadores comienzan a navegar arqueros, comenzarás una guerra con algo que no conoces. Lo que quieres remover puede suceder que sea un nido de avispas. Te aconsejo que les dejéis el mar, porque el mar no es para vosotros. No sabéis y nunca sabréis adónde conducen las escaleras que bajan desde los Colmillos del Dragón.

—Os equivocáis, doña Essi —habló con serenidad Agloval—. Nos enteraremos de adónde conducen estas escaleras. Aún más, bajaremos por ellas. Comprobaremos qué hay al otro lado del océano, si acaso algo hubiera. Y sacaremos de este océano todo lo que se pueda sacar. Y si no nosotros, lo harán nuestros nietos, o los nietos de nuestros nietos. Es sólo cuestión de tiempo. Sí, lo haremos aunque este océano se tenga que volver rojo de tanta sangre. Y tú lo sabes, Essi, sabia Essi, que escribe la crónica de la humanidad con sus romances. La vida no es un romance, pequeña, pobre poeta de ojos hermosos perdida entre sus propias hermosas palabras. La vida es una lucha. Y la lucha nos la enseñaron justamente los tales brujos más valiosos que nosotros. Ellos nos mostraron el camino, ellos nos abrieron paso, ellos lo sembraron con los cadáveres de aquéllos que nos estorbaban y nos molestaban a nosotros, seres humanos, con los cadáveres de aquéllos que protegían de nosotros este mundo. Nosotros, Essi, sólo continuamos esta lucha. Somos nosotros y no tus romances los que creamos la crónica de la humanidad. Y ya no necesitamos brujos porque ahora nada es capaz de detenernos. Nada.

Essi, pálida, se sopló el rizo y alzó la cabeza.

—¿Nada, Agloval?

—Nada, Essi.

La poeta sonrió.

De la antesala les llegó un repentino bureo, griterío, barahúnda. A la sala entraron pajes y guardias, se inclinaron o se pusieron de rodillas, formando una hilera. Ante la puerta estaba Sh'eenaz.

Sus cabellos verde claro aparecían artísticamente peinados, sujetos por una maravillosa diadema de corales y perlas. Vestía un traje de color agua de mar, con volantes blancos como la espuma. El traje estaba muy calado, de modo que la belleza de la sirena, aunque escondida en parte y decorada con bordados de jade y lapislázuli, todavía era digna de la mayor admiración.

—Sh'eenaz... —gimió Agloval, cayendo de rodillas—. Mi... Sh'eenaz...

La sirena se acercó con lentitud, y su paso era blando y lleno de gracia, fluido como una ola que se acerca.

Se detuvo ante el príncipe, brillaron en su sonrisa unos pequeñísimos dientes blancos, luego, con mucha rapidez, sus pequeñas manos aferraron el traje y lo levantaron, muy alto, lo suficientemente alto como para que todos pudieran valorar la calidad del trabajo de la hechicera marina, la marfanta. Geralt tragó saliva. No cabía duda: la marfanta sabía lo que son unas piernas bonitas y cómo se las hace.

—¡Ja! —gritó Jaskier—. Mi romance... Es completamente igual que mi romance... ¡Se hizo unas piernas para él, pero perdió la voz!

—No he perdido nada —dijo Sh'eenaz, cantarina, en la más pura lengua común—. De momento. Después de esta operación me siento como nueva.

—¿Hablas nuestra lengua?

—¿Qué pasa, que no se puede? Cómo te va, peloblanco. Ah, y tu amada está aquí, Essi Daven, si no recuerdo mal. ¿La conoces ya mejor o todavía apenas, apenas?

—Sh'eenaz... —gimió Agloval conmovedor, mientras se acercaba a ella de rodillas—. ¡Amor mío! Mi única... amada... Así que al final, por fin. ¡Por fin, Sh'eenaz!

La sirena, con un elegante gesto, le dio la mano para que la besara.

—Sí. Porque yo también te quiero, idiota. Y qué amor sería éste si el enamorado no fuera capaz de un pequeño sacrificio.

IX

Partieron de Bremervoord temprano, con el frío del amanecer, entre una niebla que difuminaba el destello de la esfera roja del sol que se alzaba por el horizonte. Partieron los tres. Así lo habían decidido. No hablaron sobre ello, no hicieron planes, querían simplemente estar juntos. Por algún tiempo.

Dejaron atrás el cabo pedregoso, se despidieron del acantilado, de las desgarradas rocas de las playas, de las extrañas formaciones calizas moldeadas por el viento y las olas. Pero cuando comenzaron a cabalgar por el valle floreado y verde de Dol Adalatte, aún tenían en las narices el perfume del mar, y en las orejas el sonido de la marejada y el salvaje y molesto chillido de las gaviotas.

Jaskier hablaba sin cansarse, sin pausa, saltaba de un tema a otro, y ninguno terminaba. Habló del País de Bar, donde una estúpida costumbre obliga a las doncellas a guardar su virtud hasta que contraigan matrimonio, de los pájaros de metal de la isla de Inis Porhoet, del agua viva y el agua muerta, del sabor y extrañas propiedades del vino de zafiro, llamado cill, de los cuatrillizos reales de Ebbing, horribles rapazuelos importunos llamados Putzi, Gritzi, Mitzi y Juan Pablo Vassermiller. Habló de las nuevas tendencias en música y poesía lanzadas por la competencia, tendencias que, en opinión de Jaskier, no eran más que vampiros que imitaban la actitud de la vida.

Geralt callaba. Essi también callaba o respondía con medias palabras. El brujo sentía su mirada. Una mirada que evitaba a toda costa.

Atravesaron el río Adalatte mediante un pontón de cuya cuerda tuvieron que tirar ellos mismos, pues el pontonero se encontraba en un patético estado de borrachera, blanco como un cadáver, tieso-espasmódico, absorto en la palidez del abismo, no podía soltar la palanca de la cabina, que apretaba con las dos manos, y a todas las preguntas que se le hacían contestaba con una única palabra que sonaba algo así como «burg».

El país al otro lado del río Adalatte le gustó al brujo: las aldeas situadas a lo largo del río estaban en su mayoría rodeadas de una empalizada, lo que permitía prever ciertas oportunidades de encontrar trabajo.

Cuando abrevaron los caballos, hacia el mediodía, Ojazos se acercó a él aprovechando que Jaskier se había alejado. Al brujo no le dio tiempo a escaparse. Le pilló por sorpresa.

—Geralt —dijo en voz baja—. Yo ya... no puedo aguantar esto. Está más allá de mis fuerzas.

Él intentó escapar de la necesidad de mirarla a los ojos. No se lo permitió. Estaba delante de él, jugueteando con la perla celeste engarzada en las florecillas de plata, colgada al cuello. Estaba delante de él, y él de nuevo lamentó que no fuera el ojos de pez con su sable escondido bajo el agua.

—Geralt... Tenemos que hacer algo con esto, ¿verdad?

Esperó a su respuesta. A sus palabras. A un pequeño sacrificio. Pero el brujo no tenía nada que pudiera sacrificarle, lo sabía. No quería mentir. Y no podía permitirse la verdad, porque no podía decidirse a causarle daño alguno.

La situación la salvó Jaskier, el infalible Jaskier, apareciendo de pronto. Con su infalible tacto.

—¡Pues claro que sí! —gritó y lanzó al agua con fuerza el bastoncillo con el que había estado removiendo los juncos y las enormes ortigas de ribera—. ¡Claro que tenéis que hacer algo con ello, ya va siendo hora! ¡No tengo ganas de seguir viendo más tiempo lo que pasa entre vosotros! ¿Qué es lo que quieres de él, Marioneta? ¿Lo imposible? Y tú, Geralt, ¿a qué esperas? ¿A que Ojazos lea tus pensamientos como... como la otra? ¿Y a que se contente con esto, y así tú callarás cómodamente, sin tener que aclarar nada, declarar nada, rechazar nada? ¿Sin tener que mostrarte? ¿Cuánto tiempo, cuántos hechos os hacen falta a vosotros dos para poder entender? ¿Y cuándo querréis entender? ¿Dentro de unos años, en vuestros recuerdos? ¡Si mañana tenemos que separarnos, diablos! Oj, ya estoy harto, por los dioses, me tenéis hasta aquí vosotros dos. ¡Uff! Vale, escuchad, yo ahora voy a tomar una rama de avellano y me voy a pescar, y vosotros vais a tener un rato de soledad, os vais a poder decir todo. Decíos todo, intentad entenderos el uno al otro. No es tan difícil como imagináis. Y luego, por los dioses, hacedlo. Hazlo con él, Marioneta. Hazlo con ella, Geralt, y sé gentil con ella. Y entonces, mierda, o se os pasa o...

Jaskier se dio la vuelta con violencia y se fue, aplastando las yerbas y blasfemando. Hizo una caña con una vara de avellano y pelos de caballo y estuvo pescando hasta que cayó la oscuridad.

Cuando se fue, Geralt y Essi estuvieron de pie mucho tiempo, apoyados en un deforme sauce que estaba inclinado sobre la corriente. Estuvieron allí, apretándose con fuerza las manos. Luego el brujo comenzó a hablar, habló en voz baja y largo tiempo, y los ojos de Ojazos se llenaron de lágrimas.

Y luego, por los dioses, lo hicieron, ella y él.

Y todo estuvo bien.

X

Al día siguiente organizaron algo así como una cena festiva. En una de las aldeas por las que pasaron Essi y Geralt compraron un corderillo ya preparado. Mientras ellos mercaban, Jaskier robó con sigilo ajo, cebolla y zanahorias del huertecillo de detrás de la choza. Al irse, arramplaron aún con un pequeño caldero de lata de la cerca de detrás de la fragua. El caldero estaba un poco agujereado, pero el brujo lo lañó con la Señal de Igni.

La cena tuvo lugar en un calvero, en lo profundo del monte. El fuego chasqueaba alegremente, el caldero borboteaba. Geralt lo removía cuidadosamente con una rama de abeto descorchada que hacía las veces de cuchara de cocina. Jaskier peló la cebolla y cortó las zanahorias. Ojazos, que no tenía ni idea de cocinar, les amenizaba el tiempo tocando el laúd y cantando cuplés picantes.

Fue una cena festiva. Porque por la mañana temprano tenían que separarse, por la mañana cada uno de ellos tenía que irse por su camino, en busca de algo que, sin embargo, ya tenían. Pero no sabían que lo tenían, ni siquiera podían imaginárselo. No se imaginaban adónde les llevarían los caminos que iban a tener que recorrer por la mañana. Cada uno por su lado.

Después de comer, bebieron de la cerveza que les había regalado Drouhard, charlaron y se rieron, Jaskier y Essi hicieron apuestas con sus canciones. Geralt, con las manos detrás de la cabeza, tumbado sobre un lecho de ramas de abeto, pensaba que nunca había oído tan hermosas voces y tan hermosos romances. Pensó en Yennefer. Pensó también en Essi. Tenía el presentimiento de que...

Para terminar, Ojazos cantó junto con Jaskier el famoso dueto de Cyntia y Vertvern, una maravillosa canción de amor que comenzaba con las palabras: «Más de una lágrima he llorado...». Y a Geralt le parecía que hasta los árboles se inclinaban a escuchar a aquellos dos.

Luego Ojazos, que olía a verbena, se tumbó junto a él, le apretó por el cuello, apoyó la cabeza sobre su pecho, suspiró quizá dos veces y se durmió tranquila. El brujo se quedó dormido más tarde, mucho más tarde.

Jaskier, contemplando el fuego moribundo, estuvo sentado aún más tiempo, solo, rasgueando el laúd sin hacer mucho ruido.

Comenzó con unos cuantos acordes, a partir de los cuales cristalizó una serena y elegante melodía. Los versos adecuados se formaron al mismo tiempo que la melodía, las palabras se incrustaban en la música, se quedaban en ella como si fueran insectos dentro de ámbar dorado y traslúcido.

El romance hablaba de cierto brujo y cierta poetisa. De cómo el brujo y la poetisa se conocieron a la orilla del mar, entre los chillidos de las gaviotas, cómo se enamoraron desde el primer momento. De cuán hermoso y fuerte era su amor. De que nada, ni siquiera la muerte, sería capaz de destruir aquel amor ni de separarlos.

Jaskier sabía que pocas personas creerían la historia que contaba el romance, pero no se preocupó por ello. Sabía que los romances no se escriben para que se crea en ellos, sino para emocionar.

Algunos años después, Jaskier podría haber cambiado el contenido del romance, haber escrito sobre lo que sucedió en realidad. No lo hizo. La verdadera historia no habría emocionado a nadie. ¿Quién querría escuchar que el brujo y Ojazos se separaron y no se volvieron a ver nunca más, ni una sola vez? ¿Que cuatro años más tarde Ojazos murió de viruela durante una epidemia que asoló Wyzima? ¿Que él, Jaskier, la sacó en sus brazos de entre los cadáveres quemados en las hogueras y la enterró lejos de la ciudad, en el bosque, sola y tranquila? Y junto con ella, tal y como había pedido, dos cosas: su laúd y su perla celeste. Una perla de la que nunca se separó.

No, Jaskier se quedó con la primera versión del romance. Pero y aun así jamás llegó a cantarla. Nunca. A nadie.

Al amanecer, aún en la oscuridad, hasta su campamento se arrastró un lobisome hambriento y rabioso, pero al ver que era Jaskier quien allí estaba, escuchó un momento y se fue.

La espada del destino

I

Halló el primer cadáver hacia mediodía.

La vista de los muertos casi nunca afectaba al brujo, a menudo contemplaba los cadáveres con absoluta indiferencia. Esta vez no le resultó indiferente.

El muchacho tenía unos quince años. Estaba tendido de espaldas, con las piernas muy abiertas, en los labios se le había congelado un gesto de espanto. Por ello supo Geralt que el muchacho había muerto en el acto, que no había sufrido y que con toda seguridad ni siquiera había sabido que moría. La flecha le había acertado en el ojo, se había introducido profundamente en el cráneo, hasta el occipucio. La flecha estaba emplumada con una pena de faisán con rayas amarillas. El asta de la flecha sobresalía por encima de la hierba.

Geralt miró a su alrededor, rápidamente y sin esfuerzo encontró lo que buscaba. Otra flecha, idéntica, clavada en la corteza de un pino, a unos seis pasos por detrás. Sabía lo que había pasado. El muchacho no había entendido la advertencia, escuchó el silbido y el golpe de la flecha, se había asustado y comenzado a correr en la dirección equivocada. En dirección a quien le había ordenado detenerse y retroceder inmediatamente. Un silbido vibrante, envenenado y emplumado, el seco golpe de la saeta clavándose en la madera. Ni un paso más, humano, dicen este silbido y este golpe. Vete, humano, vete ahora mismo de Brokilón. Has conquistado todo el mundo, humano, estás por todos lados, a todos lados llevas contigo eso que denominas modernidad, era del cambio, eso que denominas progreso. Pero nosotras no te queremos aquí ni a ti ni a tu progreso. No queremos los cambios que nos traes. No queremos nada de lo que nos traes. Silbido y golpe. ¡Fuera de Brokilón!

Fuera de Brokilón, pensó Geralt. Humano. No importa si tienes quince años y atraviesas el bosque aturdido por el miedo, sin poder encontrar el camino a casa. No importa si tienes setenta años y tienes que ir a por carrascas porque si no haces nada te echan de la choza y no te dan nada de comer. No importa si tienes seis años y te llaman la

192

atención las flores que azulean en un prado inundado de sol. ¡Fuera de Brokilón! Silbido y golpe.

En otros tiempos, pensó Geralt, antes de disparar a matar habrían avisado dos veces, incluso tres.

En otros tiempos, pensó, siguiendo su camino. En otros tiempos.

En fin, el progreso.

El bosque no parecía merecer la terrible fama de la que gozaba. Cierto que era extraordinariamente espeso y difícil de atravesar, pero ésta era la dificultad típica de una espesura, en la que cada rendija, cada mancha de sol que dejaban pasar los troncos y las ramas llenas de hojas de los árboles la utilizaban de inmediato para crecer decenas de tiernos abedules, alisos y ojaranzos, zarzamoras, enebros y helechos que cubrían con la densidad de sus vástagos el crujiente cenagal de las ramas carcomidas, secas, y de los podridos troncos de los árboles más viejos, de aquéllos que habían perdido la lucha, de aquéllos que habían consumido ya su tiempo. La espesura no estaba sin embargo envuelta en un amenazador y pesado silencio, algo que habría sido muy adecuado para tal lugar. No, Brokilón estaba vivo. Zumbaban los insectos, susurraban las lagartijas bajo los pies, pasaban a toda prisa irisados escarabajos, se agitaban las telas de miles de arañas, brillantes de gotas de rocío, los pájaros carpinteros martilleaban las cortezas de los árboles con secas series de golpes, graznaban los arrendajos.

Brokilón estaba vivo.

Pero el brujo no se dejaba engañar. Sabía dónde estaba. Recordaba al muchacho de la flecha en el ojo. Entre el musgo y la pinocha se veían de vez en cuando blancos huesos sobre los que corrían rojas hormigas.

Siguió andando, con precaución pero deprisa. Las huellas eran frescas. Contaba con que le iba a dar tiempo, con que podría alcanzar y hacer volverse a la gente que iba por delante de él. Se hacía ilusiones de que no era demasiado tarde.

Lo era.

No habría advertido el segundo cadáver si el sol no se hubiera reflejado en una espada corta que el muerto tenía en su mano. Se trataba de un hombre adulto. Su sencilla vestimenta de un práctico color gris le señalaba como de procedencia humilde. El traje, si no contamos las manchas de sangre que rodeaban a dos flechas clavadas en el pecho, estaba limpio y nuevo, no podía ser, por ello, ningún criado común y corriente.

Geralt miró y vio un tercer cuerpo, vestido con una chaquetilla de piel y un capote verde. La tierra alrededor de los pies del muerto estaba arañada, el musgo y la pinocha removidos hasta llegar a la arena. No cabía duda, este hombre había tardado mucho en morir.

Escuchó un gemido.

Con rapidez apartó las ramas de unos enebros, vio un profundo hueco que estaba enmascarado por ellos. En el hueco, sobre las raíces al aire de un pino, había un hombre de fuerte constitución, de negros y revueltos cabellos y parecida barba, que contrastaban con la espantosa y cadavérica palidez de su rostro. Su caftán claro de piel de ciervo estaba rojo de sangre.

El brujo saltó al hueco. El herido abrió los ojos.

—Geralt... —gimió—. Oh, dioses... Soñando debo de estar...

—¿Zywiecki? —se asombró el brujo—. ¿Tú, aquí?

—Yo... Ooooh...

—No te muevas. —Geralt se puso de rodillas junto a él—. ¿Dónde te dieron? No veo la flecha...

—Me... atravesó. Le rompí la punta y la saqué... Escucha, Geralt...

—Calla, Zywiecki, o te ahogarás con la sangre. Tienes el pulmón perforado. Rayos, tenemos que sacarte de aquí. ¿Qué diablos hacíais en Brokilón? Esto es terreno de dríadas, su santuario, de aquí no sale nadie vivo. ¿No lo sabías?

—Luego... —susurró Zywiecki y escupió sangre—. Luego te contaré... Ahora sácame de aquí... ¡Oh, mierda! Con cuidado... Ooooh...

—No puedo. —Geralt se irguió, miró—. Eres demasiado pesado...

—Déjame —tartajeó el herido—. Déjame, que le vamos a hacer... Pero sálvala a ella... Por los dioses, sálvala...

—¿A quién?

—A la princesa... Oooh... Encuéntrala, Geralt.

—¡Diablos, estate quieto! Voy a preparar algo y te sacaré de aquí.

Zywiecki tosió con fuerza y de nuevo escupió, una densa, larga línea de sangre le colgó de la barba. El brujo blasfemó, salió del hueco, miró a su alrededor. Necesitaba dos árboles jóvenes. Se dirigió rápido hacia el borde del campo donde había visto un soto de alisos.

Silbido y golpe.

Geralt se quedó quieto en el sitio. La flecha clavada en el tronco a la altura de su cabeza portaba una pluma de azor. Miró en la dirección que señalaba la varilla de fresno, vio desde dónde habían disparado. A unos cincuenta pasos había otro hueco, un árbol derribado, las retorcidas raíces surgiendo hacia arriba, todavía apretando en su abrazo una enorme masa de tierra arenosa. Crecían allí densas las endrinas y los troncos de oscuros abedules rayados con listas de color más claro. No veía a nadie. Sabía que no lo vería.

Alzó los dos brazos, muy despacio.

—¡Ceádmil! ¡Vá an Eithné meáth e Duén Canell! ¡Esseá Gwynbleidd!

Esta vez escuchó el suave chasquido de la cuerda del arco y vio la flecha, lanzada de forma que pudiera verla. Abruptamente hacia arriba. Vio cómo volaba, cómo quebraba el vuelo, cómo caía en curva. No se movió. La flecha se clavó en el musgo casi vertical, a dos pasos de él. Casi inmediatamente, otra se hincó junto a ella, en el mismo lugar. Temía que la siguiente ya no pudiera verla.

—¡Meáth Eithné! —gritó de nuevo—. ¡Esseá Gwynbleidd!

—¡Glaéddyv vort! —Una voz como un soplo de viento. Una voz, no una flecha. Vivía. Poco a poco deshebilló el cinturón, mantuvo la espada lejos de sí, la arrojó. Una segunda dríada salió sin hacer ruido de un tronco de abeto rodeado de enebros, a menos de diez pasos de él. Aunque era pequeña y muy delgada, el tronco parecía más fino que ella. No tenía ni idea de cómo había podido no percatarse de su presencia cuando se había acercado. Puede que la hubieran enmascarado sus ropas, una combinación de pedazos de tela extrañamente cosidos, de muchísimos tonos verdes y bronces, cubiertos de hojas y cachitos de corteza, que no impedían entrever su hermosa figura. Sus cabellos, atados a la frente con un pañuelo negro, eran de color oliváceo y el rostro lo cruzaban rayas pintadas con cáscaras de nueces.

Por supuesto, tenía el arco en tensión y lo dirigía hacia él.

—Eithné... —comenzó Geralt.

—¡Tháess aep!

Se calló, obediente, de pie, sin moverse, con las manos lejos del cuerpo. La dríada no bajó el arco.

—¡Dunca! —gritó—. ¡Braenn! ¡Caemm vort!

La que había disparado antes surgió de su escondrijo, trepó por el tronco caído, saltando hábilmente el hueco. Aunque había allí una pila de ramas secas, no escuchó que ni siquiera una crujiera bajo los pies de la dríada. Detrás de él, cerca, escuchó un ligerísimo murmullo, algo así como el susurro de hojas al viento. Supo que la tercera estaba a sus espaldas.

Fue justamente esta tercera, desplazándose como un relámpago hacia delante, la que tomó su espada. Tenía los cabellos del color de la miel, sujetos con una cinta de junco. Una aljaba llena de flechas se balanceaba en su espalda.

La más lejana, la del escondrijo, se acercó con presteza. Su traje no se diferenciaba en nada del de sus compañeras. En sus cabellos canos llevaba una guirnalda trenzada de tréboles y brezo. Sujetaba el arco, sin tensarlo, pero la flecha estaba en la cuerda.

—¿T'en thesse in meáth aep Eithné llev? —preguntó, acercándose. Tenía la voz excepcionalmente melodiosa, los ojos grandes y negros—. ¿Ess' Gwynbleidd?

—A... aesseá... —comenzó, pero las palabras del dialecto de Brokilón, que sonaban como música en boca de la dríada, a él se le atragantaban en la garganta y le irritaban los labios—. ¿Alguna de vosotras habla la lengua común? No sé bien...

—An'váill. Vort llinge —cortó.

—Soy Gwynbleidd, el Lobo Blanco. Doña Eithné me conoce. Voy a verla con un mensaje. Ya he estado antes en Brokilón. En Duén Canell.

—Gwynbleidd. —La cana entrecerró los ojos—. ¿Vatt'ghern?

—Sí —confirmó—. Brujo.

La olivácea resopló con furia, pero bajó el arco. La cana le miró con unos ojos completamente abiertos y su rostro marcado con bandas verdes estaba completamente inmóvil, muerto, como el rostro de una estatua. Esta inmovilidad no permitía clasificar su rostro como hermoso o feo, en lugar de tal clasificación surgían pensamientos de indiferencia e insensibilidad, cuando no de crueldad. Geralt se regañó a sí mismo por esta idea: se había sorprendido en una equivocada humanización de la dríada. Al fin y al cabo debía saber que, simplemente, era mayor que las otras dos. Pese a las apariencias, era mayor, mucho mayor que ellas.

Hubo un silencio indeciso. Geralt escuchó cómo Zywiecki gemía, se lamentaba y tosía. La cana también debía de haberlo escuchado, pero su rostro no se había ni agitado. El brujo apoyó las manos en las caderas.

—Allí, en el hueco aquél —dijo con serenidad—, hay un herido. Si no se le presta ayuda, morirá.

—¡Tháess aep! —La olivácea tensó el arco, apuntó la punta de la saeta directamente a su rostro.

—¿Le dejaréis reventar a solas? —dijo sin alzar la voz—. ¿Permitiréis así, simplemente, que se desangre poco a poco? En ese caso sería mejor acabar con él.

—¡Cierra el pico! —aulló la dríada pasando a la lengua común. Pero bajó el arco y soltó la tensión de la cuerda. Miró interrogante hacia la segunda. La cana afirmó con la cabeza, señaló al hueco. La olivácea corrió, rápida y silenciosa.

—Quiero ver a doña Eithné —repitió Geralt—. Traigo un mensaje...

—Ella —la cana señaló a la de color miel— te conducirá a Duén Canell. Ve.

—Zywi... ¿Y el herido?

La dríada le miró, entrecerrando los ojos. Todavía jugueteaba con la flecha que estaba en la cuerda.

—No te preocupes —dijo—. Vete. Ella te llevará hasta allí.

—Pero...

—¡Va'en vort! —cortó, apretando los labios.

Se encogió de hombros, se volvió hacia la de los cabellos color de miel. Parecía la más joven de todas, pero podía equivocarse. Se dio cuenta de que tenía los ojos azules.

—Vayamos entonces.

196

—Venga —dijo bajito la de color de miel. Al cabo de un corto instante de indecisión le devolvió la espada—. Vamos.

—¿Cómo te llamas? —preguntó Geralt.

—Cierra el pico.

Anduvo por la espesura muy deprisa, sin mirar a ningún lado. Geralt tuvo que esforzarse mucho para poder seguirla. Sabía que la dríada lo hacía conscientemente, sabía que quería que el humano que iba tras ella se quedara atascado en la maleza con un gemido, que cayera al suelo agotado, incapaz de seguir adelante. Por supuesto, no sabía que se las estaba habiendo con un brujo, no con un ser humano. Era demasiado joven para saber lo que era un brujo.

La muchacha —Geralt sabía ya que no era una dríada de pura sangre— se detuvo de pronto, volvió la cabeza. Él vio que sus pechos ondulaban violentamente bajo su jubón de terciopelo, que sólo con mucho esfuerzo conseguía evitar respirar por la boca.

—¿Reducimos el paso? —propuso él con una sonrisa.

—Yeá. —Le miró con disgusto—. ¿Aeén esseáth Sidh?

—No, no soy un elfo. ¿Cómo te llamas?

—Braenn —respondió, reemprendiendo la marcha, pero ahora a paso más lento, sin intentar adelantarlo. Siguieron andando el uno junto al otro, cerca. Geralt percibió el olor de su sudor, el sudor común y corriente de una muchacha joven. El sudor de las dríadas tenía el perfume de hojas de sauce deshechas en las manos.

—¿Y cómo te llamabas antes?

Le miró, los labios se le apretaron, pensó que se enfurecería o que le mandaría callar. No lo hizo.

—No me acuerdo —dijo, indecisa. Él no creía que hubiera dicho la verdad.

No parecía tener más de dieciséis años, y no podía llevar en Brokilón más de seis o siete. Si hubiera venido aquí antes, como niña muy pequeña o como recién nacida, ya no reconocería en ella al ser humano. Sus ojos azules y sus cabellos de natural claros se daban también entre las dríadas. Los hijos de las dríadas, concebidos en contactos celebrados con elfos o humanos, tomaban características orgánicas únicamente de sus madres y únicamente nacían niñas. Muy pocas veces, y por lo general de una generación a otra, nacía alguna niña de ojos o cabellos provenientes del anónimo protoplasma masculino. Pero Geralt estaba seguro de que Braenn no tenía ni una gota de sangre de dríada. Esto, en cualquier caso, no significaba nada. Sangre o no, ahora era una dríada.

—¿Y a ti —le lanzó una mirada sesgada— cómo hay que llamarte?

—Gwynbleidd.

Inclinó la cabeza.

—Sigamos entonces... Gwynbleidd.

Siguieron más lentos que antes pero todavía deprisa. Braenn, por supuesto, conocía Brokilón. Si hubiera estado solo, Geralt no habría podido mantener ni el tempo ni la dirección correcta. Braenn se introducía por sinuosos senderos enmascarados entre barreras de matorrales, cruzaba barrancos corriendo hábilmente sobre árboles caídos como si fueran puentes, chapoteaba atrevida por brillantes cenagales, verdes de lentejas de río, en los que el brujo no se habría atrevido a introducirse y habría perdido horas, cuando no días, para rodearlos.

No sólo de la ferocidad del bosque le protegía la presencia de Braenn. Había lugares en los que la dríada reducía el paso, seguía con mucho cuidado, tanteando con el pie el sendero y llevándole a él de la mano. Sabía por qué. Las trampas de Brokilón eran legendarias: se hablaba de hoyos llenos de palitos afilados, de flechas autodisparadas, de árboles que caían, del terrible «erizo», unas bolas con pinchos en una cuerda imperceptible que barrían el sendero. Había también lugares en los que Braenn se detenía y silbaba melodiosamente y de entre la broza le respondían silbidos. Había también lugares en los que se paraba con la mano aferrando una flecha de la aljaba, le ordenaba guardar silencio y esperaba en tensión hasta que algo, que producía crujidos entre la espesura, se alejaba.

Pese a su rápida marcha, tuvieron que detenerse a pernoctar. Braenn eligió el lugar sin equivocarse. Un montecillo al que la diferencia de temperatura barría con ráfagas de aire templado. Durmieron sobre unos helechos secos, muy juntos, una costumbre de las dríadas. A mitad de la noche Braenn lo abrazó, se apretó fuertemente. Y nada más. Él la rodeó con sus brazos. Y nada más. Era una dríada. Se trataba sólo de calor.

Al amanecer, casi de noche todavía, siguieron su camino.

II

Cruzaban un cinturón de colinas pobladas por escasos árboles, atravesando rañas llenas de niebla, yendo por espaciosos campos de altas hierbas, por campos donde yacían árboles derribados por el viento.

Braenn se detuvo de nuevo, miró a su alrededor. Daba la sensación de que se había perdido, pero Geralt sabía que eso no era posible. Aprovechándose de la pausa, se sentó sobre un tronco caído.

Y entonces escuchó un grito. Agudo. Alto. Desesperado.

Braenn se arrodilló inmediatamente, sacó dos flechas al mismo tiempo del carcaj. Una la sujetó con los dientes, otra la prendió en la cuerda, tensó el arco, apuntando a ciegas, a través de los arbustos, a la voz.

—¡No dispares! —gritó él.

Saltó el tronco, se introdujo por entre la broza.

En un prado no muy grande a los pies de un precipicio había un pequeño ser vestido con un jubón gris, apretando sus espaldas contra el tronco seco de un ojaranzo. Delante de él, a unos cinco pasos, algo se movía despacio, aplastando la hierba. Ese algo tenía como dos brazas de longitud y era de color marrón oscuro. En el primer momento Geralt pensó que era una serpiente. Pero al mirar los piececillos amarillentos, ágiles, como ganchos, y los planos segmentos del largo torso, se dio cuenta de que no era una serpiente. Era algo mucho peor.

El ser apoyado en el tronco lanzó un agudo chillido. El enorme miriápodo alzó por encima de la hierba unos tentáculos temblorosos con los que capturaba el calor y los olores.

—¡No te muevas! —gritó el brujo, y pataleó para desviar hacia él la atención del escolopendromorfo. Pero el miriápodo no reaccionó, sus tentáculos habían percibido ya el olor de una víctima más cercana. El monstruo movió sus patas, se dobló en forma de ese y se lanzó hacia adelante. Sus zarpas de chillón color amarillo centelleaban entre la hierba, regularmente, como los remos de una galera.

—¡Yghern! —gritó Braenn.

Geralt se plantó en el prado en dos saltos, extrayendo mientras corría la espada de la vaina a sus espaldas. Del mismo impulso, con las caderas, golpeó al pequeño ser, que estaba petrificado delante del árbol, arrojándolo a un lado, entre las zarzas. El escolopendromorfo hizo recrujir la hierba al pisarla, extendió las patas y se tiró sobre él, alzando los segmentos anteriores y haciendo sonar las tenazas cargadas de veneno. Geralt inició su baile, saltó sobre el plano cuerpo y en media vuelta dio un tajo con la espada, intentando acertar en un lugar blando, entre las placas acorazadas de los tentáculos. El monstruo era, sin embargo, demasiado rápido, la espada dio en la coraza quitinosa, sin atravesarla: una gruesa alfombra de musgo amortiguó el golpe. Geralt saltó, pero no lo suficientemente deprisa. El escolopendromorfo enrolló la parte trasera de su cuerpo alrededor de su pie, con una fuerza monstruosa. El brujo cayó, se dobló e intentó liberarse. Sin resultado.

El miriápodo se arqueó y se dio la vuelta para alcanzarle con las tenazas, arañó violentamente con sus garras en el árbol, aferrándose a él. En aquel momento silbó un disparo sobre la cabeza de Geralt, la flecha atravesó con un chasquido la coraza, clavando el monstruo al tronco. El miriápodo se dobló, rompió la flecha y se liberó, pero inmediatamente le traspasaron dos nuevos proyectiles. El brujo apartó de una patada el abdomen, se echó hacia un lado.

Braenn, de rodillas, disparaba con el arco a una velocidad increíble, clavando en el escolopendromorfo flecha tras flecha. El miriápodo rompía las flechas y se liberaba, pero el siguiente proyectil le cosía de nuevo al árbol. La cabeza plana y reluciente de color rojo oscuro del monstruo chasqueó, cliqueteó con sus tenazas en los lugares donde las puntas le habían acertado, intentaba furioso alcanzar al enemigo que lo estaba hiriendo.

Geralt saltó a un lado y cortó con la espada en un amplio tajo, terminando la lucha de un solo golpe. El árbol sirvió de tronco del verdugo.

Braenn se acercó lentamente, con el arco tensionado, dio una patada al cuerpo que se retorcía entre la hierba, agitando sus piececillos, le escupió.

—Gracias —dijo el brujo mientras aplastaba la cabeza del miriápodo con un golpe de tacón.

—¿Eh?

—Me has salvado la vida.

La dríada le miró. No había en su mirada ni emociones ni comprensión.

—Yghern —dijo, pisando con su bota el cuerpo que aún se retorcía—. Mis flechas todas rompió.

—Has salvado mi vida y la de esa pequeña dríada —repitió Geralt—. Por la sangre de perro, ¿dónde está?

Braenn retiró ágilmente las ramas de la zarza, introdujo el brazo entre los tallos espinosos.

—Como pensaba —dijo, sacando al pequeño ser del jubón gris de entre las matas—. Mira tú mismo, Gwynbleidd.

No era una dríada. No era tampoco un elfo, ni una sílfide, ni un puck, ni un mediano. Era una muchacha humana de lo más común y corriente. En el centro de Brokilón, el lugar menos común y corriente para muchachas humanas comunes y corrientes.

Tenía los cabellos rubios, cenicientos y enormes ojos de un verde ponzoñoso. No podía tener más de diez años.

—¿Quién eres? —preguntó—. ¿De dónde has salido?

No respondió. Dónde la he visto antes, pensó Geralt. Ya la he visto antes. O a alguien muy parecido.

—No tengas miedo —dijo, inseguro.

—No tengo miedo —refunfuñó ella, apenas inteligible. Estaba visiblemente constipada.

—Hagamos mutis —habló de pronto Braenn, mirando alrededor—. Donde hay un yghern, habrá seguro otro. Y yo ya pocas flechas tengo.

La niña la miró, abrió los labios, se frotó la boca con la palma de la mano, quitándose el polvo.

—¿Quién diablos eres? —repitió Geralt, inclinándose—. ¿Qué haces en... en este bosque? ¿Cómo has llegado aquí?

La muchacha bajó la cabeza y se sorbió las acatarradas narices.

—¿Te has quedado sorda? ¿Quién eres, pregunto? ¿Cómo te llamas?

—Ciri. —Se sorbió los mocos.

Geralt se dio la vuelta. Braenn, mirando el arco, le dirigió una mirada rápida.

—Dime, Braenn...

—¿Qué?

—¿Es posible... es posible que ella... se os haya escapado de Duén Canell?

—¿Eh?

—No te hagas la tonta —se enfureció—. Sé que raptáis niñas. ¿Y tú qué? ¿Acaso te has caído del cielo? Pregunto si es posible que...

—No —le cortó la dríada—. Jamás la tuve ante mis ojos.

Geralt contempló a la muchacha. Sus cabellos cenicientos estaban desgreñados, llenos de agujas de pino y de hojas, pero olían a limpio, no a humo, ni a establo, ni a grasa. Las manos, aunque increíblemente sucias, eran pequeñas y delicadas, sin cicatrices ni durezas. Las ropas de muchacho que portaba, el jubón con una caperucita roja, no permitían adivinar nada especial, pero los botines altos estaban hechos de blanda y cara piel de cordero. No, con seguridad no se trataba de una niña de pueblo. Zywiecki, pensó de pronto el brujo. Zywiecki la estaba buscando. Por ella había entrado en Brokilón.

—¿De dónde eres, pregunto, mocosa?

—¡Cómo te atreves a hablarme así! —La muchacha echó la cabeza hacia atrás con orgullo y dio una fuerte patada al suelo. La blandura del musgo rompió el efecto de la patada.

—Ja —dijo el brujo y sonrió—. Una verdadera princesita. Por lo menos por el habla, que por el aspecto una villana. Eres de Verden, ¿no es cierto? ¿Sabes que te buscan? No te preocupes, te llevaré a casa. Escucha, Braenn...

En cuanto volvió la cabeza, la niña se dio la vuelta sobre sus talones y echó a correr por el bosque, subiendo la suave pendiente de la colina.

—¡Bloede turd! —gritó la dríada, echando mano a la aljaba—. ¡Caemm 'ere!

La muchacha, tropezándose, se arrastraba a ciegas por el bosque, haciendo crepitar la ramas secas.

—¡Quieta! —gritó Geralt—. ¡Adónde vas, diablos!

Braenn tensó el arco rápidamente. La flecha silbó venenosamente, volando en una parábola muy abierta, la punta se clavó con un chasquido en un tronco, apenas rozando los cabellos de la muchacha. La pequeña se encogió y cayó a tierra.

—Idiota de mierda —gruñó el brujo, acercándose a la dríada. Hábilmente, Braenn sacó de la aljaba la siguiente flecha—. ¡Podías haberla matado!

—Esto es Brokilón —dijo con dureza.

—¡Y esto es una niña!

—¿Y qué?

Miró el asta de la flecha. Había en ella una pluma rayada del penacho de un faisán, teñida de amarillo en un cocimiento de cortezas. No dijo ni palabra. Se dio la vuelta y corrió por el bosque a toda velocidad.

La muchacha estaba tendida debajo de un árbol, hecha un ovillo, alzando la cabeza con cuidado y mirando la flecha clavada en el tronco. Escuchó sus pasos y se incorporó, pero él la alcanzó en un corto salto, la aferró por la caperucilla roja del jubón. Ella volvió la cabeza y le miró, luego a la mano que sujetaba la caperucita. Él la soltó.

—¿Por qué has huido?

—No te importa. —Se sorbió los mocos—. Déjame en paz, tú... tú...

—Cría estúpida —gritó él con rabia—. Esto es Brokilón. ¿Te supo a poco el miriápodo? Sola no sobrevivirías en este bosque hasta mañana. ¿Todavía no lo has entendido?

—¡No me toques! —se enfadó—. ¡Lacayo! ¡Soy una princesa, qué te has creído!

—Eres una mocosa tonta.

—¡Soy una princesa!

—Las princesas no andurrean solas por el bosque. Las princesas tienen las narices limpias.

—¡Mandaré que te corten la cabeza! ¡Y a ella también! —La muchacha se limpió la nariz con la mano y miró con odio a la dríada que se estaba acercando. Braenn soltó una carcajada.

—Bien, vale, ya basta de tanto grito —cortó el brujo—. ¿Por qué huías, princesa? ¿Y adónde? ¿Por qué te asustaste?

Guardó silencio, sorbió la nariz.

—Bueno, como quieras —murmuró Geralt a la dríada—. Nosotros nos vamos. Si quieres quedarte sola en el bosque es tu problema. Pero otra vez, si te atrapa un yghern, no grites. Eso no es propio de una princesa. Las princesas mueren sin dar un chillido, y antes se limpian las narices. Vámonos, Braenn. Adiós, alteza.

—Es... espera.

—¿Sí?

—Voy con vosotros.

—Es un gran honor para nosotros. ¿No es cierto, Braenn?

—¿Pero no me llevarás de nuevo a Kistrin? ¿Lo prometes?

—¿Quién es ése...? —comenzó—. Ah, joder. Kistrin. ¿El príncipe Kistrin? ¿El hijo del rey Ervyll de Verden?

La muchacha hizo un mohín con sus pequeños labios, sorbió los mocos y volvió la cabeza.

—Basta de juegos —dijo Braenn sombría—. Vayamos.

—Espera, espera. —El brujo se enderezó y miró a la dríada desde arriba—. Los planes han sufrido un pequeño cambio, mi hermosa arquera.

—¿Eh? —Braenn alzó las cejas.

—Doña Eithné habrá de esperar. He de conducir a esta pequeña a su casa. A Verden.

La dríada entrecerró los ojos y echó mano a la aljaba.

—A lugar ninguno irás. Ni ella.

El brujo exhibió una siniestra sonrisa.

—Cuidado, Braenn —dijo—. No soy el rapaz al que ayer le metiste una flecha en el ojo en la emboscada. Yo sé defenderme.

—¡Bloede arss! —susurró, alzando el arco—. ¡A Duén Canell irás, como ella! ¡A Verden no!

—¡No! ¡A Verden no! —La mozuela de cabellos cenicientos se echó sobre la dríada, se apretó a su delgado muslo—. ¡Me voy contigo! ¡Y que él se vaya a Verden si quiere, a ver al tonto de Kistrin!

Braenn ni siquiera la miró, no apartó el ojo de Geralt. Pero bajó el arco.

—¡Ess turd! —le escupió a los pies—. ¡Ve! ¡Ve adonde los ojos te lleven! Veremos si capaz eres. Te habrás de pudrir antes de que de Brokilón salgas.

Tiene razón, pensó Geralt. No tengo ni una posibilidad. Sin ella ni saldría de Brokilón, ni llegaría a Duén Canell. Qué le vamos a hacer, ya veremos. Quizá pueda persuadir a Eithné...

La dríada murmuró algo por lo bajo, quitó la flecha del arco.

—En camino entonces —dijo, colocándose la cinta del pelo—. Suficiente tiempo se ha ido ya.

—Ayyy... —gimió la muchacha, dando un paso.

—¿Qué sucede?

—Algo me ha pasado... junto al pie.

—¡Espera, Braenn! Ven, mocosa, te llevaré a hombros.

Su cuerpo estaba templado y olía a gorrión mojado.

—¿Cómo te llamas, princesa? Lo he olvidado...

—Ciri.

—¿Y tus posesiones dónde están, si se puede preguntar?

—No te lo digo —murmuró—. No te lo digo y ya está.

—Me sobrepondré. No te menees y no te suenes los mocos en mis oídos. ¿Qué hacías en Brokilón? ¿Te perdiste? ¿Equivocaste el camino?

—¡Ni hablar! Yo nunca me equivoco.

—No te menees tanto. ¿Te escapaste de Kistrin? ¿Del castillo de Nastrog? ¿Antes o después de la boda?

—¿Cómo lo sabes? —Sorbió las narices, nerviosa.

—Soy increíblemente inteligente. ¿Por qué huiste hacia Brokilón? ¿No había direcciones más seguras?

—El tonto del caballo me metió aquí.

—Mientes, princesa. Con tu altura podrías cabalgar como mucho en un gato. Y eso, en uno tranquilo.

—Marck lo llevaba. El paje del caballero Voymir. Y en el bosque el caballo se cayó y se rompió una pata. Y nos perdimos.

—Has dicho que eso no te pasa nunca.

—Él se equivocó, no yo. Había niebla. Y nos perdimos.

Os perdisteis, pensó Geralt. Pobre paje del caballero Voymir, que tuvo la mala suerte de encontrarse con Braenn y sus compañeras. El rapazuelo, que no sabía siquiera lo que era una mujer, ayuda a escapar a una mocosa de ojos verdes porque había oído demasiadas historias de caballeros sobre muchachas a las que obligaban a casarse. La ayuda a escapar sólo para caer bajo la flecha de una dríada de pega que seguro que ni siquiera sabe lo que es un hombre. Pero que ya sabe matar.

—He preguntado que si te escapaste del castillo de Nastrog antes de la boda o después.

—Me escapé y eso es todo, a ti qué te importa —refunfuñó—. La abuela dijo que tengo que ir allí y conocerlo. A ese Kistrin. Sólo conocerlo. Y ese padre suyo, ese rey barrigudo...

—Ervyll.

—... de inmediato boda y boda. Y yo no lo quiero. A ese Kistrin. La abuela dijo...

—¿Tanto asco te da el príncipe Kistrin?

—No lo quiero —afirmó Ciri con orgullo y sorbiendo las narices con una fuerza que parecía música—. Está gordo, es tonto y feo, le huele el aliento. Antes de que fuera allí me habían enseñado una miniatura y en la imagen no estaba gordo. No quiero un marido así. De hecho, no quiero marido alguno.

—Ciri —dijo el brujo vacilante—. Kistrin es todavía un niño, como tú. En un par de años puede que salga de él un guapo jovencito.

—Entonces que me mande otro retrato dentro de un par de años —resopló—. Y a él también. Porque me dijo que en el retrato que le mostraron yo era mucho más guapa. Y admitió que ama a Alvina, dama de la corte, y que quiere ser su caballero. ¿Ves? Él no me quiere y yo no le quiero. Entonces, ¿para qué esa boda?

—Ciri —murmuró el brujo—. Él es un príncipe y tú una princesa. Los príncipes y las princesas se casan así, no de otro modo. Tal es la costumbre.

—Hablas como todos. Piensas que porque soy pequeña se me puede mentir.

—No miento.

—Mientes.

Geralt calló. Braenn, que iba por delante de ellos, les miró ligeramente asombrada por el silencio. Encogiéndose de hombros, reanudó la marcha.

—¿Adónde vamos? —preguntó Ciri triste—. ¡Quiero saberlo!

Geralt guardó silencio.

—¡Contesta cuando se te pregunta! —dijo amenazadora, reforzando su orden con un sonoro sorbido de mocos—. ¿Acaso sabes quién está... quién está sentada encima de ti?

Él no reaccionó.

—¡Que te muerdo la oreja! —gritó Ciri.

El brujo estaba harto. Bajó a la muchacha de sus hombros y la dejó en tierra.

—Escucha tú, mocosa —dijo con brusquedad, agarrándose la hebilla del cinturón—. Ahora mismo te pongo sobre mis rodillas, te bajo las enaguas y te doy en el culo con el cinto. Nadie me lo va a impedir porque esto no es el palacio real y yo no soy tu cortesano ni tu servidor. Ahora vas a lamentar el no haberte quedado en Nastrog. Ahora vas a comprobar que es mejor ser princesa que una mocosa perdida en el bosque. Porque las princesas, en general, son libres de comportarse mal. A las princesas, incluso en tal caso, nadie les va a dar en el culo con el cinto, como mucho el propio rey, en persona.

Ciri se encogió y sorbió la nariz unas cuantas veces. Braenn, apoyada en un árbol, les miraba impasible.

—Bueno, ¿y qué? —preguntó el brujo mientras se enrollaba el cinturón alrededor del puño—. ¿Nos vamos a comportar adecuadamente y con moderación? Si no, nos dispondremos a zurrarle la badana al trasero de vuestra alteza. ¿De acuerdo? ¿Sí o no?

La muchacha sollozó y se sorbió los mocos, después de lo cual afirmó con un apresurado ademán de cabeza.

—¿Vas a ser obediente, princesa?

—Voy a serlo —refunfuñó.

—Pronto la noche caerá —interpuso la dríada—. Hagamos por irnos, Gwynbleidd.

El bosque se aclaró. Anduvieron por entre árboles nuevos que crecían en arenales, por entre brezales, por praderas sumidas en la niebla en las que pastaban manadas de ciervos. Hacía más frío.

—Noble señor... —habló Ciri después de un largo, largo silencio.

—Me llamo Geralt. ¿Qué pasa?

—Estoy terríblemente hambrienta.

—Dentro de poco nos detendremos. Pronto anochecerá.

—No aguantaré —sollozó—. No he comido nada desde...

—No hables tanto. —Echó mano a la alforja, sacó un pedazo de tocino, una pequeña loncha de queso y dos manzanas—. Aquí tienes.

—¿Qué es esto amarillo?

—Tocino.

—Eso no me lo como —resopló.

—Estupendo —farfulló él mientras se metía el tocino en la boca—. Cómete el queso. Y una manzana. Una.

—¿Por qué una?

—No te menees tanto. Cómete las dos.

—¿Geralt?

—¿Mmm?

—Gracias.

—No hay de qué. Que te sea de buen provecho.

—Yo no... No por esto. Por esto también, pero... Me salvaste del ciempiés... Brrr... Por poco no me muero de miedo...

—Por poco no moriste —afirmó él con seriedad. Por poco no moriste de una forma extraordinariamente dolorosa y horrible, pensó—. Y has de agradecérselo a Braenn.

—¿Qué es ella?

—Una dríada.

—¿Una rariesposa?

—Sí.

—Ella nos... ¡Ellas raptan niños! ¿Ella nos ha raptado? Eeeh, pero tú no eres un niño. ¿Y por qué habla tan raro?

—Habla como habla, eso no importa. Lo importante es cómo dispara. No olvides agradecérselo cuando nos detengamos.

—No me olvidaré —mocoseó.

—No te menees, futura princesa de Verden.

—No voy a ser princesa alguna —resopló.

—Vale, vale. No serás princesa. Serás un hámster y vivirás en una madriguera.

—¡No es verdad! ¡Tú no sabes nada!

—No me chilles en el oído. ¡Y no te olvides del cinto!

—No seré princesa. Seré...

—¿Y? ¿Qué?

—Es un secreto.

—Ah, sí, un secreto. Estupendo —alzó la cabeza—. ¿Qué pasa, Braenn?

La dríada, deteniéndose, se encogió de hombros, miró al cielo.

—Me fatigué —dijo suavemente—. Y tú a no dudarlo te fatigaste también, portándola a ella, Gwynbleidd. Aquí nos detendremos. La oscuridad se acerca.

III

—¿Ciri?

—¿Mmm? —La muchacha se sorbió la nariz, hizo crujir las ramas sobre las que yacía.

—¿No tienes frío?

—No —suspiró—. Hoy me siento caliente. Ayer... Ayer pasé un terríbile frío, ay.

—Raro —dijo Braenn mientras desataba las correas de sus largas y blandas botas—. Tal rapacilla y tanta distancia del bosque pudo andar. Y las avanzadillas cruzó, y los lodazales, y las espesuras. Forta, sana y brava. A decir verdad es valedera... Nos es valedera.

Geralt echó un rápido vistazo a la dríada, a sus ojos que brillaban en la semioscuridad. Braenn apoyó la espalda en un árbol, se quitó la cinta, dejó sueltos los cabellos con un movimiento de cabeza.

—Entró a Brokilón —murmuró, anticipando el comentario—. Es nuestra, Gwynbleidd. Vamos a Duén Canell.

—Doña Eithné decidirá —respondió acre. Pero sabía que Braenn tenía razón.

Una pena, pensó, mirando a la muchacha que se removía en el verde lecho. Una duendecilla tan resoluta. ¿Dónde la he visto yo antes? No importa. Pero es una pena. El mundo es tan grande y tan hermoso. Y su mundo va a ser Brokilón hasta el fin de sus días. Que puede que no sean muchos. Puede que sólo hasta el día en que caiga sobre los helechos, entre un griterío, entre el silbido de las flechas, luchando en una guerra sin sentido por un bosque, luchando del lado de aquéllas que habrán de perder. Que perderán. Antes o después.

—¿Ciri?

—¿Ajá?

—¿Dónde viven tus padres?

—No tengo padres —respiró con fuerza—. Se ahogaron en el mar cuando era pequeñita.

Sí, pensó, esto aclara muchas cosas. Una princesa, hija de una pareja de príncipes que no viven. Quién sabe si no es la tercera muchacha después de tres niños. Un título que en la práctica significa menos que el de chambelán o el de caballerizo mayor. Un algo de cabellos cenicientos y ojos verdes que andurrea por el castillo y hay que desprenderse de él cuanto antes, casarlo. Cuanto antes, antes de que madure y se convierta en una pequeña mujer, amenaza de un escándalo, de un lío con alguien más bajo o de incesto, algo no muy difícil en las alcobas comunes de los castillos.

Su huida no asombraba al brujo. Había conocido ya muchas veces a princesas, e incluso infantas, que corrían por el mundo en compañías de cómicos de la legua, felices de haber podido escapar de vástagos reales decrépitos pero aún llenos de lujuria. Había visto a príncipes que preferían la suerte arriesgada del mercenario antes que la infanta coja o picada de viruelas escogida por el padre, cuya reseca o dudosa virginidad había de ser el precio de alianzas y pactos dinásticos.

Se tendió junto a la muchacha, la cubrió con su gabán.

—Duerme —dijo—. Duerme, pequeña huérfana.

—¡Justo eso! —se enfureció—. Soy una princesa, y no una huérfana. Y tengo abuela. Mi abuela es una reina, no te creas. Como le diga que me querías dar con el cinto, mi abuela ordenará que te corten la cabeza, ya verás.

—¡Terrible! ¡Ciri, ten piedad!

—¡Justo eso!

—Pero tú eres una niña buena. El corte de cabeza duele muchísimo. ¿Verdad que no dirás nada?

—Lo diré.

—Ciri.

—¡Lo diré, lo diré, lo diré! Tienes miedo, ¿eh?

—Terrible. Sabes, Ciri, si a una persona le cortan la cabeza puede morir de ello.

—¿Te ríes de mí?

—Pero qué va.

—Se te va a secar la sonrisa, ya verás. No hay bromas con mi abuela, si da una patada, los mayores guerreros y caballeros se ponen de rodillas ante ella, yo misma lo he visto. Y si alguno es desobediente, entonces, zas, y sin cabeza.

—Terrible. ¿Ciri?

—¿Eh?

—Creo que te van a cortar la cabeza.

—¿A mí?

—Por supuesto. Pues fue tu abuelita reina la que preparó ese matrimonio con Kistrin y la que te envió a ti a Verden, a Nastrog. Has sido desobediente. En cuanto vuelvas... ¡Zas! Y sin cabeza.

La muchacha se calló, dejó incluso de moverse. Geralt escuchó cómo chasqueaba la boca, mordiéndose los labios inferiores y cómo respiraba por la congestionada nariz.

—No es verdad —dijo—. La abuela no va a permitir que me corten la cabeza porque... porque es mi abuela, ¿o no? Eeeh, como mucho me darán...

—Ajá. —Geralt sonrió—. ¿Así que con la abuela no hay bromas? El palo ya ha entrado en funcionamiento alguna que otra vez, ¿eh?

Ciri rebufó con rabia.

—¿Sabes qué? —dijo él—. Le diremos a tu abuela que yo ya te di una somanta, y que no se puede castigar dos veces por la misma culpa. ¿Trato hecho?

—¡Pero mira que eres tonto! —Ciri alzó los brazos, rozando las ramas—. ¡Si la abuela oye que me pegaste, entonces te cortará la cabeza como si nada!

—¿Así que al fin y al cabo te importa mi cabeza?

La muchacha se calló, sorbió las narices de nuevo.

—Geralt...

—¿Qué, Ciri?

—La abuela sabe que tengo que volver. No puedo ser ninguna princesa, ni mujer de ese tonto de Kistrin. Tengo que volver y ya está.

Tienes, pensó. Por desgracia eso no depende de ti ni de tu abuela. Depende del humor de la vieja Eithné. Y de mis habilidades para convencerla.

—La abuela lo sabe —siguió Ciri—. Porque yo... Geralt, jura que no se lo dirás a nadie. Es un secreto tremendo. Terríbile, te digo. Júralo.

—Lo juro.

—Entonces te lo diré. Mi mamá era hechicera, no te creas. Y mi papá también estuvo hechizado. Todo esto me lo contó un aya, y cuando la abuela se enteró, montó un escándalo. Porque yo estoy predestinada, ¿sabes?

—¿A qué?

—No lo sé —dijo con orgullo—. Pero estoy predestinada. Así me dijo el aya. Y la abuela dijo que no lo permitiría, que antes todo el joli.. jondido castillo se hundiría. ¿Entiendes? Y el aya le dijo que contra el destino se puede hacer lo que se quiera, pero no sirve de nada. ¡Ja! Y luego el aya se puso a llorar, y la abuela a gritar. ¿Ves? Estoy predestinada. No seré la mujer de ningún tonto Kistrin. ¿Geralt?

—Duerme. —Él bostezó hasta que le crujió la mandíbula—. Duerme, Ciri.

—Cuéntame un cuento.

—¿Qué?

—Que me cuentes un cuento —rezongó—. ¿Cómo voy a dormir sin un cuento? ¡Pero bueno!

—No sé ningún maldito cuento. Duerme.

—No mientas. Lo sabes. ¿Qué pasa, que cuando eras pequeño nadie te contaba cuentos? ¿De qué te ríes?

—De nada. Me acordé de algo.

—¡Ajá! Ves. Venga, cuenta.

—¿El qué?

—Un cuento.

Sonrió de nuevo, puso las manos debajo de la cabeza, miró a las estrellas, que titilaban a través de las ramas por encima de su cabeza.

—Había una vez un... gato —comenzó—. Un gato vulgar, un cazarratones rayado. Y un día el gato fue y se puso en camino, él solo, en una excursión a un lejano y oscuro bosque. Anduvo... Anduvo... Anduvo...

—No te imagines —murmuró Ciri, arrimándose a él— que me voy a dormir antes de que llegue.

—Silencio, mocosa. Sí... Anduvo y anduvo, hasta que se encontró a un zorro. Un zorro pelirrojo.

Braenn suspiró y se tumbó junto al brujo, por el otro lado, apretándose también contra él ligeramente.

—Venga. —Ciri sorbió las narices—. Cuenta qué paso luego.

—Miró el zorro al gato. Quién eres, pregunta. Soy un gato, responde el gato a esto. Ja, dice el zorro, y no tienes miedo, gato, de andurrear solo por el bosque. ¿Y si el rey viene a cazar, entonces qué? ¿Con perros, con ojeadores, con caballos? Ya te digo, gato, dijo el zorro, la caza es una desgracia terrible para los que son como tú y yo. Tú tienes piel, yo tengo piel, los cazadores nunca perdonan a los que son como nosotros, porque los cazadores tienen novias y amantes, y a éstas las patas se les enfrían, y los pescuezos, y de nosotros hacen cuellos y manguitos para que los lleven esas putas.

—¿Qué son manguitos? —preguntó Ciri.

—No me cortes. Y añadió el zorro: yo, gato, sé engañarlos, tengo mil doscientas ochenta y seis mañas para los cazadores éstos, así soy de astuto. Y tú, gato, ¿cuántas mañas tienes para los cazadores?

—Oh, qué cuento más bonito —dijo Ciri, apretándose contra el brujo aún más—. Cuenta qué hizo el gato...

—Ajá —susurró desde el otro lado Braenn—. ¿Qué hizo el gato?

El brujo volvió la cabeza. Los ojos de la dríada brillaban, los labios los tenía medio abiertos y pasaba la lengua por ellos. Por supuesto, pensó. Las dríadas pequeñas están sedientas de cuentos. Como los brujos pequeños. Porque a las unas y a los otros raramente les cuenta alguien un cuento antes de irse a dormir. Las dríadas pequeñas se duermen sumidas en el sonido de los árboles. Los brujos pequeños se duermen sumidos en el dolor de sus músculos. A nosotros también nos brillaban los ojos, como a Braenn, cuando escuchábamos los cuentos de Vesemir, allá, en Kaer Morhen. Pero eso fue hace tiempo... Hace tanto tiempo...

—Venga —se impacientó Ciri—. ¿Cómo sigue?

—Y el gato a esto: yo, zorro, no tengo maña alguna. Yo sólo sé una cosa: trepar a los árboles. Esto debiera ser suficiente, ¿no es cierto? El zorro sonrió. Eh, dice, pero vaya un tontaina que estás hecho. Toma tu cola rayada y lárgate de aquí, la palmarías si te acosaran los cazadores. Y de pronto, sin comerlo ni beberlo, ¡sonaron los cuernos! Y salieron de entre los matojos los cazadores, vieron al gato y al zorro, ¡y a por ellos!

—¡Ay, ay, ay! —se sonó Ciri, y la dríada tembló con violencia.

—Silencio. Y a ellos, gritando: ¡adelante, sacadles la piel! ¡Para manguitos, para manguitos! Y les azuzaron los perros al zorro y al gato. Y el gato trepó a un árbol, como hacen los gatos. A la misma copa. ¡Y los perros, pumba, al zorro! Antes de que el pelirrojo acertara a usar alguna de sus astutas mañas, ya le habían convertido en un cuello. Y el gato desde la copa les maulló y bufó a los cazadores, pero ellos no le pudieron hacer nada, porque el árbol era alto de la leche. Se quedaron abajo, maldijeron a todo lo que se podía maldecir, pero al final se tuvieron que ir de vacío. Y entonces el gato se bajó del árbol y se volvió tranquilo a casa.

—¿Y qué más?

—Nada. Esto es el final.

—¿Y la moraleja? —preguntó Ciri—. Los cuentos tienen moraleja, ¿no?

—¿Eh? —habló Braenn, apretándose más a Geralt—. ¿Qué es la moraleja?

—Los buenos cuentos tienen moraleja y los malos no tienen moraleja —dijo Ciri segura de sí misma.

—Éste fue bueno —bostezó la dríada—. Tiene lo que tener ha. Habría que haber hecho, ¿no, bichito?, ante el yghern como el gato sabio hizo. No pensar, sino subir al árbol. Oh, la sabiduría misma. Sobrevivir. No dejarse de ir.

Geralt sonrió silenciosamente.

—¿No había árboles en el parque del castillo, Ciri? ¿En Nastrog? En vez de a Brokilón podrías haber trepado a un árbol y haberte sentado allí, en la misma copa, hasta que a Kistrin se le hubieran pasado las ganas de casamiento.

—¿Te ríes de mí?

—Ajá.

—¿Sabes qué? No te aguanto.

—Esto es terrible. Ciri, me has herido en el mismo corazón.

—Lo sé —asintió seria, sorbiendo los mocos, después de lo cual se apretó fuertemente a él.

—Duerme bien, Ciri —murmuró, respirando su agradable perfume de gorrión—. Duerme bien. Buenas noches, Braenn.

—Deárme, Gwynbleidd.

Sobre su cabeza, Brokilón susurraba en millones de ramas y cientos de millones de hojas.

IV

Al día siguiente llegaron a los Árboles. Braenn se arrodilló, bajó la cabeza. Geralt sintió que debía hacer lo mismo. Ciri suspiró con asombro.

Los Árboles —sobre todo robles, tejos e hicorias— medían varias brazas de diámetro. No había modo de apreciar hasta qué altura alcanzaban sus copas. Ya el punto mismo en el que las poderosas y retorcidas raíces daban paso a un tronco liso estaba muy por encima de sus cabezas. Ahora les sería posible caminar más deprisa, los gigantes crecían ralos y a sus sombras no sobrevivía ninguna otra planta, tan sólo había una alfombra de hojas podridas.

Les sería posible ir más deprisa. Pero andaban despacio. En silencio. Con las cabezas gachas. Aquí, entre los Árboles, eran pequeños, insignificantes, inexistentes. No contaban para nada. Incluso Ciri guardaba silencio, no dijo palabra durante casi media hora.

Y una hora de marcha después pasaron el cinturón de los Árboles, de nuevo se introdujeron en la espesura, en el hayedo húmedo.

El catarro atormentaba cada vez más a Ciri. Geralt no tenía pañuelo, pero como estaba harto de su incansable sorbimiento de narices, la enseñó a limpiarse con los dedos. A la muchacha esto le gustó sobremanera. Mirando su sonrisilla y sus ojos brillantes, el brujo estuvo completamente seguro de que se alegraba con el pensamiento de que, en poco tiempo, iba a poder alardear de su nuevo arte en la corte, durante algún banquete o en la audiencia de un embajador de ultramar.

Braenn se detuvo de pronto, se dio la vuelta.

—Gwynbleidd —dijo, desatando un pañuelo verde que llevaba enrollado alrededor del codo—. Ven. Te vendaré los ojos. Así ha de ser.

—Lo sé.

—Te habré de guiar. Tiéndeme la mano.

—No —protestó Ciri—. Yo lo llevaré. ¿Vale, Braenn?

—Vale, bichito.

—¿Geralt?

—¿Ajá?

—¿Qué significa Gwyn... bleidd?

—Lobo Blanco. Así me llaman las dríadas.

—Cuidado, una raíz. ¡No te tropieces! ¿Te llaman así porque tienes los pelos blancos?

—Sí... ¡Su puta madre!

—Ya te dije que había una raíz.

Anduvieron. Poco a poco. El suelo estaba resbaladizo de las hojas caídas. Sintió en el rostro un calor, el brillo del sol atravesaba la tela que le cubría los ojos.

—Oh, Geralt —escuchó la voz de Ciri—. Qué bonito es esto... Una pena que no puedas verlo. Hay tantas flores. Y pájaros. ¿Escuchas cómo cantan? Oh, cuántos hay aquí. Muchísimos. Oh, y ardillas. Cuidado, vamos a pasar un arroyo, por un puente de piedra. No te caigas al agua. Oh, ¡cuántos peces! Llenito. Nadan en el agua, ¿sabes? Cuántos animales hay aquí, buf. Creo que en ningún lugar hay tantos...

—En ningún lugar —murmuró él—. En ningún lugar. Esto es Brokilón.

—¿Qué?

—Brokilón. El Último Lugar.

—No lo entiendo...

—Nadie lo entiende. Nadie quiere entender.

V

—Quítate el pañuelo, Gwynbleidd. Ya puedes. Hemos llegado.

Braenn estaba inmersa hasta las rodillas en un denso tapiz de niebla.

—Duén Canell —señaló con la mano.

Duén Canell, el Lugar de los Robles. El Corazón de Brokilón.

Geralt ya había estado aquí antes. Dos veces. Pero no se lo había contado a nadie. Nadie le habría creído.

Una hondonada cerrada con las copas de antiguos y verdes árboles. Sumida en la nieblas y los vapores que emanaban de la tierra, de las rocas, de las fuentes termales. Una hondonada...

El medallón en su cuello temblaba ligeramente.

Una hondonada sumida en la magia. Duén Canell. El Corazón de Brokilón.

Braenn levantó la cabeza, se colocó el carcaj en la espalda.

—Vayamos. La mano tiéndeme, bichito.

Al principio la hondonada parecía muerta, abandonada. No por mucho tiempo. Se escucharon sonoros y modulados silbidos y con pasos casi imperceptibles, de entre unos poliporáceos que rodeaban en espiral el tronco más cercano, apareció con agilidad una esbelta dríada de cabellos oscuros, vestida, como todas, con un traje hecho de remiendos para camuflarse.

—Ceád, Braenn.

—Ceád, Sirssa. Va'n vort meáth. ¿Eithné á?

—Neén, aefder —repuso la morena, midiendo al brujo con una mirada lánguida—. ¿Ess' ae'n Sidh?

Sonrió, brillaron sus blancos dientes. Era increíblemente hermosa, incluso desde el punto de vista humano. Geralt se sintió inseguro y tonto, consciente de que la dríada le estaba tasando sin embarazo alguno.

—Neén —negó con la cabeza Braenn—. Ess' vatt'ghern, Gwynbleidd, á váen meáth Eithné va, a'ss.

—¿Gwynbleidd? —La hermosa dríada frunció el ceño—. ¡Bloede caérme! ¡Aen'ne caen n'wedd vort! ¡T'ess foile!

Braenn se rió.

—¿De qué va esto? —preguntó el brujo, enojándose.

—Nada —rió de nuevo Braenn—. Nada. Vayamos.

—Oh —se emocionó Ciri—. ¡Mira, Geralt, qué casitas más graciosas!

En lo profundo de la hondonada comenzaba verdaderamente Duén Canell. Las «graciosas casitas», que recordaban la forma de enormes bolas de muérdago, cubrían los troncos y las ramas de los árboles a distintas alturas, tanto bajas, junto a la tierra, como altas, e incluso muy altas, cerca de las propias copas. Geralt vio también algunas construcciones mayores, en la tierra, bohíos hechos de ramas entrelazadas aún cubiertas de hojas. Percibió movimiento en las entradas de las chozas, pero apenas se veía a las propias dríadas. Había muchas menos que entonces, cuando había estado allí por última vez.

—Geralt —susurró Ciri—. Estas casas crecen. ¡Tienen hojas!

—Son de árboles vivos —confirmó el brujo con un ademán de cabeza—. Así es como viven las dríadas, así construyen sus casas. Ninguna dríada, en ningún lugar, hará daño a un árbol, cortándolo o serrándolo. Ellas aman los árboles. Sin embargo, son capaces de conseguir que las ramas crezcan de tal modo que se forman esas casillas.

—Precioso. Me gustaría tener una casita como ésta en nuestro parque.

Braenn se detuvo frente a una de las chozas más grandes.

—Entra, Gwynbleidd —dijo—. Aquí esperarás a doña Eithné. Vá fáill, bichito.

—¿Qué?

—Era una despedida, Ciri. Ha dicho: «hasta la vista».

—Ah. Hasta la vista, Braenn.

Entraron. Dentro de la «casita» tremolaban, como en un calidoscopio, manchas de sol, que atravesaban la estructura del tejado y eran divididas por ella.

—¡Geralt!

—¡Zywiecki!

—¡Vives, que me lleven los diablos! —El herido mostró sus dientes, mientras se incorporaba en el lecho de ramas de picea. Vio a Ciri, que estaba pegada a las caderas del brujo, y los ojos se le agrandaron y un rubor le cubrió el rostro.

—¡Tú, rata canija! —vociferó—. ¡A poco no perdí por ti la vida! ¡Oh, tienes suerte de que no me pueda alzar, si no ya te iba yo a tundir el pellejo!

Ciri amohinó su boquita.

—Éste ya es el segundo que me quiere pegar —dijo, arrugando graciosamente la nariz—. ¡Y yo soy una niña y a las niñas no se les debe pegar!

—Ya te iba yo a enseñar a ti... lo que se debe —dijo tosiendo Zywiecki—. ¡Tú, pequeña plaga! A Ervyll, los sentidos se le escapan... Voces da, lleno de miedo, de que tu abuela se le echará encima con su ejército. ¿Quién le va a creer que tú misma te escabulliste? Todos saben cómo Ervyll es, y lo que le gusta. ¡Todos pensarán que te... hizo algo estando borracho y luego te mandó ahogar en el pantano! ¡La guerra con Nilfgaard de un hilo pende, y el tratado y el pacto con tu abuela se han ido al diablo por tu culpa! ¿Te das cuenta de la que has montado?

—No te excites —le advirtió el brujo—, porque puede darte una hemorragia. ¿Cómo has llegado aquí tan pronto?

—Su padre lo sabe, la mayor parte del tiempo fuera de mí estuve. Me metieron algo asqueroso por el gaznate. Con violencia. Me apretaron la nariz y... Qué vergüenza, voto al diablo...

—Estás vivo gracias a eso que te metieron en el gaznate. ¿Te trajeron aquí?

—En un trineo me portaron. Pregunté por ti, nada dijeron. Estaba seguro de que también te habían metido un flechazo. Desapareciste tan de súbito... Y tú, sano y salvo, y ni siquiera en cadenas, y a todo esto, por favor, hasta salvaste a la princesa Cirilla... Que me cuelguen, tú te las apañas en todos lados, Geralt, siempre caes de pie, como los gatos.

El brujo sonrió, no respondió. Zywiecki tosió profundamente, volvió la cabeza, escupió una saliva rosácea.

—Digo —añadió—. Y el que conmigo no acabaran, a ti creo que te lo debo. Te conocen, estas putas rariesposas. Por vez segunda me salvaste de la desgracia.

—Tranquilízate, barón.

Zywiecki, jadeando, intentó sentarse, pero al final lo dejó.

—A la mierda mi baronía —resopló—. Fui barón en Hamm. Ahora soy algo así como voievoda para Ervyll, en Verden. Es decir, lo era. Incluso si de algún modo consigo desembarazarme del bosque éste, no hay sitio para mí en Verden, a no ser que sea en el patíbulo, claro. De mi mano y mi cuidado es de donde esta comadreja, Cirilla, se escapó. ¿Qué te piensas, que por fantasear me metí de cabeza en Brokilón? No, Geralt, yo también me las pelaba, con el perdón de Ervyll contar podía sólo si me la traía de vuelta. Va, y nos topamos con las putas rariesposas... Si no hubiera sido por ti, allí la habría diñado, en el agujero. De nuevo me has salvado. Es el destino, está más claro que el agua.

—Exageras.

Zywiecki negó con un ademán de la cabeza.

—Es el destino —repitió—. Debía de estar escrito que nos íbamos a encontrar de nuevo, brujo. Que de nuevo me ibas a salvar el pellejo. Lo recuerdo, en Hamm se habló de ello, después de que me quitaras el hechizo de pájaro aquél.

—Coincidencia —dijo Geralt con frialdad—. Coincidencia, Zywiecki.

—¿Qué coincidencia ni qué leches? Joder, si no hubiera sido por ti, seguro que hasta el día de hoy seguiría siendo un cormorán...

—¿Eras un cormorán? —gritó Ciri con énfasis—. ¿Un verdadero cormorán? ¿Un pájaro?

—Lo fui —sonrió el barón—. Me hechizó una... puta... así se escuerne... para vengarse.

—Seguro que no le diste un cuero —afirmó Ciri arrugando las narices—. Bueno, ése, cómo se dice... manguito.

—Otro fue el motivo. —Zywiecki enrojeció ligeramente, después de lo cual miró amenazante a la muchacha—. Pero, ¿y qué coño te importa a ti, jodida cría?

Ciri puso un gesto enfadado y volvió la cabeza.

—Sí. —Zywiecki tosió de nuevo—. En qué estábamos... Ah, sí, en cómo me quitaste el hechizo en Hamm. Si no es por ti, Geralt, como cormorán me hubiera quedado hasta el final de mi vida, volando por cima de la laguna y cagando en las ramas, consolando mis cuitas con la esperanza de que a salvar me iba la camisa de tela de líber de ortigas que mi hermanilla tejía con un afán digno de mejor empresa. La puta de oros, cuando me acuerdo de la camisa aquélla, me dan ganas de darle una patada a alguien. La idiota...

—No hables así —sonrió el brujo—. Sus intenciones eran buenas. Mal la informaron, eso es todo. Sobre la limpieza de hechizos rondan multitud de mitos sin sentido. Y aún tuviste suerte, Zywiecki. Podría haberte mandado darte un chapuzón en leche hirviendo. He oído hablar de un caso así. Se mire como se mire, el vestirse una camisa de ortigas perjudica poco la salud, incluso si tampoco ayuda mucho.

—Ja, y puede que sea verdad. Puede que pida demasiado de ella. Elisa era tonta, desde niña era tonta y hermosa. De hecho, un buen material para la mujer de un rey.

—¿Qué es un hermoso material? —preguntó Ciri—. ¿Y por qué para esposa?

—No te metas, jodida cría, te he dicho. Sí, Geralt, tuve suerte de que entonces aparecieras por Hamm. Y de que el rey, mi suegro, dispuesto estuvo a dar el par de ducados que pedías por quitar el hechizo.

—¿Sabes, Zywiecki —dijo Geralt, sonriendo aún más—, que la novedad de este acontecimiento llegó hasta muy lejos?

—¿La verdadera historia?

—No mucho. Primero, te añadieron diez hermanos.

—¡Pero bueno! —El barón se apoyó en los codos, tosió—. Y entonces, sumando a Elisa, ¿habíamos de ser doce? ¡Vaya una puta tontería! ¡Mi madre no era una coneja!

—Eso no es todo. Decidieron que el cormorán era poco romántico.

—¡Pues es verdad! ¡No hay nada en él de romántico! —El barón arrugó el ceño y se masajeó el pecho rodeado de hebras y tiras de corteza de abedul—. ¿En qué me habían encantado, según los cuentos?

216

—En un cisne. Es decir, en cisnes. No olvides que erais once.

—¿Y en qué, por todos los diablos, es más romántico un cisne que un cormorán?

—No sé.

—Yo tampoco. Pero me apuesto a que en el cuento era Elisa la que me desencantaba, con ayuda de su asquerosa camisita de ortigas.

—Acertaste. ¿Y qué tal le va a Elisa?

—Tiene tisis, la pobre. No durará mucho.

—Una pena.

—Una pena —confirmó Zywiecki impasible, mirando a un lado.

—Volviendo al encantamiento. —Geralt se apoyó en la pared de embrolladas y tensas ramas—. ¿No has tenido recaídas? ¿No te crecen plumas?

—Alabados sean los dioses, no —suspiró el barón—. Todo está en su sitio. Lo único que de aquellos tiempos me ha quedado es el gusto por los peces. No hay para mí, Geralt, mejor yantar que el pescado. A veces, a la salida del sol, me voy a donde los pescadores, al embarcadero, y antes de que me encuentren algo más noble, yo mismo me tomo de los puestecillos uno o dos puñados de brecas, un par de lochas, de leuciscos o de cachos... Un gusto es, te digo, que no comida.

—Él era un cormorán —dijo Ciri con lentitud, mirando a Geralt—. Y tú le desencantaste. ¡Sabes de magia!

—Que sabe creo que claro está —habló Zywiecki—. Todos los brujos saben.

—¿Brujo?

—¿No sabías que es un brujo? ¿El famoso Geralt el rivio? Cierto, cómo ha de saber una cría lo que es un brujo. Estos tiempos no son como los de antes. Ahora hay pocos brujos, casi ni se los encuentra. Seguro que en toda tu vida no has visto a brujo alguno.

Ciri meneó la cabeza lentamente, sin apartar la vista de Geralt.

—Un brujo, jodida cría, es algo así... —Zywiecki se interrumpió y se puso pálido, viendo entrar a la choza a Braenn—. ¡No, no quiero! ¡No me voy a dejar meter en el gaznate nada, nunca, nunca más! ¡Geralt! Dile que...

—Tranquilízate.

Braenn no honró a Zywiecki con nada más que una mirada casual. Se acercó directamente a Ciri, que estaba en cuclillas al lado del brujo.

—Ven —dijo—. Ven, bichito.

—¿Adónde? —se enojó Ciri—. No voy. Quiero estar con Geralt.

—Ve —sonrió forzadamente el brujo—. Juega un rato con Braenn y las dríadas jóvenes. Te enseñará Duén Canell...

—No me vendó los ojos —dijo Ciri muy despacio—. Cuando vinimos, no me vendó los ojos. A ti te los vendó. Para que no fueras capaz de encontrar el camino de vuelta cuando te vayas. Eso quiere decir...

Geralt miró a Braenn. La dríada se encogió de hombros, luego abrazó a la muchacha y se apretó contra ella.

—Eso quiere decir... —La voz de Ciri se quebró de pronto—. Eso quiere decir que no saldré de aquí. ¿Verdad?

—Nadie escapa a su destino.

Todos volvieron la cabeza al sonido de aquella voz. Queda, pero sonora, dura, decidida. Una voz que obligaba a ser escuchada, que no aceptaba réplica. Braenn se inclinó. Geralt dobló una rodilla.

—Doña Eithné...

La señora de Brokilón llevaba un manto largo, ondeante, de claro color verde. Como la mayoría de las dríadas, era pequeña y delgada, pero su cabeza erguida con orgullo, su rostro de serios y agudos rasgos y su boca decidida hacían que pareciera más alta y más fuerte. Sus cabellos y ojos tenían el color de la plata líquida.

Entró al bohío escoltada por dos dríadas jóvenes armadas con arcos. Sin decir palabra hizo un gesto a Braenn y ésta, de inmediato, tomó a Ciri de la mano y la arrastró en dirección a la salida, bajando la cabeza. Ciri dio pasos rígidos y torpes, pálida y enmudecida. Cuando pasaron al lado de Eithné, la dríada de cabellos plateados la agarró por la barbilla con un rápido movimiento, le levantó la cabeza, miró largo rato a los ojos de la muchacha. Geralt vio cómo Ciri temblaba.

—Ve —dijo por fin Eithné—. Ve, niña. No tengas miedo de nada. Nada podrá ya cambiar tu destino. Estás en Brokilón.

Ciri caminó obediente tras Braenn. En la salida, se dio la vuelta. El brujo alcanzó a ver que su boca temblaba y que sus ojos verdes se llenaban de lágrimas. No dijo ni una palabra. Geralt seguía arrodillado, la cabeza baja.

—Levántate, Gwynbleidd. Saludos.

—Saludos, Eithné, señora de Brokilón.

—De nuevo tengo el placer de recibirte en mi bosque. En cualquier caso, estás aquí sin yo saberlo y sin mi consentimiento. Entrar en Brokilón sin que yo lo sepa y sin mi consentimiento es peligroso, Lobo Blanco. Incluso para ti.

—Vengo con un mensaje.

—Ah... —La dríada sonrió ligeramente—. De ahí tu osadía, por no usar otras palabras mucho más duras. Geralt, la intangibilidad de los mensajeros es una costumbre de los humanos. Yo no la acepto. No reconozco nada que sea humano. Esto es Brokilón.

—Eithné.

—Calla —le cortó, sin alzar la voz—. He ordenado que te respeten. Saldrás vivo de Brokilón. No porque seas un mensajero. Por otras razones.

—¿No te interesa saber cuál es el mensaje? ¿De dónde vengo, en nombre de quién?

—Si te soy sincera, no. Esto es Brokilón. Tú vienes del exterior, de un mundo que no me afecta. ¿Por qué tendría que perder tiempo para escuchar un mensaje? ¿Qué pueden significar para mí no sé qué propuestas, no sé qué ultimátum pensado por alguien que piensa y siente de manera diferente a mí? ¿Qué puede importarme lo que piense el rey Venzlav?

Geralt agitó la cabeza con asombro.

—¿Cómo sabes que vengo de parte de Venzlav?

—Está bastante claro —dijo la dríada con una sonrisa—. Ekkehard es demasiado idiota. Ervyll y Viraxas me odian demasiado. Brokilón no tiene frontera con otros dominios.

—Sabes mucho de lo que sucede fuera de Brokilón, Eithné.

—Sé muchas cosas, Lobo Blanco. Es el privilegio de mi edad. Ahora, si lo permites, quisiera resolver cierto asunto. ¿Acaso este hombre con apariencia de oso —la dríada dejó de sonreír y miró a Zywiecki— es tu amigo?

—Le conozco. Le desencanté una vez.

—El problema radica en que no sé qué hacer con él —habló Eithné con voz fría—. Ahora no puedo mandar que lo rematen. Podría permitir que se restableciera, pero es una amenaza. No parece un fanático. Por lo cual debe de ser un cazador de cabelleras. Sé que Ervyll paga por cada cabellera de dríada. No recuerdo cuánto. Al fin y al cabo el precio crece al paso que cae el valor del dinero.

—Te equivocas. No es un cazador de cabelleras.

—Entonces, ¿por qué entró en Brokilón?

—Buscaba a la muchacha que estaba encomendada a su cuidado. Arriesgó la vida para hallarla.

—Muy tonto —dijo impasible Eithné—. Difícil es incluso llamarlo riesgo. Se encaminó hacia una muerte cierta. El que viva se lo debe únicamente a su salud de caballo y a su resistencia. Y si hablamos de la niña, también ella se salvó por casualidad. Mis muchachas no dispararon porque pensaron que era un puck o un leprechaun.

Miró de nuevo a Zywiecki, y Geralt advirtió que sus labios perdían su desagradable dureza.

—Bien, de acuerdo. Saquemos lo que podamos de todo esto.

Se acercó al lecho de ramas. Las dos dríadas que la acompañaban se acercaron también. Zywiecki palideció y se encogió, lo que para nada le hizo hacerse más pequeño.

Eithné le miró durante un momento, guiñando ligeramente los ojos.

—¿Tienes hijos? —le preguntó por fin—. A ti te hablo, tarugo.

—¿Qué?

—Creo que he hablado bien claro.

—No estoy... —Zywiecki carraspeó, tosió—. No estoy casado.

—Poco me interesa a mi tu vida familiar. Mi interesa saber si eres capaz de sacar algo de esos lomos tan gordos que tienes. ¡Por el Gran Árbol! ¿No has dejado nunca preñada a una mujer?

—Eeeh... Sí... Sí, señora, pero...

Eithné agitó la mano descuidadamente, se volvió a Geralt.

—Se quedará en Brokilón —dijo— hasta que se recupere del todo, y aún algo más. Después... que vaya adonde quiera.

—Gracias, Eithné. —El brujo se inclinó—. ¿Y... la muchacha? ¿Qué pasa con ella?

—¿Por qué preguntas? —La dríada le miró con la frialdad de sus ojos de plata—. Si ya lo sabes.

—No es una niña normal, una aldeana. Es una princesa.

—Eso no me impresiona. Ni marca diferencia alguna.

—Escucha...

—Ni una palabra más, Gwynbleidd.

Calló, se mordió los labios.

—¿Y qué hay de mi mensaje?

—Lo escucharé —suspiró la dríada—. No, no por curiosidad. Lo haré por ti, para que puedas manifestárselo a Venzlav y cobrar el sueldo que, con toda seguridad, te prometió por llegar hasta mí. Pero no ahora. Ahora estoy ocupada. Ven por la noche a mi árbol.

Cuando salió, Zywiecki se incorporó apoyándose en los codos, jadeó, tosió, se escupió en la mano.

—¿De qué va todo esto, Geralt? ¿Por qué tengo que quedarme aquí? ¿Y qué quería decir con lo de los niños? ¿En qué me has metido, eh?

El brujo se sentó.

—Vas a salvar la cabeza, Zywiecki —dijo con voz cansada—. Te convertirás en uno de los pocos que lograron salir de aquí vivos, al menos en los últimos tiempos. Y serás padre de una pequeña dríada. Puede que de más.

—¿Que yo...? ¿Que tengo que hacer de semental?

—Llámalo como quieras. No tienes otra elección.

—Entiendo —murmuró el barón y se sonrió con lascivia—. En fin, cautivos he visto que trabajaban en las minas y cavaban canales. Me quedo con lo menos malo... Ojalá no me falten las fuerzas. Muchas de ellas hay aquí...

—Deja de reírte como un tonto —se enojó Geralt— y de criar sueños. No te prepares para homenajes, músicas, vino, abanicos ni un enjambre de dríadas adorándote. Habrá una, puede que dos. Y no habrá adoración alguna. Tratarán todo el asunto muy objetivamente. Y a ti aún más.

220

—¿No les produce placer? Pero seguro que no les desagrada.

—No seas niño. En este sentido ellas no se diferencian para nada de las mujeres. Al menos físicamente.

—Lo que quiere decir...

—Que de ti depende si les desagrada o no. Pero esto no cambia el hecho de que a ellas sólo les importa el resultado. Tu persona tiene un significado secundario. No esperes agradecimiento. Ah, y en ningún caso intentes algo por propia iniciativa.

—¿Por propia qué?

—Si te la encuentras por la mañana —le explicó el brujo con paciencia—, inclínate, pero, por el diablo, sin sonrisitas ni guiños. Para las dríadas se trata de un asunto mortalmente importante. Si ella sonríe o se acerca a ti, puedes hablar con ella. Lo mejor, sobre árboles. Si no sabes nada de árboles, entonces, habla del tiempo. Pero si ella hace como que no te ve, mantente lejos. Y mantente lejos de otras dríadas y ten cuidado con las manos. Para la dríada que no está preparada, estos asuntos no existen. Si la tocas te meterá el cuchillo, porque no entenderá tus intenciones.

—Conocimiento tienes —sonrió Zywiecki— de sus costumbres de casamiento. ¿Ya tuviste ocasión?

El brujo no respondió. Ante sus ojos tenía a la hermosa y esbelta dríada, su sonrisa insolente. Vatt'ghern, bloede caérme. Un brujo, puta suerte. ¿Qué nos has traído aquí, Morénn? ¿Para qué nos sirve? No hay nada que hacer con un brujo...

—¿Geralt?

—¿Qué?

—¿Y la princesa Cirilla?

—Olvídate de ella. Se convertirá en una dríada. En dos o tres años será capaz de meterle una flecha en el ojo a su propio hermano, si éste intentara entrar en Brokilón.

—Su puta madre —maldijo Zywiecki, frunciendo el ceño—. Ervyll se pondrá furioso. ¿Geralt? Y no se podría...

—No —cortó el brujo—. Ni lo intentes. No saldrías vivo de Duén Canell.

—Lo que quiere decir que la mozuela está perdida.

—Para vosotros, sí.

VI

El árbol de Eithné era, por supuesto, un roble, de hecho, tres robles que crecían juntos, verdes, sin traicionar una señal de decaimiento, aunque Geralt les daba por lo menos trescientos años. Los robles estaban vacíos en su interior y los huecos tenían las proporciones de una amplia habitación de techado alto y de forma cónica. El interior estaba iluminado por un candil que no producía humo y se encontraba preparado como un habitáculo cómodo, modesto pero en ningún caso primitivo.

Eithné estaba hincada de hinojos en el centro, en algo parecido a una estera de estambre. Ante ella estaba Ciri, erguida e inmóvil, como petrificada, sentada sobre sus piernas dobladas. Estaba limpia y curada de su catarro, tenía muy abiertos sus grandes ojos esmeralda. El brujo advirtió que su carita, ahora, cuando habían desaparecido la suciedad y la mueca de diablillo malvado, era bastante hermosa.

Eithné peinaba los largos cabellos de la muchacha, despacio y cuidadosamente.

—Entra, Gwynbleidd. Siéntate.

Se sentó, arrodillándose primero ceremonialmente.

—¿Has descansado? —preguntó la dríada sin mirarle y sin dejar de peinar a la niña—. ¿Cuándo puedes ponerte en camino para volver? ¿Qué me dices de mañana temprano?

—En cuanto lo ordenes —dijo impasible—, señora de Brokilón. Una sola palabra tuya bastará para que deje de molestarte mi presencia en Duén Canell.

—Geralt. —Eithné volvió la cabeza con lentitud—. No me entiendas mal. Te conozco y te aprecio. Sé que nunca hiciste daño a ninguna dríada, rusalka, sílfide o ninfa, al contrario, hubo veces en que saliste en su defensa, salvaste vidas. Pero esto no cambia nada. Demasiadas cosas nos separan. Pertenecemos a mundos distintos. No quiero ni puedo hacer excepciones. Para nadie. No voy a preguntar si lo entiendes, porque sé que es así. Pregunto si lo aceptas.

—¿Y qué cambia eso?

—Nada. Pero quiero saberlo.

—Lo acepto —confirmó—. Pero, ¿qué hay de ella? ¿De Ciri? Ella también pertenece a otro mundo.

Ciri le miró asustada, luego volvió los ojos hacia arriba, hacia la dríada. Eithné sonrió.

—No por mucho tiempo —dijo.

—Eithné, por favor. Recapacita.

—¿En qué?

—Dámela. Que se venga conmigo. Al mundo al que pertenece.

—No, Lobo Blanco. —La dríada pasó de nuevo el peine por los cenicientos cabellos de la muchacha—. No te la devolveré. Justamente tú debieras comprenderlo.

—¿Yo?

—Tú. Incluso hasta Brokilón llegan las noticias del mundo. Noticias sobre cierto brujo que por los servicios prestados arranca de vez en cuando extraños juramentos. «Dame lo que no esperas encontrar en tu casa.» «Dame aquello que ya tienes y aún no lo sabes.» ¿Te suena? Por ello intentáis desde hace algún tiempo controlar al destino, buscáis muchachos marcados por la fortuna para ser vuestros sucesores, queréis defenderos de la extinción y del olvido. De la nada. ¿Por qué entonces te extrañas de mí? Yo me preocupo por la suerte de las dríadas. Pienso que es justo, ¿no? Por cada dríada muerta por los humanos, una muchacha humana.

—Reteniéndola, despiertas la enemistad y el ansia de venganza, Eithné. Despiertas un odio ardiente.

—No es nada nuevo para mí, el odio de los humanos. No, Geralt. No te la devolveré. Y más que está sana. Esto no es ahora muy frecuente.

—¿No es frecuente?

La dríada clavó en él sus grandes ojos de plata.

—Me envían muchachas enfermas. Difteria, escarlatina, tifus, últimamente hasta la viruela. Piensan que no somos inmunes, que la epidemia nos destruirá o al menos nos diezmará. Desilusiónalos, Geralt. Tenemos algo más que inmunidad. Brokilón cuida de sus hijos.

Calló, se inclinó, peinó con cuidado un enredado mechón de pelo de Ciri, ayudándose con la otra mano.

—¿Puedo —carraspeó el brujo— pasar al mensaje con el que me envió aquí el rey Venzlav?

—¿Y no es una pérdida de tiempo? —Eithné alzó la cabeza—. ¿Por qué tendrías que hacer el esfuerzo? Yo ya sé perfectamente lo que quiere el rey Venzlav. Para ello por lo menos no hace falta tener el don de la profecía. Quiere que le dé Brokilón, seguramente hasta el río Vda, que por lo que sé considera o le gustaría considerar como la frontera natural entre Brugge y Verden. A cambio, imagino, me ofrece un enclave, un pequeño y salvaje rincón del bosque. Y seguramente garantiza con la palabra real y la protección real que ese pequeño y salvaje rincón, ese retal de despoblado, me pertenecerá por los siglos de los siglos y que nadie se atreverá a molestar allí a las dríadas. Que allí las dríadas podrán vivir en paz. ¿Qué, Geralt? Venzlav quiere terminar una guerra por Brokilón que dura ya dos siglos. ¿Y para terminarla habrán de dar las dríadas aquello por cuya defensa han venido muriendo durante doscientos años? ¿Simplemente... cederlo? ¿Ceder Brokilón?

Geralt guardó silencio. No tenía nada que añadir. La dríada sonrió.

—¿Así era la proposición del rey, Gwynbleidd? O puede que fuera más sincera, diciendo: «No tengas la cabeza tan alta, fantasma del bosque, bestia del despoblado, reliquia del pasado, y escucha lo que queremos nos, rey Venzlav. Nos queremos el cedro, el roble y la hicoria, queremos la caoba y el abedul dorado, el tejo para los arcos y el pino para los mástiles, porque tenemos Brokilón aquí al lado y sin embargo nos vemos obligados a traer madera de más allá de las sierras. Queremos el hierro y el cobre que se encuentran bajo tierra. Queremos el oro que yace en Craag An. Queremos talar y serrar, y cavar en la tierra sin tener que escuchar el silbido de la flecha. Y lo que es más importante: queremos por fin ser un rey al que todo en el reino esté subordinado. No deseamos en nuestro reino ningún Brokilón, un bosque al que no podemos entrar. Tal bosque nos molesta, nos enerva y no nos deja dormir bien, porque nosotros somos humanos, nosotros gobernamos el mundo. Podemos, si queremos, tolerar en el mundo unos cuantos elfos, dríadas o rusalkas. Si no son demasiado descarados. Sométete a nuestra voluntad, hechicera de Brokilón. O muere».

—Eithné, tú misma reconociste que Venzlav no es tonto ni fanático. Con toda seguridad sabes que es un rey justo y amante de la paz. A él le duele y le mortifica la sangre derramada aquí...

—Si se mantiene lejos de Brokilón no fluirá ni una gota de sangre.

—Bien sabes... —Geralt alzó la cabeza—. Bien sabes que no es así. Mataron gente en los Desmontes, en la Octava Milla, en los montes de los Búhos. Mataron gente en Brugge, en la orilla derecha del río Cintillas. Fuera de Brokilón.

—Los lugares que mencionaste —repuso serena la dríada— son parte de Brokilón. Yo no reconozco los mapas humanos ni las fronteras.

—¡Pero allí se taló el bosque hace cien años!

—¿Qué significan cien años para Brokilón? ¿Y cien inviernos?

Geralt se calló.

La dríada dejó de lado el peine, acarició los cenicientos cabellos de Ciri.

—Acepta la proposición de Venzlav, Eithné.

La dríada le miró con frialdad.

—¿Qué nos da eso? ¿A nosotros, hijas de Brokilón?

—La posibilidad de perdurar. No, Eithné, no me interrumpas. Sé lo que quieres decir. Entiendo que estés orgullosa de la independencia de Brokilón. El mundo, sin embargo, está cambiando. Algo se termina. Si lo quieres como si no, el domino del ser humano sobre el mundo es un hecho. Perdurarán aquéllos que se asimilen a los seres humanos. Los otros morirán. Eithné, hay bosques en los que las dríadas, las rusalkas y los elfos viven en paz, adaptándose a los humanos. Somos tan cercanos. ¡Pero si los humanos pueden ser padres de vuestros hijos! ¿Qué te da la guerra que llevas a cabo? Los padres potenciales de vuestros hijos caen bajo vuestras flechas. ¿Y cuál es la consecuencia? ¿Cuántas de las dríadas de Brokilón son de sangre pura? ¿Cuántas de ellas no son muchachas humanas raptadas y reconvertidas? Incluso has de usar de Zywiecki, porque no tienes elección. Pocas dríadas pequeñas veo por aquí. Sólo la veo a ella, una muchacha humana, asustada y embotada por los narcóticos, paralizada del miedo...

—¡Yo no tengo miedo! —gritó de pronto Ciri, adoptando por un momento su habitual gesto de pequeño diablo—. ¡Ni estoy empotada! ¡Qué te has creído! ¡A mí no me puede pasar nada aquí! ¡No tengo miedo! ¡Mi abuela dice que las dríadas no son malas y mi abuela es la más lista del mundo! Mi abuela... Mi abuela dice que debiera haber más bosques como éste...

Se calló, bajó la cabeza. Eithné sonrió.

—Una Niña de la Antigua Sangre —dijo—. Sí, Geralt. Todavía siguen naciendo en el mundo Niños de la Antigua Sangre, sobre los que hablan las profecías. Y tú dices que algo se acaba... Te preocupa el que no perduremos...

—La mocosa tenía que casarse con Kistrin de Verden —le interrumpió Geralt—. Una pena que no lo haga. Kistrin asumirá algún día el reino después de Ervyll y bajo la influencia de una esposa que piensa así, ¿no dejaría quizá los ataques contra Brokilón?

—¡No quiero a Kistrin! —gritó muy agudo la muchacha, y algo relampagueó en sus ojos verdes—. ¡Que Kistrin se busque su hermoso y tonto material! ¡Yo no soy un material! ¡Ni seré princesa!

—Silencio, Niña de la Antigua Sangre. —La dríada abrazó a la muchacha—. No grites. Por supuesto que no serás princesa...

—Por supuesto —añadió ácido el brujo—. Tú y yo, Eithné, sabemos bien lo que será. Veo que ya está todo decidido. Una pena. ¿Qué respuesta debo llevarle al rey Venzlav, señora de Brokilón?

—Ninguna.

—¿Cómo que ninguna?

—Ninguna. Él lo entenderá. Hace ya mucho, mucho tiempo, cuando aún Venzlav no estaba en el mundo, a Brokilón acudían los heraldos, tronaban los cuernos y las trompas, relucían las armas, se agitaban los pabellones y los estandartes. «¡Sométete, Brokilón!», gritaban. «El rey Cabridente, de Calvas de Arriba y Prado Mojado, ordena que te sometas, Brokilón!» Y la respuesta de Brokilón fue siempre la misma. Cuando vayas a abandonar mi bosque, Gwynbleidd, vuélvete y escucha. En el murmullo de las hojas oirás la respuesta de Brokilón. Llévasela a Venzlav y añade que no habrá jamás otra, mientras queden robles en Duén Canell. Mientras crezca aunque sea un solo árbol y viva siquiera una dríada.

Geralt se mantuvo en silencio.

—Dices que algo se termina —continuó con lentitud Eithné—. No es cierto. Son cosas que no se terminan nunca. ¿Me hablas a mí de perdurar? Yo lucho por la perduración. Porque Brokilón resiste gracias a mi lucha, porque los árboles viven más que los humanos, sólo hay que protegerlos de vuestras hachas. Me hablas de reyes y princesas. ¿Quiénes son? Los que conozco son blancos esqueletos que yacen en las necrópolis de Craag An, allí, en lo profundo del bosque. En las tumbas de mármol, en ataúdes de metal dorado y piedras relucientes. Y Brokilón perdura, los árboles murmuran sobre las ruinas de los palacios, las raíces perforan el mármol. ¿Acaso tu Venzlav recuerda quiénes fueron esos reyes? ¿Acaso tú lo recuerdas, Gwynbleidd? Y si no, ¿cómo puedes afirmar que algo se acaba? ¿Cómo sabes a quién le está predestinada la aniquilación y a quién la eternidad? ¿Qué te da derecho a hablar del destino? ¿Sabes siquiera lo que es el destino?

—No —admitió—. No sé. Pero...

—Si no sabes —le interrumpió— no hay sitio ya para ningún «pero». No sabes. Simplemente no sabes.

Calló, se pasó la mano por la cabeza, volvió el rostro.

—Cuando estuviste aquí por vez primera —siguió—, tampoco lo sabías. A Morénn... Mi hija... Geralt, Morénn ha muerto. Murió junto al río Cintillas, defendiendo Brokilón. No la reconocí cuando me la trajeron. Tenía el rostro triturado por los cascos de vuestros caballos. ¿Predestinación? Y hoy tú, brujo, que no podías dar un hijo a Morénn, me la traes a ella, una Niña de la Antigua Sangre. Una muchacha que sabe lo que es el destino. No, no es un conocimiento que pudiera serte adecuado, que pudieras aceptar. Ella simplemente cree. Repite, Ciri, repite lo que me contaste antes de que entrara aquí este brujo, Geralt de Rivia, el Lobo Blanco. El brujo que no sabe. Repite, Niña de la Antigua Sangre.

—Podero... Noble señora —dijo Ciri con la voz quebrada—. No me retengáis aquí. Yo no puedo... Yo quiero... volver a casa. Quiero volver a casa con Geralt. Yo tengo... con él.

—¿Por qué con él?

—Porque él... él es mi destino.

Eithné se volvió. Estaba muy pálida.

—¿Y qué dices a esto, Geralt?

No respondió. Eithné dio una palmada. Al interior del roble, apareciendo como espíritus desde la noche que reinaba en el exterior, entró Braenn, llevando con ambas manos una gran copa de plata. El medallón en el cuello del brujo comenzó a vibrar rítmicamente.

—¿Y qué dices a esto? —repitió la dríada de cabellos plateados levantándose—. ¡No quiere quedarse en Brokilón! ¡No quiere convertirse en una dríada! ¡No quiere sustituir a mi Morénn, quiere irse, irse tras de su destino! ¿Es así, Niña de la Antigua Sangre? ¿Es eso lo que quieres?

Ciri afirmó con la cabeza baja. Sus hombros temblaban. El brujo estaba ya harto.

—¿Por qué torturas a esta niña, Eithné? En unos instantes le darás el Agua de Brokilón y lo que ella desee dejará de tener sentido alguno. ¿Por qué lo haces? ¿Por qué lo haces en mi presencia?

—Quiero mostrarte lo que es el destino. Quiero probarte que nada se termina. Que todo está comenzando justo ahora.

—No, Eithné —dijo él, al tiempo que se levantaba—. Siento interrumpir tu demostración, pero no tengo intenciones de contemplar esto. Has ido demasiado lejos, señora de Brokilón, en tu intento de mostrar la frontera que nos separa. A vosotros, el Antiguo Pueblo, os gusta repetir que el odio os es ajeno, que es un sentimiento que sólo los humanos conocen. Pero no es cierto. Sabéis lo que es el odio y sois capaces de odiar, sólo que lo mostráis de una forma algo distinta, más inteligente y menos violenta. Pero puede que por eso aún más despiadada. Acepto tu odio, Eithné, en nombre de todos los humanos. Nos lo merecemos. Siento lo de Morénn.

La dríada no respondió.

—Y precisamente ésta es la respuesta de Brokilón que tengo que transmitir a Venzlav de Brugge, ¿verdad? ¿Una advertencia y un reto? ¿La prueba fehaciente del odio y el poder que habita entre estos árboles, un odio y un poder por cuya voluntad dentro de unos instantes un niño humano va a beber un veneno que le destruirá la memoria, y tomándolo de la mano de otro niño humano cuya memoria y conciencia ya han sido destruidas? ¿Y esta respuesta ha de llevársela a Venzlav un brujo que conoce y ha aprendido a querer a ambos niños? ¿Un brujo culpable de la muerte de tu hija? Bien, Eithné, que sea según tu voluntad. Venzlav escuchará tu respuesta, escuchará mi voz, verá mis ojos y leerá todo en ellos. Pero no estoy obligado a contemplar lo que va a suceder aquí. Ni tampoco quiero.

Eithné continuó en silencio.

—Adiós, Ciri. —Geralt se arrodilló, abrazó a la muchacha. Los brazos de Ciri temblaban violentamente—. No llores. Ya sabes que aquí no te puede pasar nada malo.

Ciri respiró con fuerza. El brujo se levantó.

—Adiós, Braenn —dijo a la joven dríada—. Salud, y cuídate. Vive, Braenn, vive tan largo como tu árbol. Como Brokilón. Y otra cosa...

—¿Sí, Gwynbleidd? —Braenn levantó la cabeza y en sus ojos brilló un algo húmedo.

—Fácil es matar con un arco, muchacha. Y también fácil es soltar la cuerda y pensar que no soy yo, no soy yo, que es la flecha. En mis manos no hay sangre de ese muchacho. La flecha lo mató, no yo. Pero la flecha no sueña nada por la noche. Que tú tampoco sueñes nada por la noche, dríada de ojos azules. Adiós, Braenn.

—Mona... —dijo poco claramente Braenn. La copa que sujetaba con las manos tembló, el líquido que la llenaba hasta los bordes onduló.

—¿Qué?

—¡Mona! —jadeó—. ¡Me llamo Mona! ¡Doña Eithné! Yo...

—¡Basta! —dijo Eithné con dureza—. Basta. Contrólate, Braenn. Geralt sonrió secamente.

—Aquí tienes tu predestinación, señora del bosque. Respeto tu resistencia y tu lucha. Pero sé que dentro de poco lucharás sola. La última dríada de Brokilón enviando a la muerte a la última muchacha, quien, sin embargo, aún recordará su verdadero nombre. Pese a todo, te deseo suerte, Eithné. Adiós.

—Geralt... —susurró Ciri, aún sentada e inmóvil, con la cabeza baja—. No me dejes... sola...

—Lobo Blanco —dijo Eithné, abrazando la torcida espalda de la muchacha—. ¿Habías de esperar hasta que ella te lo pidiera? ¿Que te pidiera que no la dejaras? ¿Que te quedaras con ella hasta el final? ¿Por qué quieres dejarla en este momento? ¿Dejarla sola? ¿Adónde quieres huir, Gwynbleidd? ¿Y de quién?

Ciri bajó aún más la cabeza. Pero no se echó a llorar.

—Hasta el final. —El brujo movió la cabeza—. Bien, Ciri. No estarás sola. Estaré junto a ti. No temas nada.

Eithné tomó la copa de las temblorosas manos de Braenn, la alzó.

—¿Sabes leer las antiguas runas, Lobo Blanco?

—Sé.

—Lee lo que está escrito en la copa. Es una copa de Craag An. Bebieron de ella los reyes a los que nadie ya recuerda.

—Duettaeánn aef cirrán Cáerme Gláeddyv. Yn á esseath.

—¿Sabes lo que significa?

—La espada del destino tiene dos filos... Uno eres tú.

—Levántate, Niña de la Antigua Sangre. —En la voz de la dríada resonó una orden acerada a la que no era posible oponerse, una voluntad a la que sólo era dado someterse—. Bebe. Esto es el Agua de Brokilón.

Geralt se mordió los labios mientras miraba fijamente los ojos plateados de Eithné. No miró a Ciri, quien acercaba lentamente los labios a los bordes de la copa. Lo había visto ya antes, mucho antes. Convulsiones, temblores, gritos increíbles, aterradores, que se apagaban poco a poco. Y el vacío, la torpeza y la apatía de los ojos que se abrían poco a poco. Lo había visto antes.

Ciri bebió. Por el rostro impasible de Braenn se deslizaron lentas lágrimas.

—Basta. —Eithné le quitó la copa, la dejó sobre el suelo, acarició los cabellos de la muchacha con las dos manos, unos cabellos que caían sobre los hombros en ondas cenicientas.

—Niña de la Antigua Sangre —dijo—. Elige. ¿Quieres quedarte en Brokilón o partir en persecución de tu destino?

El brujo agitó la cabeza con incredulidad. Ciri respiraba un poco más deprisa, adquirió color en los pómulos. Y nada más. Nada.

—Quiero ir en persecución de mi destino —dijo con sonoridad, mirando a los ojos de la dríada.

—Que así sea —habló Eithné, con voz fría y concisa.

Braenn suspiró ruidosamente.

—Quiero quedarme sola —dijo Eithné, volviéndoles la espalda—. Idos, por favor.

Braenn agarró a Ciri, tocó el brazo de Geralt, pero el brujo retiró su mano.

—Te lo agradezco, Eithné —dijo él. La dríada se volvió despacio.

—¿Qué es lo que me agradeces?

—El destino. —Sonrió—. Tu decisión. Porque eso no era el Agua de Brokilón, ¿no es cierto? El destino de Ciri era volver a casa. Y tú, Eithné, jugaste el papel del destino. Y por ello te lo agradezco.

—Qué poco sabes sobre el destino —dijo la dríada con amargura—. Qué poco sabes, brujo. Qué poco sabes. Qué poco entiendes. ¿Me agradeces? ¿Me agradeces el papel que jugué? ¿Una actuación de feria de pueblo? ¿El artificio, el engaño, la mistificación? ¿El que la espada del destino fuera, según tú, de madera dorada? Continúa pues, no me lo agradezcas, desenmascárame. Quédate en tus trece. Demuestra que la razón está de tu parte. Arrójame a la cara tu verdad, muestra cómo triunfa la lúcida verdad humana, el sano juicio, gracias al cual, en vuestra opinión, os apoderáis del mundo. Ésta es el Agua de Brokilón, aún queda un poco. ¿Te atreves, conquistador del mundo?

Geralt, aunque irritado por sus palabras, dudó, pero sólo un instante. El Agua de Brokilón, incluso la auténtica, no ejercía influencia sobre él. A las toxinas y a los taninos alucinógenos contenidos en ella era completamente inmune. Pero en cualquier caso esto no podía ser Agua de Brokilón. Ciri la había bebido y no le había pasado nada. Agarró la copa con las dos manos, miró a los ojos plateados de la dríada.

La tierra huyó de debajo de sus pies, momentáneamente, y le golpeó en la espalda. El enorme roble giró y se retorció. Agitando con esfuerzo a su alrededor sus temblorosas manos, abrió los ojos, y fue como si hubiera apartado a un lado la losa de mármol de una tumba. Vio sobre él la pequeña carita de Braenn y detrás los ojos relampagueantes como mercurio de Eithné. Y aún unos ojos más, verdes como esmeraldas. No, más claros. Como la hierba de la primavera. El medallón de su cuello temblaba, vibraba.

—Gwynbleidd —escuchó—. Mira atentamente. No, de nada servirá que cierres los ojos. Mira, mira tu destino.

»¿Recuerdas?

De pronto, una columna de humo rasgada por una explosión de claridad; grandes, pesadas velas de candelabros cubiertos de festones de cera. Paredes de piedra, una abrupta escalera. Una muchacha que baja las escaleras, de ojos verdes y cabellos cenicientos, que llevaba una pequeña diadema con una gema misteriosamente labrada, vestida con un vestido azul plata que tenía una cola que sujetaba un paje de jubón escarlata.

—¿Recuerdas?

Su propia voz diciendo... diciendo...

Volveré aquí dentro de seis años...

Una enramada, calor, perfume de flores, el pesado y monótono zumbido de las abejas. Él solo, de rodillas, tendiendo una rosa a una mujer de cabellos cenicientos, derramados en rizos por debajo de un estrecho aro de oro. En las palmas de la mano de la mujer que tomaba la rosa de sus manos, anillos con esmeraldas, grandes y verdes cabochons.

—Vuelve aquí —dice la mujer—. Vuelve aquí, si cambias de opinión. Tu destino te esperará.

Nunca volví, pensó. Nunca... volví allí. Nunca volví a...

¿Adónde?

Cabellos cenicientos. Ojos verdes.

De nuevo su voz, en la oscuridad, en las tinieblas en las que todo desaparece. Sólo hay hogueras, hogueras hasta alcanzar el horizonte. Un remolino de chispas en el humo púrpura. ¡Belleteyn! ¡Noche de Mayo! Desde la maraña de humo miran unos ojos oscuros, violeta, ardiendo en un rostro pálido y triangular, un rostro cubierto por una negra y ondulada tormenta de rizos.

¡Yennefer!

—Es poco. —Los finos labios de la aparición se torcieron de pronto, por la pálida mejilla se deslizó una lágrima, rápida, cada vez más rápida, como gota de cera por una vela—. Es poco. Hace falta algo más.

—¡Yennefer!

—La nada por la nada —dijo el fantasma con la voz de Eithné—. La nada y el vacío que están en ti, un conquistador del mundo que no es capaz siquiera de conquistar a la mujer que ama. Que huye y escapa, teniendo su destino al alcance de la mano. La espada del destino tiene dos filos. Uno eres tú. ¿Y cuál es el otro, Lobo Blanco?

—No hay destino —su propia voz—. No hay. No hay. No existe. Lo único que nos está destinado a todos es la muerte.

—Eso es verdad —dice la mujer de cabellos cenicientos y misteriosa sonrisa—. Es verdad, Geralt.

La mujer está vestida con una armadura plateada, ensangrentada, abollada, agujereada por las puntas de picas o alabardas. Un fino hilillo de sangre le cuelga desde la comisura de unos labios formados en fea y misteriosa sonrisa.

—Tú te burlas del destino —dice, sin dejar de sonreír—. Te burlas de él, juegas con él. La espada del destino tiene dos filos. Uno eres tú. ¿Y el otro... es la muerte? Pero somos nosotros los que morimos, los que morimos por tu causa. A ti la muerte no puede alcanzarte, por eso se ceba en nosotros. La muerte te sigue paso a paso, Lobo Blanco. Pero son otros los que mueren. Por tu causa. ¿Me recuerdas?

—¡Ca... Calanthe!

—Puedes salvarlo —la voz de Eithné, desde detrás de la cortina de humo—. Puedes salvarlo, Niña de la Antigua Sangre. Antes de que se suma en la nada que tanto ama. En el oscuro bosque que no tiene final.

Unos ojos, verdes como hierba de la primavera. Un roce. Voces gritando en coro ininteligible. Rostros.

No vio nada más, voló hacia el abismo, hacia el vacío, hacia la oscuridad. Lo último que escuchó fue la voz de Eithné.

—Que así sea.

VII

—¡Geralt! ¡Despiértate! ¡Despiértate por favor!

Abrió los ojos, vio el sol, un ducado de oro de precisos bordes, en lo alto, sobre las copas de los árboles, más allá de la cortina turbia de la niebla de la mañana. Estaba tendido sobre un musgo húmedo, esponjoso, una dura raíz le lastimaba la espalda.

Ciri estaba arrodillada junto a él, agarrándole por los faldones del gabán.

—Maldita sea... —carraspeó, miró alrededor—. ¿Dónde estoy? ¿Cómo he venido a parar aquí?

—No sé —dijo—. Me desperté hace un momentito, aquí, junto a ti, terríbilemente helada. No recuerdo cómo... ¿Sabes qué? ¡Esto es un hechizo!

—Seguro que tienes razón —dijo mientras se sentaba y se quitaba unas agujas de pino de la nuca—. Seguro que tienes razón, Ciri. El Agua de Brokilón, joder... Parece que las dríadas se estuvieron riendo a nuestra costa.

Se incorporó, alzó su espada, que yacía junto a él, se colocó el talabarte a la espalda.

—¿Ciri?

—¿Ajá?

—Tú también te reíste a mi costa.

—¿Yo?

—Eres la hija de Pavetta, la nieta de Calanthe de Cintra. ¿Sabías desde el principio quién era yo?

—No. —Se ruborizó—. No desde el principio. Tú desencantaste a mi padre, ¿verdad?

—No es verdad —negó—. Lo hizo tu madre. Y tu abuela. Yo sólo ayudé.

—Pero el aya dijo... dijo que estoy predestinada. Porque soy una Inesperada. Una Niña de la Sorpresa. ¿Geralt?

—Ciri. —La miró, agitando la cabeza y sonriendo—. Créeme, eres la mayor sorpresa que me podía encontrar.

—¡Ja! —El rostro de la muchacha se iluminó—. ¡Es cierto! Estoy predestinada. El aya dijo que vendrá un brujo de cabellos blancos y se me llevará. Y la abuela gritó... ¡Aj, qué más da! ¿Adónde me llevarás, di?

—A casa. A Cintra.

—Aj... Y yo pensaba que...

—Pensarás mientras marchemos. Vamos, Ciri, hay que salir de Brokilón. Éste no es un lugar seguro.

—¡Yo no tengo miedo!

—Pero yo sí.

—La abuela decía que los brujos no le temen a nada.

—Tu abuela exageraba mucho. En marcha, Ciri. Si sólo supiera dónde estamos...

Miró al sol.

—Bueno, arriesguémonos... Vayamos por allá.

—No. —Ciri arrugó la nariz, señaló en dirección contraria—. Por allá. Allá.

—¿Y tú cómo lo sabes?

—Lo sé. —Se encogió de hombros, le miró con una mirada esmeralda, desarmada y asombrada—. De algún modo... Algo, allá... No sé.

Hija de Pavetta, pensó. Niña... ¿Niña de la Antigua Sangre? Es posible que haya heredado algo de la madre.

—Ciri. —Se desabrochó el cuello de la camisa, sacó el medallón—. Toca esto.

—Oj —abrió la boca—. Pero qué lobo más horrible. Pero qué dientes tiene...

—Tócalo.

—¡Ayay!

El brujo sonrió. También percibía el violento temblor del medallón, la poderosa onda que corría por la cadena de plata.

—¡Se ha movido! —Ciri tomó aire—. ¡Se ha movido!

—Lo sé. Vamos, Ciri. Tú guías.

—Esto es magia, ¿verdad?

—Por supuesto.

Resultó tal y como se esperaba. La muchacha sentía la dirección. No sabía de qué forma. Pero rápidamente, más rápidamente de lo que se esperaba, salieron a un camino, a una encrucijada en forma de horquilla donde se cruzaban tres sendas. Ésta era la frontera de Brokilón... al menos según los humanos. Eithné, recordaba bien, no la aceptaba.

Ciri se mordió los labios, arrugó las narices, dudó, mirando a la encrucijada, al camino arenoso y lleno de baches, hozado por pisadas y ruedas de carros. Pero Geralt ya sabía dónde estaba, no tenía por qué confiar en las inseguras habilidades de ella y tampoco quería hacerlo. Se encaminó por la senda que iba hacía el este, hacia Brugge. Ciri, aún con el ceño fruncido, miró hacia el camino al oeste.

—Ése conduce al castillo de Nastrog —se burló él—. ¿Echas de menos a Kistrin?

La muchacha bufó, le siguió obediente, pero miró varias veces a su alrededor.

—¿Qué sucede, Ciri?

—No sé —susurró—. Pero es un mal camino, Geralt.

—¿Por qué? Vamos a Brugge, al hermoso castillo donde habita el rey Venzlav. Nos lavaremos en los baños, dormiremos en camas con edredones...

—Es un mal camino —repitió—. Malo.

—Cierto, los he visto mejores. Deja de arrugar la nariz, Ciri. Vamos, a paso vivo.

Pasaron una curva poblada de matojos. Y resultó que Ciri tenía razón.

Les salieron al paso de pronto, velozmente y de todas direcciones. Individuos con yelmos en pico, lorigas y túnicas azul oscuro que portaban en el pecho el escudo ajedrezado en oro y sable de Verden. Les rodearon, pero ninguno de ellos se acercó ni tocó las armas.

—¿De dónde y adónde? —gritó un rechoncho personaje que vestía un desgastado traje verde, al tiempo que se ponía delante de Geralt apoyándose en unas combadas piernas muy separadas. Tenía la tez oscura y arrugada como una ciruela seca. El arco y unas flechas con plumas blancas le sobresalían por la espalda, bien por encima de su cabeza.

—De los Desmontes —mintió Geralt, apretando significativamente la mano de la muchacha—. Volvemos a casa, a Brugge. ¿Y qué?

—Guardia Real —dijo el tez oscura con mayor cortesía, como si sólo en aquel momento hubiera percibido la espada de Geralt—. Nosotros...

—¡Tráelo aquí, Junghans! —gritó alguien que estaba más lejos, en el camino. Los soldados se apartaron.

—No mires, Ciri —dijo Geralt presto—. Vuélvete. No mires.

En el camino estaba tendido un árbol que bloqueaba el paso con la maraña de su copa. La parte del tronco rota y cortada blanqueaba la espesura junto al camino con montones de largas astillas. Delante del

árbol había un carro con la carga cubierta por una lona. Unos pequeños y velludos caballos yacían en la tierra, enredados en la pértiga y
los arreos, erizados de flechas, mostrando sus dientes amarillos. Uno
todavía estaba vivo, roncaba pesadamente, coceaba.

También había personas que estaban tendidas en charcos de sangre oscura que la arena había absorbido, colgaban del borde del carro
o aparecían crispadas sobre las ruedas.

De entre los personajes armados que rodeaban el carro salieron a
paso lento dos, luego se les añadieron tres más. Los restantes —había
unos diez— se mantuvieron inmóviles, sujetando a sus caballos.

—¿Qué ha pasado aquí? —preguntó el brujo, poniéndose de tal modo
que cubría ante Ciri la escena de la masacre.

Un bisojo de corta loriga y altas botas le miró inquisitivamente,
mientras se frotaba la barbilla, que crepitaba de vello crecido. En el
antebrazo izquierdo llevaba una gastada y deslucida muñequera de
cuero, como las que usaban los arqueros.

—Un ataque —dijo seco—. Las rariesposas del bosque a los mercaderes mataron. Nosotros aquí hacemos las pesquisas.

—¿Las rariesposas? ¿Atacaron a los mercaderes?

—Tú mismo lo ves —señaló con la mano el bizco—. Atravesaos de
saetas como erizos. ¡En el camino real! Cada vez más insolentes se
hacen, las hechiceras del bosque. Ya no sólo al bosque entrar no se
puede, no se puede ni por los caminos a su derredor.

—Y vosotros. —El brujo entrecerró los ojos—. ¿Quiénes sois?

—La tropa de Ervyll. De las decenas nastroganas. Con el barón
Zywiecki servíamos. Pero el barón cayó en Brokilón.

Ciri abrió los labios, pero Geralt le apretó con fuerza la mano, orde-
nándole silencio.

—¡Sangre por sangre, os digo! —tronó el camarada del bisojo, un
gigante con un jubón reforzado con chapas—. ¡Sangre por sangre! Esta
vez no se puede dejar pasar por alto. Primero Zywiecki y la princesa de
Cintra, que había sido raptada. Ahora los mercaderes. ¡Por los dioses,
venganza, venganza, os digo! ¡Porque si no, ya veréis, mañana, pasado, empezarán a matar gente a las puertas de sus propios chozos!

—Brick dice bien —dijo el bisojo—. ¿No es cierto? A ti te pregunto,
paisano, ¿de qué parte eres?

—De Brugge —mintió Geralt.

—Y la cría, ¿tu hija?

—Mi hija. —El brujo apretó de nuevo la mano de Ciri.

—De Brugge. —Brick frunció el ceño—. Te diré, paisano, que tu rey
mismo a las monstruas envalentona. No se quiere aliar a nuestro Ervyll
y a Virax de Kerack. Y si de las tres partes éstas se asaltara Brokilón,
arrancaríamos de una vez la mierda ésta...

—¿Cómo sucedió esta matanza? —preguntó lentamente Geralt—. ¿Alguien lo sabe? ¿Sobrevivió alguno de los mercaderes?

—Testigos no hay —dijo el bisojo—. Pero sabemos lo que aconteció. Junghans, el guardabosques, lee en las huellas como en un libro. Díselo, Junghans.

—Y no —dijo el de la cara arrugada—. Y así fue esto: iban los mercaeres por el camino real. Acercáronse al ostáculo. Veis, señor, al medio del camino un pino tumbado, cortado recién. Entre los matojos harto huellas hay, ¿queréis verlas? Bien, y al punto que los mercaeres se bajaron para quitar el árbol, los dispararon en un pispás. Desde allá, desde la broza, donde aquel abedul torcido. Allá también huellas encontré. Y las flechas, velailas, trabajo todo de las rariesposas, las plumas pegadas con resina, las astas arrodeadas de hebras...

—Lo veo —le cortó el brujo, mirando a los cadáveres—. Algunos, me da la impresión, sobrevivieron a las flechas, pero les cortaron el cuello. Con cuchillos.

De la soldadesca que estaba a su espalda se separó otro más: delgado y más bien bajo, con un caftán de piel de alce. Tenía los cabellos negros y muy cortos, las mejillas azules del muy afeitado y oscuro vello. Al brujo le bastó una sola mirada a las pequeñas y estrechas manos que llevaba embutidas en unos guantes negros sin dedos, a los pálidos ojos de pez, a las empuñaduras de los estiletes que sobresalían del cinturón y de la caña de la bota izquierda. Geralt había visto a demasiados asesinos como para no reconocer inmediatamente a uno.

—Rápido eres de ojos —dijo el moreno, muy despacio—. Cierto, mucho ves.

—Y bien está —habló el bizco—. Lo que vio, que se lo cuente a su rey, Venzlav jura y perjura siempre que a las rariesposas no se ha de matar, porque son buenas y dulces. A lo seguro acude a ellas en los mayos y se las jode. En lo tocante a esto último y puede que hasta razón tenga. Ya nosotros mismos lo probaremos, si a alguna agarramos viva.

—Y hasta medio viva —se carcajeó Brick—. Va, ¿dónde coño está el druida? Pronto serán las doce, y de él ni huella. Ya toca irse.

—¿Qué pensáis hacer? —preguntó Geralt sin soltar la mano de Ciri.

—¿Y a ti qué te importa? —farfulló el moreno.

—Va, por qué ahora tan áspero, Levecque —sonrió feamente el bisojo—. Nosotros, gente honrada semos, secretos no tenemos. Ervyll nos manda acá a un druida, un gran mago, que hasta con los árboles se las apaña para hablar. El tal fulano nos llevará al bosque, a vengar a Zywiecki, a intentar rescatar a la princesa. Esto no es cualquier cosa, paisano, sino una expedición puti... puni...

—Punitiva —terminó el moreno, Levecque.

—Así es. De la boca me lo has quitado. Así, entonces, sigue tu camino, paisano, porque acá puede en corto plazo ponerse peligroso.

—Sííí —dijo alargando las sílabas Levecque, mientras miraba a Ciri—. Peligroso, en especial con una mozuela. Las rariesposas andan a rebusco de mozuelas. ¿Qué, pequeña? ¿Mamá espera en casa?

Ciri, temblando, afirmó con la cabeza.

—Sería fatal —siguió el moreno, sin apartar de ella los ojos— si no llegaras. Seguramente andaría a donde el rey Venzlav y diría: te apiadaste de las dríadas, rey, y mira, mi hija y mi marido tienes sobre tu conciencia. ¿Quién sabe, puede que entonces Venzlav volviera a pensar en la alianza con Ervyll?

—Dejailo, don Levecque —gruñó Junghans, y su arrugado rostro se arrugó aún más—. Que se vayan.

—Adiós, pequeña. —Levecque alzó la mano, acarició la cabeza a Ciri. Ciri se asustó y retrocedió.

—¿Qué es esto? ¿Te asustas?

—Tienes sangre en la mano —dijo con voz queda el brujo.

—Aj. —Levecque levantó el brazo—. Cierto. Es su sangre. De los mercaderes. Comprobé si alguno se había salvado. Pero, por desgracia, las rariesposas disparan con precisión.

—¿Las rariesposas? —Ciri tomó la palabra con voz temblorosa, sin reaccionar a la presión de la mano del brujo—. Oh, noble caballero, os equivocáis. ¡Esto no lo pudieron hacer las dríadas!

—¿Qué es lo que relatas, pequeña? —Los descoloridos ojos del moreno se estrecharon. Geralt echó un vistazo a la derecha, a la izquierda, midió la distancia.

—No fueron las dríadas, señor caballero —repitió Ciri—. ¡Si está claro!

—¿Eh?

—Si ese árbol... ¡ese árbol ha sido cortado! ¡Con un hacha! Y las dríadas nunca talarían un árbol, ¿verdad?

—Verdad —dijo Levecque y miró al bisojo—. Oh, qué lista eres, muchacha. Demasiado lista.

El brujo ya había visto antes su estrecha mano embutida en el guante, arrastrándose como una araña negra hacia la empuñadura del estilete. Aunque Levecque no apartó los ojos de Ciri, Geralt sabía que el golpe vendría dirigido a él. Esperó hasta el momento en el que Levecque tocó el arma y el bisojo retuvo el aliento.

Tres movimientos. Sólo tres. Los antebrazos reforzados con tachuelas de plata le golpearon al moreno en un lado de la cabeza. Antes de que cayera, el brujo ya estaba entre Junghans y el bisojo, y la espada, saliendo con un silbido de su vaina, aulló en el aire, mientras destrozaba la sien de Brick, el gigante del caftán reforzado con chapas.

—¡Huye, Ciri!

El bisojo, alcanzando la espada, dio un salto, pero no llegó a tiempo. El brujo le acertó un tajo a través del pecho, al sesgo, de arriba abajo, e inmediatamente, aprovechando la energía del golpe, de abajo arriba, arrodillado, le marcó al mercenario una equis sangrienta.

—¡Muchachos! —aulló Junghans al resto, petrificados de la sorpresa—. ¡A mí!

Ciri se topó con un haya torcida y trepó como una ardilla hasta la copa, desapareciendo entre las hojas. El guardabosques envió detrás de ella una flecha, pero falló. Los otros corrieron, dispersándose en semicírculo, sacando los arcos y las flechas de las aljabas. Geralt, aún de rodillas, colocó los dedos y lanzó la Señal de Aard, no a los arqueros, pues estaban demasiado lejos, sino al camino de arena delante de él, a fin de cegarlos con una nube de polvo.

Junghans, dando un salto, sacó de su aljaba una segunda flecha.

—¡No! —gritó Levecque, levantándose de la tierra con la espada en la mano derecha y el estilete en la izquierda—. ¡Déjalo, Junghans!

El brujo giró con fluidez, se volvió hacia él.

—Es mío —dijo Levecque, al tiempo que agitaba la cabeza, se limpiaba con el antebrazo las mejillas y la boca—. ¡Sólo mío!

Geralt, inclinado, se movió en semicírculo, pero Levecque no giró, atacó de inmediato, alcanzándole en dos saltos.

Es bueno, pensó el brujo, envolviendo con esfuerzo la hoja del asesino en un corto molinete y escapando con una media vuelta al golpe del puñal. Conscientemente evitó responder, saltó hacia atrás, contaba con que Levecque intentaría alcanzarlo con un tajo largo y dirigido hacia delante, que perdería el equilibrio. Pero el asesino no era un novato. Se inclinó y también se movió en semicírculo, con un paso blando y felino. Saltó inesperadamente, hizo un molinete con la espada, un giro, y acortó la distancia. El brujo no salió a su encuentro, se limitó a una finta rápida, muy alta, que obligó al asesino a retroceder. Levecque se inclinó de nuevo, plegándose una cuarta, escondió la mano con el estilete detrás de la espalda. El brujo tampoco atacó esta vez, no redujo la distancia, de nuevo anduvo hacia un lado, rodeándole.

—Ajá —rezongó Levecque, incorporándose—. ¿Alargamos la diversión? ¿Por qué no? ¡Nunca está de más un buen entretenimiento!

Saltó, giró, golpeó, una, dos, tres veces, en rápido ritmo, con altos tajos de espada y al mismo tiempo, con la izquierda, dando un golpe plano y derecho con el estilete. El brujo no retardó el ritmo, paró, retrocedió y otra vez se movió hacia un lado, obligó al asesino a girarse. Levecque retrocedió de pronto, se dio media vuelta en dirección contraria.

—Toda diversión —murmuró a través de los dientes apretados— tiene su fin. ¿Qué dices a un golpe, listeras? Un golpe y luego, con una flecha, echaremos abajo del árbol a esa putilla tuya. ¿Qué dices a eso?

Geralt vio que Levecque observaba su sombra, que esperaba a que la sombra alcanzase al contrincante para señalar que éste tiene el sol en los ojos. Dejó de moverse, para facilitar al asesino su tarea.

Y encogió las pupilas en forma de dos rendijas verticales, dos líneas estrechísimas.

Para mantener el engaño, frunció ligeramente el ceño, fingiendo que estaba cegado.

Levecque saltó, giró, mantuvo el equilibrio sacando la mano del estilete a un lado, golpeó con una casi imposible torsión de la muñeca, desde abajo, apuntó al mismo tiempo. Geralt dio un paso hacia adelante, se volvió, rechazó el golpe, torciendo el brazo y la muñeca también de inaudita forma, empujó al asesino con el ímpetu de la parada y le atravesó con la punta de la espada por la mejilla izquierda. Levecque se tambaleó, echándose las manos a la cara. El brujo se retorció en una media vuelta, desplazó el peso del cuerpo hacia el pie izquierdo y con un corto golpe le rajó la arteria carótida. Levecque se hizo un ovillo, la sangre brotaba de su cuello, cayó de rodillas, se encorvó, hundió el rostro en la arena.

Geralt se dio la vuelta lentamente en dirección a Junghans. Éste, deformando su arrugada cara en una mueca de rabia, le apuntó con el arco. El brujo se inclinó, mientras aferraba la espada con las dos manos. Los otros mercenarios elevaron también sus arcos, en un sordo silencio.

—¿A qué esperáis? —gritó el guardabosques—. ¡Disparad! ¡Disparadle a...!

Dio un traspiés, vaciló, se arrastró hacia adelante y cayó de morros, de su nuca sobresalía una flecha. La flecha tenía en el asta una pluma rayada de la cola de un faisán teñida de amarillo con cocimientos de corteza.

Las flechas volaban con un susurro y un silbido en largas y planas parábolas desde la negra pared del bosque. Volaban aparentemente lentas y tranquilas, agitando las plumas, y pareciera que sólo adquirían ímpetu y fuerza en el momento en que se clavaban en su objetivo. Y se clavaban sin errores, derribando a la patulea nastrogana, tumbándolos sobre el camino de arena, inertes y truncados como girasoles golpeados por un palo.

Aquéllos que sobrevivieron echaron a correr hacia los caballos, tropezándose unos con otros. Las flechas no dejaron de silbar, los alcanzaron en su carrera, los golpearon en las sillas. Sólo tres pudieron poner a galope a los caballos y huir, gritando, haciendo sangrar con sus espuelas los costados de los animales. Pero tampoco éstos llegaron lejos.

El bosque se cerró, bloqueó el camino. De pronto ya no hubo un camino real bañado por el sol. Hubo un muro de negros troncos, cerrado e impenetrable.

Los mercenarios detuvieron a los caballos, asustados y sorprendidos, intentaron volverse, pero las flechas volaban incansablemente. Y los alcanzaron, los echaron abajo de las sillas entre las coces y los relinchos de los caballos, entre los gritos.

Y luego se hizo el silencio.

La pared de bosque que cerraba la senda tembló, se deformó, brilló con los colores del arco iris y desapareció. De nuevo pudo verse el camino, y en el camino había un caballo rucio, y sobre el caballo rucio había un jinete, de complexión fuerte, de barba amarillenta, vestido con una almilla de piel de foca y un echarpe de lana a cuadros puesto al bies.

El caballo rucio, volviendo la testa y mordiendo el bocado, dio unos pasos hacia el frente, alzó bien altas las pezuñas anteriores, relinchando y bufando a los cadáveres, a causa del olor de la sangre. El jinete, erguido en su silla, alzó la mano y un repentino golpe de viento sopló sobre las ramas de los árboles.

De entre los matorrales en los lejanos bordes del bosque fueron surgiendo pequeñas siluetas en ceñidas vestimentas que combinaban verde y bronce, de rostros con rayas de camuflaje pintadas a base de cáscaras de nuez.

—¡Ceádmil, wedd Brokiloéne! —gritó el jinete—. ¡Fáill, aná woedwedd!

—Fáill —una voz desde el bosque como un soplo de viento.

Las siluetas verdibronce comenzaron a desaparecer, una detrás de la otra, perdiéndose entre el sotobosque. Sólo quedó una que tenía revueltos cabellos de color miel. Dio algunos pasos, se acercó.

—¡Va fáill, Gwynbleidd! —gritó, acercándose aún más.

—Adiós, Mona —dijo el brujo—. No te olvidaré.

—Olvídame —repuso áspera mientras se colocaba la aljaba a la espalda—. No existe Mona. Mona fue un sueño. Soy Braenn. Braenn de Brokilón.

Le saludó con la mano otra vez. Y desapareció.

El brujo se volvió.

—Myszowor —dijo, mirando al jinete del caballo rucio.

—Geralt. —El jinete le saludó con una inclinación de cabeza, al tiempo que le medía con una fría mirada—. Interesante encuentro. Pero comencemos por cosas más importantes. ¿Dónde está Ciri?

—¡Aquí! —gritó la muchacha, completamente escondida entre la hojarasca—. ¿Puedo salir ya?

—Puedes —dijo el brujo.

—¡Pero no sé cómo!

—De la misma forma que lo hiciste antes, sólo que al revés.

—¡Me da miedo! ¡Estoy en la misma punta!

—¡Baja, te digo! ¡Tenemos algo que hablar, señorita!

—¿De qué?

—¡De por qué diablos tuviste que trepar ahí arriba en lugar de huir al bosque! Habría corrido detrás de ti, no habría tenido que... Ah, rayos. ¡Baja!

—¡Hice como el gato en el cuento! ¡Haga lo que haga, todo está mal! ¿Por qué?, me gustaría saberlo.

—Yo también —dijo el druida, bajando del caballo— querría saberlo. Y tu abuela, la reina Calanthe, también querría saberlo. Venga, bajad, infanta.

Hojas y ramas secas cayeron del árbol. Luego se escuchó el fuerte chasquido de una tela rota y al final apareció Ciri, deslizándose a horcajadas por el tronco. En lugar de la capucha de la capa tenía un pintoresco colgajo.

—¡Tío Myszowor!

—En persona. —El druida abrazó a la muchacha, la apretó.

—¿Te envió la abuela? ¿Tío? ¿Está muy preocupada?

—No mucho —sonrió Myszowor—. Tiene demasiado que hacer preparando las varas para azotarte. El camino a Cintra, Ciri, nos llevará algún tiempo. Dedícalo a pensar alguna explicación para tus actos. Debiera ser, si quieres hacer caso de mis consejos, una explicación muy corta y concreta. Tal, que pueda ser dicha muy, muy deprisa. Pero me parece que al final tendrás que gritar de todos modos, princesa. Muy, muy fuerte.

Ciri deformó dolorosamente el rostro, arrugó la nariz, bufó por lo bajo, y las manos se le fueron inconscientemente en dirección al lugar amenazado.

—Vayámonos de aquí —dijo Geralt, mirando alrededor—. Vayámonos de aquí, Myszowor.

VIII

—No —dijo el druida—. Calanthe ha cambiado de planes, no desea ya el matrimonio de Ciri con Kistrin. Tiene sus motivos. Para colmo, no tengo que decirte que después de este horrible asunto del ataque fingido contra los mercaderes, el rey Ervyll ha perdido mucho ante mis ojos, y mis ojos cuentan en el reino. No, ni siquiera nos llegaremos hasta Nastrog. Me llevo a la pequeña directamente a Cintra. Ven con nosotros, Geralt.

—¿Para qué? —El brujo lanzó una mirada a Ciri, que dormitaba bajo un árbol, envuelta en la zamarra de Myszowor.

—Bien sabes para qué. Esta niña, Geralt, te está predestinada. Por tercera vez, sí, por tercera vez se cruzan vuestros caminos. En sentido figurado, por supuesto, sobre todo en lo que respecta a las dos ocasiones anteriores. Creo que no serás capaz de llamar a esto coincidencia.

—Qué más da cómo lo llame. —El brujo puso una sonrisa torcida—. La cosa no es el nombre, Myszowor. ¿Para qué tengo que ir a Cintra? Ya estuve en Cintra, ya se cruzaron, como dices, nuestros caminos. ¿Y qué?

—Geralt, pediste entonces un juramento a Calanthe, a Pavetta y a su marido. El juramento se mantiene. Ciri es una Inesperada. El destino exige...

—¿Que me lleve a esa niña y la convierta en brujo? ¿A una muchacha? Mírame, Myszowor. ¿Me imaginas a mí como moza gallarda?

—Al diablo con tu gremio de la brujería —se enfadó el druida—. ¿De qué hablas? ¿Qué tiene que ver una cosa con la otra? No, Geralt, veo que no entiendes nada, tengo que acudir a palabras más sencillas. Escucha, cada idiota, incluyéndote a ti, puede exigir un juramento, puede forzar una promesa y no sucederá por ello nada extraordinario. Extraordinario es el niño. Y extraordinario es también el lazo que surge cuando nace el niño. ¿Más claro? Pues mira, Geralt, desde el momento del nacimiento de Ciri dejó de contar lo que tu quieres y lo que planeas, no importa tampoco lo que no quieres ni a lo que renuncias. ¡Tú, maldita sea, no cuentas! ¿No lo comprendes?

—No grites o la despertarás. Nuestra Inesperada duerme. Y si se despierta... Myszowor, se puede... se debe alguna vez renunciar hasta a las cosas más extraordinarias.

—Sin embargo, sabes —el druida lo miró con frialdad— que jamás tendrás tu propio hijo.

—Lo sé.

—¿Y renuncias?

—Renuncio. Soy libre de hacerlo, ¿no?

—Libre —dijo Myszowor—. Y cómo. Pero es peligroso. Hay un viejo proverbio que dice que la espada del destino...

—... tiene dos filos —terminó Geralt—. Lo conozco.

—Ah, haz lo que quieras. —El druida volvió la cabeza, escupió—. Y pensar que estaba dispuesto a arriesgar mi cuello por ti...

—¿Tú?

—Yo. A diferencia de ti, yo creo en el destino. Y sé lo peligroso que es jugar con una espada de dos filos. No juegues, Geralt. Aprovéchate de la oportunidad que se te ofrece. Haz de lo que te ata a Ciri un lazo normal, sano, entre una niña y su protector. Porque si no... Entonces este lazo puede crearse de otro modo. Terrible. De forma destructiva, negativa. Quiero evitaros esto a ti y a ella. Si quisieras llevártela, no me opondría. Echaría sobre mis hombros el riesgo de explicarle a Calanthe por qué.

—¿Cómo sabes que Ciri querría ir conmigo? ¿Por un viejo proverbio?

—No —dijo Myszowor con seriedad—. Por el hecho de que se quedó dormida sólo cuando la abrazaste. Porque murmura tu nombre en sus sueños y porque su mano busca tu mano.

—Basta —Geralt se levantó—, porque estoy a punto de echarme a llorar. Adiós, barbas. Reverencias para Calanthe. Y para Ciri... invéntate algo.

—No conseguirás huir, Geralt.

—¿Del destino? —El brujo apretó la barriguera del caballo que había tomado como botín.

—No —dijo el druida mirando a la muchacha dormida—. De ella.

El brujo agitó la cabeza, saltó a la silla. Myszowor permaneció sentado, removiendo con un palo en el fuego que se iba apagando.

Cabalgó despacio, por entre unos brezos que le llegaban a las espuelas, por una pendiente que conducía al valle, en dirección al oscuro bosque.

—¡Geraaalt!

Se dio la vuelta. Ciri estaba de pie en la cima del monte, una pequeña figura gris de revueltos cabellos color ceniza.

—¡No te vayas!

Geralt agitó la mano.

—¡No te vayas! —gritó con voz muy aguda—. ¡No te vayaaaas!

Tengo que hacerlo, pensó. Tengo que hacerlo, Ciri. Porque yo... yo siempre me voy.

—¡No lo conseguirás! —gritó—. ¡No te lo creas! ¡No huirás! Soy tu destino, ¿me escuchas?

No existe el destino, pensó él. No existe. Lo único que nos está destinado a todos es la muerte. La muerte es el otro filo de la espada de doble filo. Uno soy yo. El otro es la muerte, que me sigue paso a paso. No puedo, no debo dañarte, Ciri.

—¡Soy tu destino! —le alcanzó desde la cima del monte, una voz lejana, desesperada.

Espoleó al caballo con el talón y cabalgó hacia adelante, hundiéndose como en una sima, en un bosque negro, frío y húmedo, en las conocidas, amigables tinieblas, en una oscuridad que parecía no tener final.

Algo más

Cuando el ruido de cascos de caballos resonó inesperado en las tablas del puente, Yurga ni siquiera alzó la cabeza, se limitó a gemir en voz baja, soltó el aro de la rueda sobre el que se afanaba y se arrastró debajo del carro tan deprisa como pudo. Aplastado en el suelo, restregaba la espalda contra la áspera capa de estiércol y barro que recubría la parte baja del vehículo, gañía entrecortadamente y temblaba de miedo.

El caballo se acercó despacito al carro. Yurga vio cuán delicada y precavidamente pisaba con los cascos en los húmedos y enmohecidos maderos.

—Sal —dijo el invisible jinete. A Yurga le castañetearon los dientes, metió la cabeza entre los brazos. El caballo relinchó, pateó el suelo.

—Tranquila, Sardinilla —dijo el jinete. Yurga escuchó cómo palmeteaba al caballo en el cuello—. Sal de ahí, paisano. No te haré daño.

El mercader no creyó en absoluto la declaración del desconocido. Sin embargo, en la voz había algo que tranquilizaba, y que intrigaba al mismo tiempo, pese a que lo mínimo que se podía decir es que no era una voz cuyo sonido pudiera ser considerado agradable. Yurga, barbullando oraciones a varias decenas de dioses al mismo tiempo, sacó con cuidado la cabeza de debajo del carro.

El jinete tenía los cabellos blancos como la leche, ligados en la frente por una banda de cuero, y vestía un capote negro de lana que resbalaba por la grupa de una yegua castaña. No miraba a Yurga. Inclinado en la silla, contemplaba la rueda del carro, que estaba metida hasta el cubo por el hueco entre dos destrozadas tablas del puente. De pronto levantó la cabeza, pasó la mirada por el mercader, con la faz inmóvil observó los matojos a ambos lados del barranco.

Yurga se arrastró hacia afuera, parpadeó, se limpió la nariz con la mano, lo que sirvió para repartirle por todo el rostro la porquería de la rueda. El jinete clavó en él sus ojos, oscuros, estrechos, penetrantes, agudos como arpones. Yurga callaba.

—Los dos solos no lo podremos sacar —dijo por fin el desconocido señalando a la rueda atascada—. ¿Viajabas solo?

—Sí, sólo tres —balbuceó Yurga—. Con los sirvientes, señor. Pero huyeron, los cagones...

—No me extraña —dijo el jinete mirando bajo el puente al fondo de la garganta—. No me resulta extraño en absoluto. Estimo que debieras hacer lo mismo que ellos. Ya va siendo hora.

Yurga no siguió con la vista la mirada del desconocido. No quería mirar el montón de cráneos, costillas y tibias desparramadas por entre las piedras que sobresalían de entre las bardanas y las ortigas que crecían en el fondo del seco riachuelo. Tenía miedo de que bastara echar un simple vistazo más, una nueva mirada a las oscuras cuencas de las calaveras, a los dientes brillantes y a los destrozados huesos, para que todo en él estallara, para que los restos de su desesperada valentía escaparan de él como el aire escapa de una vejiga de vaca. Para que se tirara por el camino real abajo, de vuelta, lanzando gritos, como el carretero y el criado habían hecho menos de una hora antes.

—¿A qué esperas? —le preguntó despacio el jinete, volviendo el caballo—. ¿A que se haga de noche? Entonces será demasiado tarde. Ellos vendrán a por ti apenas oscurezca. Y puede que antes. Monta, salta al caballo, detrás de mí. Vayámonos de aquí los dos, y cuanto antes.

—¿Y el carro, señor? —gritó a pleno pulmón Yurga, sin saber si era por el miedo o por la rabia—. ¿Y las mercaderías? ¿Todo un año de trabajo? ¡Antes reviento! ¡No las dejaré!

—Me parece que no sabes todavía adónde te ha traído tu mala suerte, amigo —dijo con tranquilidad el desconocido, sacando la mano en dirección al horrible cementerio bajo el puente—. ¿No dejarás el carro, dices? Y yo te digo que cuando caiga la noche no te salvará ni siquiera el tesoro del rey Dezmot, y cuanto menos tu maldito carro. Diablos, pero, ¿qué te dio para acortar camino por entre estos dólmenes? ¿No sabes lo que ha anidado aquí desde la guerra?

Yurga señaló con la cabeza que no sabía.

—No sabes —afirmó con la cabeza el desconocido—. Pero, ¿lo que yace en el fondo lo habrás visto? Es difícil no verlo. Éstos son los que también tomaron el atajo. Y dices que no vas a dejar el carro. Y, por curiosidad, ¿qué es lo que llevas en ese carro?

Yurga no contestó, miró al jinete con aire sombrío, intentó elegir entre la versión «estopa» y la versión «trapos viejos».

El jinete no parecía estar especialmente interesado en la respuesta. Tranquilizó a la yegua castaña, que mordía el frenillo y agitaba la testa.

—Señor... —murmuró al fin el mercader—. Ayudadme. Salvadme. Hasta el último de mis días os lo agradeceré... No me dejéis... Lo que queráis, os daré todo lo que pidáis... ¡Salvadme, señor!

El desconocido volvió violentamente la cabeza hacia él, apoyando ambas manos en el arzón de la silla.

—¿Cómo has dicho?

Yurga calló, la boca abierta.

—¿Me darás lo que pida? Repítelo.

Yurga tragó saliva sonoramente, cerró la boca y lamentó no tener barba en la que se hubiera podido escupir. Por la cabeza le pasaban las imaginaciones más fantásticas posibles sobre el pago que podría exigir el extraño forastero. La mayor parte de ellas, incluyendo el privilegio del uso semanal de su joven esposa Doradita, no parecían tan terribles como la perspectiva de la pérdida del carro, ni desde luego tan macabras como la posibilidad de reposar en el fondo del barranco como uno más de los blanqueados esqueletos. La rutina de tratante le obligó a un rapidísimo cálculo. El jinete, aunque no parecía ser un pordiosero común y corriente, ni vagamundos ni saqueador de los muchos que después de la guerra poblaban los caminos, no podía ser tampoco noble, comes ni de otra clase, uno de esos orgullosos caballeritos que se tenían a sí mismos en alta estima y hallaban regocijo en despellejar al prójimo. Yurga lo valoró en no más de veinte piezas de oro. No obstante, su natural de negociante le impedía pronunciar el precio. Se limitó entonces a barbotear algo acerca de «agradecimiento eterno».

—He preguntado —le recordó sereno el desconocido, que había esperado a que el mercader se callara— si me darás lo que te pida.

No había salida. Yurga tragó saliva, inclinó la cabeza y afirmó con un gesto. El desconocido, en contra de lo que él esperaba, no sonrió ominosamente, antes al contrario, no parecía en absoluto estar contento de su triunfo en las negociaciones. Inclinándose sobre la silla, escupió al barranco.

—Pero, ¿qué hago? —dijo sombrío—. ¿Qué es lo mejor que debiera hacer...? Bueno, qué más da. Intentaré sacarte de esto, aunque no sé si terminará mal para ambos. Y si lo logramos, tú a cambio...

Yurga se encogió, casi llorando.

—Me darás —recitó de pronto el jinete del capote negro con fluidez— lo que en casa a tu vuelta encuentres y que no te esperas. ¿Lo juras?

Yurga jadeó y afirmó presto con un gesto de la cabeza.

—Bien. —El desconocido arrugó el ceño—. Y ahora apártate. Y mejor métete de nuevo debajo del carro.

Bajó del caballo, se quitó el capote de los hombros. Yurga observó que el desconocido llevaba una espada al dorso, sujeta en un talabarte que le cruzaba el pecho al sesgo. Tenía un confuso sentimiento de que ya había oído hablar antes de gente que portaba las armas de tal forma. El gabán negro de cuero que le llegaba hasta las caderas y que estaba dotado de largas mangas cubiertas de tachuelas de plata podría significar que el desconocido procedía de Novigrado o de sus alrededores, pero la moda de este tipo de ropa se había extendido mucho últimamente, especialmente entre los jovenzuelos. Aunque el desconocido no era ningún jovenzuelo.

El jinete descolgó las enjalmas de la yegua, se volvió. En su pecho se balanceaba un medallón circular en una cadena de plata. Apretaba bajo las axilas un pequeño y redondeado cofrecillo y un hato alargado envuelto en cuero y atado con correas.

—¿Todavía no estás debajo del carro? —preguntó, acercándose. Yurga vio que en el medallón había grabada una testa de lobo, con los morros abiertos armados de colmillos. De pronto recordó.

—¿Sois... brujo? ¿Señor?

El desconocido se encogió de hombros.

—Lo adivinaste. Un brujo. Y ahora vete. Al otro lado del carro. No salgas de allí y guarda silencio.

Yurga obedeció. Se encogió junto a la rueda y se envolvió en la tela del toldo. No quería mirar lo que hacía el desconocido al otro lado del carro, y mucho menos hacia los huesos al fondo del barranco. Así que miró sus botas y las manchas de musgo verde y con forma de estrella que crecían en las húmedas barandillas del puente.

Un brujo.

El sol se ponía.

Escuchó pasos.

El desconocido salió de detrás del carro y anduvo despacio, muy despacio hasta el centro del puente. Estaba de espaldas, Yurga se dio cuenta de que la espada que llevaba no era la que había visto antes. Ésta era una hermosa arma, el pomo, el puño y las guarniciones de la vaina brillaban como estrellas, reflejaban la luz incluso en la oscuridad que caía, incluso aunque ya casi no había luz, pues había desaparecido hasta la claridad dorado-purpúrea que no hacía mucho aún colgaba sobre el bosque.

—Señor...

El desconocido volvió la cabeza. Con esfuerzo, Yurga retuvo un grito.

El rostro del extraño era blanco, blanco y poroso como un queso fresco al que se le ha exprimido el cuajo y se ha envuelto en trapos. Y los ojos... Dioses, algo aulló en el interior de Yurga. Los ojos...

—Detrás del carro. Ya —habló el desconocido con voz ronca. No era la voz que Yurga había escuchado antes. El mercader sintió de pronto cuán horriblemente le apretaba la vejiga. El desconocido se dio la vuelta y siguió caminando sobre el puente.

Un brujo.

El caballo atado a una estaca del carro bufó, jadeó, golpeó sordamente con los cascos en las tablas.

Junto al oído de Yurga zumbó un mosquito. El mercader ni siquiera movió la mano para espantarlo. Zumbó otro más. Toda una nube de mosquitos zumbaba en los matojos al otro lado de la garganta.

Y aullaban.

Yurga, apretando los dientes hasta que le dolieron, se dio cuenta de que no se trataba de mosquitos.

De las tinieblas al borde cubierto de matorrales del abismo fueron surgiendo unas pequeñas y deformes siluetas. No eran mayores de cuatro codos, terriblemente delgadas, como esqueletos. Salieron al puente con un extraño paso de garza, levantaban muy alto unas rodillas huesudas, con fuertes y violentos movimientos. Bajo unas cabezas planas y angulosas brillaban unos ojos amarillos, en unas anchas mandibulillas de rana relucían blancos y agudos colmillos. Se acercaron, siseando.

El desconocido, inmóvil como una estatua en el centro del puente, alzó de pronto la mano derecha con los dedos en una extraña posición. Los monstruosos enanos retrocedieron, sisearon aún más fuerte, pero inmediatamente volvieron a moverse hacia delante, deprisa, cada vez más deprisa, alzaron unas patas largas, delgadas, armadas de garras.

Sobre las tablas del puente, desde la izquierda, rechinaron las uñas, el monstruo más cercano saltó súbito sobre el puente y el resto se lanzó hacia adelante dando unos saltos increíbles. El desconocido se retorció en el sitio, la espada, que había sacado no se sabe en qué momento, brilló. La cabeza del monstruo que trepaba sobre el puente voló unas brazas hacia arriba, dejando tras de sí una cola de sangre. El peloblanco saltó entre un grupo de otros, giró, mientras segaba todo a izquierda y derecha. Los monstruos, agitando las zarpas y aullando, se echaron sobre él desde todos lados, sin prestar atención a la luminosa hoja que cortaba como una navaja de afeitar. Yurga se hizo un ovillo, se apretó contra el carro.

Algo cayó justo a sus pies, le regó de sangre. Era una larga y huesuda zarpa, de cuatro garras y con unas callosidades como de pata de pollo.

El mercader gritó.

Sintió cómo algo pasaba furtivamente junto a él. Se encogió, quiso esconderse debajo del carro, en este momento algo le aterrizó en la nuca y unas patitas con zarpas le agarraron por la frente y las mejillas. Se tapó los ojos con la mano, mientras aullaba y agitaba la cabeza, se levantó y con un paso desquilibrado se lanzó hacia el centro del puente tropezando al paso con los cadáveres que yacían sobre los maderos. En el puente, la lucha continuaba, Yurga no vio nada excepto un salvaje revoltijo, un torbellino del que de vez en cuando surgían los brillantes rayos de la hoja de plata.

—¡Socorroooo! —aulló, sentía cómo unos colmillos agudos atravesaban el fieltro de su capucha y se le clavaban en el occipucio.

—¡Baja la cabeza!

Apretó la barbilla contra el pecho, capturó con el ojo el brillo de la hoja. El estoque silbó en el aire, rasgó la capucha. Yurga escuchó un horrible y húmedo chasquido, después del cual, sobre el pecho, como de un cubo, le corrió un río de sangre caliente. Cayó de rodillas arrastrando con él el peso ya sin vida que le colgaba del cuello.

Ante sus ojos tres monstruos más surgieron de debajo del puente. Saltaron como extraños saltamontes, se pegaron al muslo del desconocido. Uno recibió un corto golpe a través del morro abierto, se arrastró rígido y se derrumbó sobre las tablas. A otro le golpeó la misma punta de la espada, cayó retorciéndose espasmódicamente. Los restantes rodearon al peloblanco como hormigas, le empujaron hacia el borde del puente. Uno salió volando del torbellino hacia atrás, esparciendo sangre, temblando y aullando. En aquel momento toda la embrollada maraña se lanzó por los bordes y cayó al barranco. Yurga se tiró sobre el puente, cubriéndose la cabeza con las manos.

De debajo del puente se oyeron multitud de gritos de triunfo de los monstruos, que, sin embargo, se tornaron rápidamente en gritos de dolor, en aullidos interrumpidos por el silbido de la hoja. Luego le alcanzó en la oscuridad el estruendo de piedras y el crujido de esqueletos al ser aplastados y pisoteados, luego de nuevo el silbido de la espada y los alaridos violentamente cortados, desesperados, que helaban la sangre.

Y por fin sólo hubo un silencio cortado de pronto por los graznidos de un pájaro asustado, en lo profundo del bosque, entre los gigantescos árboles. Luego hasta el pájaro calló.

Yurga tragó saliva, levantó la cabeza, se incorporó con esfuerzo. Seguía reinando el silencio, ni siquiera las hojas susurraban, el bosque entero parecía haber enmudecido del horror. Rachas de nubes oscurecían el cielo.

—Hey...

Se volvió, se cubrió el rostro inconscientemente con el brazo. El brujo estaba delante de él, inmóvil, negro, con la espada brillando en una mano que mantenía muy baja. Yurga percibió que estaba algo torcido, que tendía hacia un lado.

—Señor, ¿qué os sucede?

El brujo no respondió. Dio un paso, desmañado y pesado, cojeaba con la pierna derecha. Sacó la mano, se apoyó en el carro. Yurga vio la sangre reluciente y negra que fluía hasta los tablones del puente.

248

—¡Herido estáis, señor!

El brujo no contestó. Miró directamente a los ojos del mercader, colgó de pronto de la caja del carro, cayó poco a poco sobre el puente.

II

—Con cuidado, despacio... Bajo la cabeza... ¡Que alguien le sujete la cabeza!

—¡Aquí, aquí, al carro!

—Por los dioses, se va a desangrar... Don Yurga, la sangre le brota de los vendajes...

—¡No habléis! ¡Venga, adelante, Púber, deprisa! Con el zamarrón cúbrelo, Vell, ¿no ves cómo tirita?

—¿Y si le echo un poco de orujo en los morros?

—¿Estando inconsciente? ¡Estás zambombo, Vell! Pero trae acá el orujo, algo he de beber... ¡Perros, cacho puercos, cobardes de mierda! ¡Mira que salir pitando, mira que dejarme solo!

—¡Don Yurga! ¡Algo dice!

—¿Qué? ¿Qué dice?

—Algo poco claro... No sé qué nombre de alguien...

—¿Cuál?

—Yennefer...

III

—¿Dónde... estoy?

—Seguid tumbado, señor, no os mováis, o si no de nuevo se os romperá y os estallará todo. Hasta el hueso de los muslos os mordieron los bichos ésos, sangre en abundancia perdisteis... ¿No me conocéis? ¡Soy Yurga! A mi persona fue que vos socorristeis en el puente, ¿os acordáis?

—Sí...

—¿Tenéis sed?

—Como el diablo...

—Bebed, señor, bebed. La fiebre os quema.

—Yurga... ¿Dónde estamos?

—En el carro vamos. No digáis nada, señor, no os mováis. De los montes hemos de salir, a buscar poblados de las personas. Hemos de encontrar allí a alguien que sepa de medicinas. Poco puede hacer lo que os pusimos en la paturrica. La sangre no sólo sigue manando...

—Yurga...

—¿Sí, señor?

—En mi cofrecillo... Una redoma... Con un lacre verde. Rompe el sello y dámela... en algún cuenco. Lava el cuenco muy bien, no dejes tocar a nadie las redomas... si apreciáis la vida... Rápido, Yurga. La puta, cómo traquetea este carro... La redoma, Yurga...

—Ya... Bebed.

—Gracias... Escucha. Ahora me quedaré dormido. Me revolveré y diré cosas absurdas, luego yaceré como muerto. No es nada, no tengas miedo.

—Tumbaos, señor, porque la herida se abrirá y se os saldrá la sangre.

Se dejó caer sobre el pellejo, echó la cabeza de un lado a otro, sintió cómo el mercader le cubría con el zamarrón y con una frazada que olía a sudor de caballo. El carro traqueteó, cada golpe producía un terrible dolor en el muslo y en las caderas. Geralt apretó los labios. Vio sobre él

miles de millones de estrellas. Tan cerca que parecía que bastaba con levantar la mano. Allí sobre la cabeza, sobre las copas de los árboles.

Mientras andaba, escogió el camino de tal modo que se mantenía siempre lejos de la luz, del brillo de los fuegos, siempre en la zona de las ondulantes tinieblas. No era fácil: pilas de troncos de abetos ardían por todos los alrededores, asaltaban el cielo con una roja claridad entretejida por los brillos de las chispas, marcaban la oscuridad con las más claras proporciones del humo, chasqueaban, arrojaban su luminosidad sobre las siluetas que bailaban alrededor.

Geralt se detuvo para ceder el paso a una comitiva que se dirigía en su dirección, enajenados, gritando salvajes, bloqueando el paso. Alguien le agarró por el hombro, intentó poner en su mano una jarra de madera de la que rebosaba la espuma. La rechazó con delicadeza, pero apartó de sí con decisión al tambaleante personaje que repartía a su alrededor la cerveza de un barrilete que sujetaba con la axila. No quería beber.

No en una noche como aquélla.

No muy lejos de allí, en un andamiaje de troncos de abedul que se calentaba gracias a un gigantesco fuego, un Rey de Mayo de cabellos claros, con una corona de hojas y flores y vestido con pantalones de lana cardada, besaba a una Reina de Mayo pelirroja, mientras le tanteaba los pechos a través de la fina camisola empapada en sudor. El monarca estaba algo más que ligeramente borracho, se tambaleaba, mantenía el equilibrio sujetándose a la espalda de la Reina, apretaba contra ella el puño cerrado sobre la jarra de cerveza. La Reina, tampoco demasiado serena, con la corona caída sobre los ojos, abrazaba al Rey por el cuello y pasaba el peso de una pierna a la otra. La multitud bailaba junto al andamiaje, cantaba, gritaba, movía las varillas recubiertas de guirnaldas de hojas y flores.

—¡Belleteyn! —gritó directamente a la oreja de Geralt una muchacha joven y no muy alta. Le tomó de la mano, le obligó a introducirse entre la comitiva que le rodeaba. Ella bailó junto a él, removiendo la falda y agitando sus cabellos llenos de flores. Le permitió que le introdujera en el baile, giró, salió hábilmente del paso a otras parejas.

—¡Belleteyn! ¡Noche de Mayo!

Junto a él, forcejeos, chillidos, sonrisas nerviosas de otra muchacha que fingía luchar y resistirse, conducida por un muchacho a la oscuridad, más allá del alcance de la luz. La comitiva torció, se introdujo entre las pilas ardientes. Alguien tropezó, cayó, rompiendo la cadena de manos, dividiendo la cohorte en grupos más pequeños.

La muchacha miraba a Geralt por bajo las hojas que le decoraban la cabeza, se acercó, se apretó con fuerza contra él, rodeándole con los brazos, respirando con fuerza. Él la aferró con mayor fuerza de lo que pensaba, en las manos apoyadas en su espalda percibió la cálida humedad de su cuerpo a través de la fina tela de lino. Alzó la cabeza. Tenía los ojos cerrados, sus dientes brillaban bajo el labio superior que tenía subido, torcido. Olía a sudor y a juncos, a humo y deseo.

Por qué no, pensó él, acariciando su vestido y su espalda, alegrándose del húmedo y vaporoso calor en sus dedos. La muchacha no era de su tipo —demasiado pequeña, demasiado rolliza—, sentía bajo su mano el lugar donde el ajustado talle del vestido al ceñir su cuerpo dividía la espalda en dos redondeces claramente palpables, en un lugar donde no debía de haberlas. Por qué no, pensó, si en esta noche... no significa nada.

Belleteyn... Fuego hasta el horizonte. Belleteyn. Noche de Mayo.

La hoguera más cercana devoraba con un chasquido el abeto seco y ajado que le habían echado, expulsaba doradas claridades, con luces que lo inundaban todo. La muchacha abrió los ojos, miró hacia arriba, a su rostro. Escuchó cómo tomaba aire con fuerza, sintió cómo ponía en tensión los músculos, cuán violentamente apoyaba las manos en su pecho. La soltó de inmediato. Ella vaciló. Desviando el tronco a lo largo de los brazos un poquito elevados, no despegó la cadera del muslo de él. Bajó la cabeza, luego retiró las manos, se apartó, miró hacia un lado.

Estuvieron de pie por un momento, inmóviles, hasta que la comitiva volvió y cayó sobre ellos de nuevo, los hizo moverse, los separó. La muchacha se dio la vuelta con rapidez, huyó, intentó desmañadamente unirse a los danzantes. Volvió la cabeza para mirarlo. Sólo una vez.

Belleteyn...

¿Qué hago yo aquí?

En la oscuridad brilló una estrella, relampagueó, atrajo la mirada. El medallón en el cuello de Geralt vibró. Geralt amplió inconscientemente la pupila, adaptó sin esfuerzo su vista a la oscuridad.

La mujer no era una aldeana. Las aldeanas no llevaban capas de terciopelo negro. Las aldeanas, llevadas o perseguidas por los hombres a través del soto, gritaban, risoteaban, se agitaban y retorcían como una trucha sacada del agua. Ninguna de ellas daba la sensación que ella daba de ser quien conducía hacia la oscuridad al alto muchacho rubio de la camisa desabrochada.

Las aldeanas jamás llevaban al cuello aterciopeladas estrellas de obsidiana engarzadas con diamantes.

—Yennefer.

Ojos de pronto muy abiertos, violeta, que ardían en un blanco rostro triangular.

—Geralt...

Soltó la mano del querubín rubio cuyo pecho sudoroso brillaba como una placa de cobre. El muchacho se tambaleó, giró, cayó de rodillas, agitó la cabeza, miró a su alrededor, murmuró. Se levantó poco a poco, pasando por ellos una mirada de incomprensión y nerviosismo, después de lo cual anduvo con paso inseguro en dirección a las hogueras. La hechicera ni siquiera le miró. Contemplaba atentamente al brujo, y su mano apretaba con fuerza el borde de la capa.

—Me alegro de verte de nuevo —dijo él con fluidez. De inmediato sintió cómo desaparecía la tensión que había entre ambos.

—Lo mismo digo —sonrió ella. Le daba la sensación de que en aquella sonrisa había algo forzado, pero no estaba seguro—. Una sorpresa muy agradable, no lo niego. ¿Qué haces aquí, Geralt? Ah... Perdón, perdona esta pregunta tonta. Por supuesto, haces lo mismo que yo. Al fin y al cabo es Belleteyn. Sólo que a mí me has pillado, por así decirlo, con las manos en la masa.

—Te he interrumpido.

—Sobreviviré. —Sonrió—. La noche sigue. Si quiero, hechizaré a otro.

—Una pena que yo no sea capaz —dijo, intentó con gran esfuerzo parecer indiferente—. Justamente una acaba de ver mis ojos a la luz y ha huido.

—Al amanecer —dijo ella, sonriendo cada vez más artificialmente—, cuando de verdad se dejen llevar, no prestarán atención. Todavía encontrarás a alguna, ya verás...

—Yen... —Las palabras se le quedaron en la garganta. Se miraron el uno al otro, largo, largo tiempo y el rojizo resplandor del fuego jugaba con sus rostros. Yennefer suspiró de pronto, cerró los párpados.

—Geralt, no. No comencemos de nuevo...

—Es Belleteyn —la interrumpió—. ¿Lo has olvidado?

Ella se acercó poco a poco, le puso las manos sobre los hombros, poco a poco y con cuidado se apretó contra él, le tocó con la punta de sus pechos. Él le acarició sus cabellos negros como ala de cuervo, poblados de rizos retorcidos como serpientes.

—Créeme —susurró ella, alzando la cabeza—. No me lo pensaría ni un segundo si se tratara sólo de... Pero esto no tiene sentido. Todo comenzaría de nuevo y se terminaría como la última vez. No tiene sentido que...

—¿Acaso todo tiene que tener sentido? Es Belleteyn.

—Belleteyn. —Volvió la cabeza—. ¿Y qué? Algo nos atrajo a estas hogueras, a estas gentes que se divierten. Teníamos la intención de bailar, de hacer locuras, de embriagarnos un poco y hacer uso de la ligereza de costumbres que reina aquí una vez al año, una ligereza que es inseparable de la fiesta del ciclo repetido de la naturaleza. Y mira, nos topamos el uno con el otro después de... ¿Cuánto tiempo ha pasado desde...? ¿Un año?

—Un año, dos meses y dieciocho días.

—Me conmueves. ¿Lo haces a propósito?

—A propósito. Yen...

—Geralt —le cortó, se alejó de pronto, bajó la cabeza—. Pongamos las cosas claras. No quiero.

Él afirmó con la cabeza, dando señal de que el asunto estaba suficientemente claro.

Yennefer se retiró la capa por encima de los hombros. Bajo la capa llevaba una fina camisa blanca y una falda negra sujeta con un cinturón de eslabones de plata.

—No quiero comenzar de nuevo —repitió—. Y pensar en hacer contigo lo que... lo que tenía pensado hacer con el rubito... con las mismas reglas... Este pensamiento, Geralt, me parece un poco feo. Ultrajante para ti y para mí. ¿Comprendes?

De nuevo él movió la cabeza. Ella le miro desde detrás de sus pestañas.

—¿No te vas?

—No.

Ella guardó silencio un momento, se encogió nerviosa de hombros.

—¿Estás enfadado?

—No.

—Entonces ven, nos sentaremos en algún lado, lejos de este jaleo, charlaremos un rato. Porque, sabes, me alegro de este encuentro. De verdad. Pasaremos un rato juntos. ¿De acuerdo?

—De acuerdo, Yen.

Anduvieron hacia la oscuridad, al otro lado del prado, hacia la negra pared del bosque, evitando las parejas que estaban enlazadas en un abrazo. Para encontrar un lugar donde estuvieran solos tuvieron que ir bastante lejos. Un montecillo seco marcado por un enebro, esbelto como un ciprés.

La hechicera desabrochó el cuello de la capa, la abrió, la extendió sobre el suelo. Él se sentó junto a ella. Tenía muchas ganas de abrazarla, pero pese a ello no lo hizo. Yennefer se arregló la camisa, que estaba casi toda desabrochada, lo miró penetrantemente, suspiró y lo abrazó. Él se lo podía haber imaginado. Para leer pensamientos ella había de hacer un esfuerzo, pero las intenciones las percibía automáticamente.

Se mantuvieron en silencio.

—Ah, qué diablos —dijo Yennefer de pronto, se retiró.

Alzó una mano, gritó un encantamiento. Sobre sus cabezas revolotearon unas bolas rojas y verdes, que estallaron muy alto en el espacio, creando flores aladas y multicolores. Desde las hogueras les llegaron risas y gritos de júbilo.

—Belleteyn —dijo ella con amargura—. Noche de Mayo... El ciclo se repite. Que se diviertan... si pueden.

En los alrededores había más hechiceros. Desde la lejanía alguien disparó al cielo tres relámpagos anaranjados y desde el otro lado, desde el bosque, explotó un verdadero géiser de irisados y retorcidos meteoros. Los que había junto a las hogueras se admiraron en alta voz, gritaron. Geralt, tenso, acarició los rizos de Yennefer, aspiró el perfume de lilas y grosellas que emanaba. Si la deseo con demasiada fuerza, pensó, ella lo percibirá y se molestará. Se enfadará, se enojará y me rechazará. Le preguntaré muy tranquilo qué hay de nuevo...

—No hay nada nuevo —dijo ella, y en su voz algo tembló—. Nada de lo que merezca la pena hablar.

—No me hagas esto, Yen. No me leas. Me molesta mucho.

—Perdona. Es inconsciente. ¿Y tú, Geralt, qué hay de nuevo?

—Nada. Nada de lo que merezca la pena hablar.

Callaron.

—¡Belleteyn! —gritó ella de pronto, y él sintió cómo se hacía más fuerte y más elástica la presión de su brazo sobre su pecho—. Se divierten. Celebran el ciclo eterno de la naturaleza que se renueva. ¿Y nosotros? ¿Qué hacemos aquí? ¿Nosotros, reliquias condenadas a la extinción, a la destrucción y el olvido? La naturaleza se renueva, el ciclo se repite. Pero no nosotros, Geralt. Nosotros no podemos retornar. Nos han vedado esta posibilidad. Nos dieron capacidades para hacer con la naturaleza cosas extraordinarias, a veces contrarias incluso a ella. Y al mismo tiempo nos quitaron aquello que en la naturaleza es más sencillo y más natural. ¿Qué importa que vivamos más que ellos? Después de nuestro invierno no volverá la primavera, no renaceremos, lo que se acaba se acaba junto con nosotros. Pero a ti, como a mí, algo nos atrae a estos fuegos, aunque nuestra presencia aquí sea una burla perversa y blasfema de esta fiesta.

Él guardó silencio. No le gustaba cuando ella se dejaba caer en un estado de ánimo cuyo origen Geralt conocía tan bien. Otra vez, pensó, otra vez comienza a martirizarla lo mismo. Hubo un tiempo en que parecía que había olvidado, que se había conformado como otras. La abrazó, la apretó contra él, la acunó despacito como a un niño. Ella se lo permitió. Geralt no se asombró de ello. Sabía que lo necesitaba.

—Sabes, Geralt —dijo de pronto, más serena—. Lo que más me ha faltado ha sido tu silencio.

Él rozó con los labios su cabello, su oreja. Te deseo, Yen, pensó, te deseo, lo sabes. Lo sabes, Yen.

—Lo sé —susurró ella.

—Yen...

Suspiró de nuevo.

—Sólo hoy —dijo, mirándolo con los ojos muy abiertos—. Que sea nuestro Belleteyn. Por la mañana nos separaremos. Por favor, no cuentes con más, no puedo, no podría... Perdona. Si te he herido, bésame y vete.

—Si te beso, no me iré.

—Contaba con ello.

Ella alzó la cabeza. Él tocó con su boca sus labios abiertos. Con cuidado. Primero el labio superior, luego el inferior. Introdujo los dedos en los tortuosos rizos, tocó su oreja, su pendiente de diamantes, su cuello. Yennefer, respondiendo a su beso, se aplastó contra él, y, presto y seguro, sus ágiles dedos se hicieron con los broches de su jubón.

Se echó de espaldas sobre la capa tendida en el blando musgo. Él besó uno de sus pechos, sintió cómo el pezón se endurecía y surgía por debajo de la fina tela de la camisa. Respiraba nerviosamente.

—Yen...

—No digas nada... por favor...

El contacto de su piel desnuda, suave, fría, que electrizaba sus dedos y la palma de su mano. El escalofrío a lo largo de su espalda al arañarle con las uñas. Desde las hogueras, gritos, cantos, silbidos, a lo lejos una tolvanera distante de chispas sobre una nube de humo púrpura. Caricias y roces. De ella. De él. Escalofríos. E impaciencia. Lentos roces de sus esbeltos muslos, que le rodeaban las caderas como si fueran una hebilla.

¡Belleteyn!

La respiración, que se desgarraba en suspiros. Centelleos bajo los pómulos, el perfume de lilas y grosellas. ¿La Reina de Mayo y el Rey de Mayo? ¿Una burla blasfema? ¿El olvido?

¡Belleteyn! ¡La Noche de Mayo!

Un gemido. ¿De ella? ¿De él? Rizos negros sobre los ojos, sobre los labios. Dedos cruzados en manos temblorosas. Un grito. ¿De ella? Pestañas negras. Humedad. Un gemido. ¿De él?

Silencio. Toda la eternidad en silencio.

Belleteyn... Fuego hasta el horizonte...

—¿Yen?

—Oh, Geralt...

—Yen... ¿Estás llorando?

—¡No!

—Yen.

—Me juré a mí misma... Me juré...

—No digas nada. No hace falta. ¿No tienes frío?

—Lo tengo.

—¿Y ahora?

—Mejor.

El cielo clareaba a una velocidad aterradora, la negra pared del bosque definía sus contornos, surgía de la tiniebla sin forma como una clara y dentada línea de copas de árboles. La promesa celeste del amanecer que se arrastraba tras ella se extendía por el horizonte, sofocando las lámparas de las estrellas. Se hizo más frío. Geralt la apretó aún con más fuerza, la cubrió con la capa.

—¿Geralt?

—¿Hmm?

—Va a amanecer.

—Lo sé.

—¿Te herí?

—Un poco.

—¿Comenzará de nuevo?

—Nunca se terminó.

—Por favor... Haces que me sienta...

—No digas nada. Todo está bien.

El olor del humo que vagaba por entre las hogueras. El olor de lilas y grosellas.

—¿Geralt?

—¿Sí?

—¿Recuerdas nuestro encuentro en las montañas de los Milanos? ¿Y aquel dragón dorado...? ¿Cómo se llamaba?

—Tres Grajos. Lo recuerdo.

—Nos dijo...

—Lo recuerdo, Yen.

Le besó en el lugar donde el cuello da paso a la clavícula, luego apoyó allí la cabeza, le acarició con el cabello.

—Estamos hechos el uno para el otro —susurró—. ¿Puede ser que predestinados el uno al otro? Pero nada saldrá de todo esto. Una pena, pero cuando llegue el alba nos separaremos. No puede ser de otro modo. Tenemos que separarnos para no hacernos daño el uno al otro.

Nosotros, predestinados el uno al otro. Hechos el uno para el otro. Una pena. Aquél o aquéllos que nos crearon el uno para el otro debieran haber tenido cuidado de algo más. La mera predestinación no basta, es muy poco. Hace falta algo más. Perdóname. Tenía que decírtelo.

—Lo sé.

—Sabía que no tenía sentido que hiciéramos el amor.

—Te equivocas. Lo tenía. Pese a todo.

—Ve a Cintra, Geralt.

—¿Qué?

—Ve a Cintra. Ve allí y esta vez no renuncies. No hagas lo que hiciste entonces... cuando estuviste allí...

—¿Cómo lo sabes?

—Sé todo sobre ti. ¿Lo has olvidado? Ve a Cintra, ve lo más deprisa que puedas. Se acercan malos tiempos. Muy malos. Tienes que llegar a tiempo...

—Yen...

—No digas nada, por favor.

Más frío. Cada vez más frío. Y cada vez más claro.

—No te vayas todavía. Esperemos al amanecer.

—Esperemos.

IV

—No os mováis, señor. He de cambiaros las vendas, porque las heridas se os pudren, y la pierna se os hincha horriblemente. Dioses, asqueroso esto se ve... Hay que encontrar a lo más pronto un matasanos...

—Que le den por culo al médico —gimió el brujo—. Trae acá mi cofrecillo, Yurga. Oh, este frasquito. Échamelo directamente en la herida. ¡Oh, su puta madre! Nada, nada, echa más... ¡Oooooh! Vale. Ponle una venda muy gruesa y tápame...

—Está hinchada, señor, toda el anca. Y la fiebre se os come...

—Que le den por culo a la fiebre. ¿Yurga?

—¿Sí, señor?

—He olvidado agradecerte...

—No vos, señor, sino yo, he de agradecer. Vos fuisteis quien la mi vida salvasteis, en mi defensa fue que recibisteis tales injurias. ¿Y yo? ¿Qué es lo yo hice? ¿Que a persona herida, desvanecida, atendiera, en el carro la echara, no la dejara morirse? Esto es cosa normal y de poco valor, señor brujo.

—No es cosa tan normal, Yurga. Me han abandonado más de una vez... en situaciones parecidas... como a un perro...

El mercader bajó la cabeza, calló.

—Sí, en fin, asqueroso es el mundo alredor —murmuró por fin—. Pero ésa no es razón para que nosotros todos nos volvamos asquerosos. Esto mi padre me enseñó y esto yo a mis hijos les enseño.

El brujo guardó silencio, observó las ramas de los árboles que colgaban sobre el camino, que iban dejando atrás a medida que el carro se movía. El muslo le latía. No sentía dolor.

—¿Dónde estamos?

—Ya cruzamos el vado del río Trava, en los bosques de la Fragua estamos ya. Esto no es ya Temeria, sino Sodden. La frontera, dormido la pasasteis, cuando los aduaneros rebuscaron en el carro. Os digo, mucho extrañáronse de vos. Pero el más viejo os conocía, sin demora nos dejó pasar.

—¿Me conocía?

—Pues claro, lo más seguro. Geralt os llamó. Así dijo: Geralt de Rivia. ¿Así os nombran?

—Así...

—El aduanero aquél prometió mandar a alguien por delante con la nueva de que es preciso un médico. Y aún una cosilla le metí en la mano para que no se olvidara.

—Gracias, Yurga.

—No, señor brujo. Como dijera, yo os agradezco. Y no sólo. Aún a vos algo os debo. Acordamos que... ¿Qué pasa, señor? ¿Débil os sentís?

—Yurga... La redomilla del sello verde...

—Señor... De nuevo vendréis... Como entonces, horrible gritasteis en vuestro sueño...

—Tengo que hacerlo, Yurga.

—Como queráis. Esperad a que lo derrame en un cuenco... Por los dioses, un médico hace falta, cuanto antes, de lo contrario...

El brujo volvió la cabeza. Escuchó los gritos de los niños que jugaban en los fosos interiores, secos, que rodeaban el terreno del castillo. Había como una decena. Los mocosos formaban un alboroto que hacía daño a los oídos, se gritaban mutuamente con voces agudas, excitadas, que se quebraban en falsete. Corrían por el fondo del foso de un lado a otro, semejaban una nube de rápidos pececillos, cambiando inesperada y repentinamente de dirección pero permaneciendo siempre juntos. Como es normal, tras las huellas de los chavales más mayores, tan delgados como espantapájaros, corría un fatigado pequeñuelo que era incapaz de seguirles el ritmo.

—Hay muchos —advirtió el brujo.

Myszowor sonrió ácido, palpándose la barba, se encogió de hombros.

—Así es, muchos.

—¿Y cuál de ellos... cuál de esos muchachos es el famoso Inesperado?

El druida retiró la vista.

—No me está permitido, Geralt...

—¿Calanthe?

—Por supuesto. ¿Supongo que no te habrás hecho ilusiones de que ella te dará al crío con tanta facilidad? Pues si ya la conoces. Es una mujer de acero. Te diré algo que no debiera decir, con la esperanza de que comprenderás. Cuento también con que no me denunciarás ante ella.

—Habla.

—Cuando el niño nació, hace seis años, me llamó y me ordenó que te buscara. Y te matara.

—La rechazaste.

—A Calanthe no se la rechaza —dijo serio Myszowor mirándole directamente a los ojos—. Me disponía a salir al camino cuando me hizo llamar de nuevo. Y revocó la orden sin comentar una palabra. Ten cuidado cuando hables con ella.

—Lo tendré. Myszowor, dime, ¿qué pasó con Duny y Pavetta?

—Navegaban desde Skellige a Cintra. Les sorprendió una tormenta. Del barco no se encontraron ni las astillas. Geralt... El que el crío no estuviera entonces con ellos es una cosa muy extraña. Inexplicable. Iban a llevarle con ellos en el barco, en el último momento no lo hicieron. Nadie sabe por qué motivo. Pavetta nunca se separaba de...

—¿Cómo se tomó esto Calanthe?

—¿Y cómo crees?

—Entiendo.

Gritando como una banda de goblins, los niños subieron hacia arriba y pasaron al lado de ellos. Geralt vio que cerca de la cabeza de la manada corría una muchacha, tan delgada y gritona como los chicos, sólo que agitaba unas trenzas rubias. Con un salvaje guirigay la pandilla se lanzó de nuevo hacia abajo por el inclinado borde del foso. Al menos la mitad, incluyendo a la muchacha, iban resbalando sobre sus traseros. El más pequeño, sin poder alcanzarlos, se dio la vuelta, rodó y ya abajo se puso a llorar a gritos, apretando la rodilla herida. Otros muchachos le rodearon, burlándose y riéndose, después de lo cual siguieron corriendo. La muchacha se quedó junto al pequeño, lo abrazó, le enjugó las lágrimas, manchando su boca de polvo y suciedad.

—Vamos, Geralt. La reina espera.

—Vamos, Myszowor.

Calanthe estaba sentada en un banquillo bastante grande que tenía el respaldo colgado por cadenas de la rama de un enorme tilo. Parecía dormitar, pero un corto movimiento del pie, que de vez en cuando ponía en movimiento el columpio, desmentía tal impresión. Con ella había tres jóvenes mujeres. Una estaba sentada en la hierba junto al columpio, su traje relucía sobre el verde como un copo de nieve. Las otras dos, no muy lejos, charloteaban, apartando con cuidado las ramas de un arbusto de frambuesas.

—Señora. —Myszowor se inclinó.

La reina alzó la cabeza. Geralt se arrodilló.

—Brujo —dijo ella con sequedad.

Como antaño, se adornaba con esmeraldas que combinaban con su vestido verde. Y con el color de sus ojos. Como antaño, llevaba una fina diadema de oro en sus cabellos cenicientos. Pero las manos, que él recordaba blancas y estrechas, eran menos estrechas. Había engordado.

—Saludos, Calanthe de Cintra.

—Bienvenido, Geralt de Rivia. Levántate. Te esperaba. Myszowor, amigo, acompaña a las señoras al castillo.

—A la orden, reina.

Se quedaron solos.

—Seis años —habló Calanthe sin sonreír—. Eres puntual hasta el asombro, brujo.

No respondió.

—Hubo momentos, qué digo, hubo años en que me hice ilusiones de que te olvidarías. O que otros motivos no te permitirían venir. No, una desgracia, de hecho, no te deseaba, pero debía, en cualquier caso, tener en cuenta el carácter poco seguro de tu profesión. Dicen que la muerte te sigue paso a paso, Geralt de Rivia, pero tú nunca te das la vuelta para mirar. Y luego... cuando Pavetta... ¿Sabes ya?

—Lo sé. —Geralt bajó la cabeza—. Recibe mi sentido pésame...

—No —le interrumpió—. Eso fue hace mucho. Ya no llevo luto, como ves. Lo llevé el tiempo suficiente. Pavetta y Duny... Predestinados el uno al otro. Hasta el final. ¿Y cómo no creer en la fuerza del destino?

Ambos guardaron silencio. Calanthe movió el pie, de nuevo puso en movimiento el columpio.

—Y he aquí que volvió el brujo después de los seis años —dijo lentamente, y en sus labios se formó una extraña sonrisa—. Volvió y exigió el cumplimiento de la promesa. ¿Qué piensas, Geralt? Creo que así se contará el cuento sobre nuestra conversación cuando pasen cien años. Pienso que exactamente así. Sólo que con toda seguridad colorearán la narración, tocarán cuerdas más sensibles, jugarán con las emociones. Sí, ellos saben. Puedo imaginármelo. Escucha, por favor. Y dijo el terrible brujo: «Cumple el juramento, reina, o caerá sobre ti mi maldición». Y la reina, anegada por las lágrimas, cayó de rodillas ante el brujo gritando: «¡Piedad! ¡No me quites al niño! ¡Sólo él me ha quedado!».

—Calanthe...

—No me interrumpas —dijo casi gritando—. Estoy contando un cuento, ¿no te has dado cuenta? Sigue escuchando. El malvado y perverso brujo pataleó en el suelo, agitó las manos y gritó: «Guárdate, incrédula, guárdate de la venganza del destino. Si no mantienes tu palabra, no escaparás al castigo». Y la reina repuso: «Así sea entonces, brujo. Que sea como quiera el destino. Allí, mira, allí juegan diez niños. Si reconoces entre ellos el que te está predestinado, te lo llevarás como tuyo y me dejarás con el corazón roto».

El brujo callaba.

—En el cuento —la sonrisa de Calanthe se hacía cada vez más fea—, la reina, tal me imagino, le permitiría al brujo probar tres veces. Pero nosotros ya no estamos en un cuento, Geralt. Estamos realmente aquí, tú y yo y nuestro problema. Y nuestro destino. Esto no es un cuento, es la vida. Terrible, malvada, pesada, que no ahorra errores, daños, tristezas, desengaños ni desgracias, y no se las ahorra a nadie, ni a brujos ni a reinas. Y por ello, Geralt de Rivia, vas a probar suerte sólo una vez.

El brujo seguía en silencio.

—Sólo una única vez —repitió Calanthe—. Pero, como he dicho, esto no es un cuento, sino la vida, una vida que nosotros mismos debemos completar con instantes de felicidad, porque contar con la fortuna y su sonrisa, como ves, no se puede. Por ello, independientemente del resultado de tu intento, no te irás de aquí con las manos vacías. Te llevarás a un niño. Aquél en el que recaiga tu elección. Un niño que convertirás en brujo. Si el niño aguanta la Prueba de las Hierbas, por supuesto.

Geralt levantó la cabeza con brusquedad. La reina sonrió. Él conocía aquella sonrisa, horrible y malvada, despreciable porque no ocultaba su artificialidad.

—Te has asombrado —afirmaba un hecho—. En fin, he estudiado un poco. Dado que el hijo de Pavetta tiene la posibilidad de convertirse en brujo, me impuse este trabajo. Sin embargo mis fuentes, Geralt, son mudas en lo que respecta al hecho de cuántos niños de cada diez sobreviven a la Prueba de las Hierbas. ¿No querrías satisfacer mi curiosidad?

—Reina. —Geralt carraspeó—. Te impusiste a ti misma un trabajo suficiente como para saber que el código y el juramento me prohíben siquiera pronunciar esos nombres, cuánto más hablar de ellos.

Calanthe detuvo súbita el columpio, clavando los tacones en la tierra.

—Tres, como mucho cuatro de cada diez —dijo, y agitó la cabeza fingiendo estar pensándoselo—. Una selección dura, muy dura, diría yo, y además en cada etapa. Primero la Elección, luego la Prueba. Y luego los Cambios. ¿Cuántos mozalbetes reciben por fin el medallón y la espada de plata? ¿Uno de cada diez? ¿Uno de cada veinte?

El brujo callaba.

—Estuve pensando en ello mucho tiempo —siguió Calanthe, ya sin sonrisa—. Y llegué a la conclusión de que la selección de los críos en la etapa de la Elección tiene un escaso significado. ¿Qué más da, al fin y al cabo, qué niño sea el que muera o se vuelva loco atiborrado de narcóticos? ¿Qué más da a quién pertenezca el cerebro que se desgarra de la fiebre o los ojos que estallan y se caen en lugar de convertirse en ojos de gato? ¿Qué más da que quien se ahoga en sus propios vómitos y en su propia sangre sea el niño verdaderamente señalado por el destino o un niño cualquiera al azar? Respóndeme.

El brujo se puso las manos sobre el pecho para controlar sus temblores.

—¿Por qué? —preguntó—. ¿Esperas respuesta?

—Cierto, no la espero. —La reina sonrió de nuevo—. Como siempre, eres infalible en tus conclusiones. Quién sabe, puede que, incluso sin esperar respuesta, quisiera prestar benévolamente un poco de atención a tus voluntarias y sinceras palabras. A palabras que, quién sabe, podrías querer expulsar de tu interior, y junto con ellas todo lo que te ahoga el espíritu. Pero si no, qué le vamos a hacer. Sigamos, pongámonos al tajo, hay que proporcionar material para los cuentos. Vamos a elegir a un niño, brujo.

—Calanthe —dijo él, mirándola a los ojos—. No merece la pena preocuparse por los fabulistas, si no tienen suficiente material ya se inventarán algo. Y cuando tienen a su disposición materiales auténticos, los deforman. Como muy bien has advertido, esto no es un cuento, sino la vida real. Terrible y malvada. Y por eso, maldita sea, vivámosla lo mejor y más decentemente posible. Limitemos la cantidad de los daños realizados a otros al mínimo indispensable. En los cuentos, cierto, la reina tiene que rogarle al brujo y el brujo exigir lo suyo y patalear en el suelo. En la vida, la reina puede decir simplemente: «No me quites al niño, por favor». Y el brujo contesta: «Ya que lo pides, no me lo llevaré». Y se va en dirección a poniente. La vida misma. Pero por un final así el fabulista no recibiría del que lo escucha ni una perra chica, todo lo más una patada en el culo. Porque es aburrido.

Calanthe dejó de reírse, en sus ojos brillaba algo que ya había visto antes.

—¿Qué es esto? —siseó.

—No le demos más vueltas, Calanthe. Sabes lo que estoy pensando. Tal como he llegado me iré. ¿He de elegir a un niño? ¿Y para qué lo quiero? ¿Piensas que tanto lo necesito? ¿Que vine aquí, a Cintra, cegado por la obsesión de quitarte a tu nieto? No, Calanthe. Quería, quizá, ver a ese niño, mirar a los ojos del destino... Porque yo mismo no sé... Pero no tengas miedo. No me lo llevaré, basta que lo pidas...

Calanthe se bajó del columpio, en sus ojos ardía un fuego verde.

—¿Pedir? —dijo con rabia—. ¿A ti? ¿Temer? ¿Yo tendría que temerte, maldito hechicero? ¿Te atreves a restregarme en la cara tu despreciable piedad? ¿A insultarme con tu compasión? ¿A acusarme de cobardía, cuestionar mi voluntad? ¡Mi trato familiar se te ha subido a la cabeza! ¡Guárdate!

El brujo se decidió a no encogerse de hombros, pues había llegado a la conclusión de que era más seguro arrodillarse y bajar la cabeza. No se equivocaba.

—Vaya —gruñó Calanthe, de pie ante él. Tenía las manos bajas, los dedos cerrados en puños que estaban cubiertos de anillos—. Vaya, por fin. Ésta es la posición que corresponde. En tal posición se le responde a una reina si la reina te dirige una pregunta. Y si no se trata de una pregunta sino de una orden, todavía has de agachar más la cabeza e ir a cumplirla sin un segundo de demora.

—Sí, reina.

—Perfecto. Álzate.

Se levantó. Ella le miraba, se mordía los labios.

—¿Te ha molestado mucho mi estallido? Hablo de la forma, no del contenido.

—No mucho.

—Está bien. Me esforzaré en no volver a estallar. Y después de esto, como dije, allá en la fosa están jugando diez niños. Elegirás a uno, el que te parezca el más adecuado, te lo llevarás y, por los dioses, harás de él un brujo, porque así lo quiere el destino. Y si no el destino, sabe entonces que yo lo quiero.

Él la miró a los ojos, se inclinó muy bajo.

—Reina —dijo—. Hace seis años te demostré que hay cosas más fuertes que la voluntad de un rey. Y por los dioses, si es que existen, te lo demostraré una vez más. No me obligarás a realizar una elección que no quiero realizar. Pido perdón por la forma, no por el contenido.

—Yo tengo unas profundas mazmorras bajo el castillo. Te lo advierto, un momento más, una palabra más, y te pudrirás en ellas.

—Ninguno de los niños que juegan en el foso sirve para brujo —pronunció lentamente—. Y no está entre ellos el hijo de Pavetta.

Calanthe entrecerró los ojos. Él ni siquiera pestañeó.

—Ven —dijo por fin, girando sobre sus tacones.

Se fue tras ella por entre hileras de arbustos en flor, por entre parterres y setos. La reina entró en un cenador enramado. Allí había cuatro grandes sillas de mimbre que rodeaban una mesa de malaquita. Sobre la mesa jaspeada, sostenida por cuatro grifos, había un cantarillo y dos copas de plata.

—Siéntate. Y sírvenos.

Ella bebió, brindándoselo a él, fuerte, sólida, a la manera de un hombre. Él le respondió del mismo modo, sin sentarse.

—Siéntate —repitió Calanthe—. Quiero hablar contigo.

—Escucho.

—¿Cómo sabías que el hijo de Pavetta no está entre los niños de la fosa?

—No lo sabía. —Geralt se decidió a ser sincero—. Disparé al azar.

—Ajá. Podría habérmelo imaginado. ¿Y el que ninguno sirva para brujo? ¿Es verdad? ¿Cómo has podido confirmarlo? ¿Con la ayuda de la magia?

—Calanthe —dijo en voz baja—. No he tenido ni que confirmarlo ni que comprobarlo. En lo que has dicho antes se encerraba toda la verdad. Todo niño sirve. Decide la selección. Después.

—¡Por los dioses del mar, como acostumbra a decir mi eternamente ausente esposo! —Sonrió—. ¿Entonces todo es mentira? ¿Todo ese Derecho de la Sorpresa? ¿Esas leyendas de niños que alguien no se esperaba, de aquéllos que salieron los primeros al encuentro? ¡Así lo sospechaba! ¡Es un juego! ¡Un juego con el azar, un retozo con la fortuna! Pero es un juego diabólicamente peligroso, Geralt.

—Lo sé.

—Un juego con perjuicio para alguien. ¿Por qué, cuéntame, se obliga a los padres o a los protectores a estos juramentos tan difíciles y tan duros? ¿Por qué se les quitan a los niños? Si hay por todos lados muchos que no hace falta quitar a nadie. Los caminos están llenos de bandadas de pordioseros y huérfanos. En cada aldea se puede comprar barato a un crío, antes de la cosecha cada campesino te lo vende con gusto porque a él le da igual, en un rato hace otro. ¿Entonces por qué? ¿Por qué nos obligaste a jurar a Duny, a Pavetta y a mí? ¿Por qué te presentas aquí justo a los seis años del nacimiento del niño? ¿Y por qué, maldita sea, no lo quieres, por qué dices que no lo necesitas?

Él guardó silencio. Calanthe movió la cabeza.

—No respondes —afirmó ella, apoyándose en el respaldo de la silla—. Vamos a considerar las causas de tu silencio. La lógica es la madre de toda ciencia. ¿Y qué nos dice ella? ¿Qué tenemos aquí? Un brujo que busca el destino oculto en el extraño y dudoso Derecho de la Sorpresa. Un brujo que encuentra el tal destino. Y que de pronto renuncia a ello. No quiere, como dice, al Niño de la Sorpresa. Tiene el rostro pétreo, en su voz resuenan el hielo y el metal. Juzga que a la reina, al fin y al cabo una mujer, se la podrá engañar, embaucar con la apariencia de una fuerte masculinidad. No, Geralt, no te lo voy a dejar pasar. Sé por qué renuncias a elegir al niño. Renuncias porque no crees en el destino. Porque no estás seguro. Y tú, cuando no estás seguro... entonces comienzas a tener miedo. Sí, Geralt. Lo que te mueve es el miedo. Tienes miedo. Niégalo.

Geralt soltó despacio la copa sobre la mesa. Despacio, para que el chasquido de la plata sobre la malaquita no delatara los temblores de su mano, que era incapaz de controlar.

—¿No lo niegas?

—No.

Ella se inclinó con rapidez, le agarró por la mano. Con fuerza.

—Has ganado mucho a mis ojos —dijo. Y sonrió. Era una hermosa sonrisa. Contra su voluntad, seguramente contra su voluntad, él le respondió con otra sonrisa.

—¿Cómo lo has adivinado, Calanthe?

—No lo he adivinado. —No soltó su mano—. Disparé al azar.

Se echaron a reír los dos a un tiempo. Luego estuvieron sentados en silencio, entre el verdor y el perfume de los cerezos, bajo el calor y el zumbido de los abejorros.

—¿Geralt?

—¿Sí, Calanthe?

—¿No crees en el destino?

—No sé si creo en algo. Y en lo tocante al destino... Me temo que sólo el destino no basta. Hace falta algo más.

—Tengo que preguntarte algo. ¿Y tú? Al parecer tú mismo fuiste un Inesperado. Myszowor afirma...

—No, Calanthe. Myszowor pensaba en alguien completamente diferente. Myszowor... Me parece que él lo sabe. Pero se sirve de ese provechoso mito cuando le es de provecho. No es cierto que yo sea aquél a quien encontraron en casa aunque no se lo esperaban. No es verdad que por ello me convirtiera en brujo. Soy un expósito común y corriente, Calanthe. El bastardo indeseado de cierta mujer a la que no recuerdo. Pero sé quién es.

La reina le miró inquisitivamente, pero el brujo no continuó.

—¿Todo lo que se cuenta del Derecho de la Sorpresa son leyendas?

—Todo. Es difícil llamar destino al mero azar.

—Pero vosotros, brujos, ¿no dejaréis de buscar?

—No dejaremos. Pero esto no tiene sentido. Nada tiene sentido.

—¿Creéis que el Niño del Destino superará la Prueba sin peligro?

—Creemos que tal niño no necesitará las pruebas.

—Una pregunta, Geralt. Bastante personal. ¿Me permites?

Afirmó con un ademán.

—No hay, como es sabido, mejor sistema para transmitir las características hereditarias que los medios naturales. Tú pasaste la Prueba y sobreviviste. Si necesitas a un niño que tenga poderes y resistencias especiales... ¿por qué no encuentras a una mujer que...? Estoy siendo poco delicada, ¿verdad? Pero me parece que he acertado, ¿no?

—Como siempre —sonrió triste—, eres infalible en tus conclusiones, Calanthe. Acertaste, por supuesto. Eso de lo que hablas es, para mí, inalcanzable.

—Perdona —dijo, y la sonrisa le desapareció del rostro—. En fin, es algo humano.

—No es algo humano.

—Ah... Entonces ningún brujo...

—Ninguno. La Prueba de las Hierbas, Calanthe, es terrible. Y lo que se hace con los muchachos durante los Cambios es aún peor. E irrevocable.

—No te me emociones —murmuró—. Porque no va contigo. No importa lo que te hicieran. Veo el resultado. Para mi gusto, completamente satisfactorio. Si pudiera estar segura de que el niño de Pavetta iba a llegar a ser alguien parecido a ti, no vacilaría ni un instante.

—El riesgo es demasiado grande —dijo con rapidez—. Sí, como has dicho. Sobreviven como mucho cuatro de cada diez.

—Al diablo, ¿acaso sólo la Prueba de las Hierbas es peligrosa? ¿Acaso únicamente los candidatos a brujo corren riesgos? La vida está llena de riesgos, en la vida también hay selección, Geralt. Seleccionan las coincidencias fatales, las enfermedades, la guerra. Enfrentarse a la fortuna puede ser tan arriesgado como el ponerse en sus manos. Geralt... te daría a ese niño. Pero... yo también tengo miedo.

—No me llevaría al niño. No podría cargar sobre mis hombros esa responsabilidad. No aceptaría cargártela a ti tampoco. No querría que ese niño te recordara alguna vez como... como yo...

—¿Odias a esa mujer, Geralt?

—¿A mi madre? No, Calanthe. Me imagino que tuvo que decidir... ¿O puede que no tuviera elección? No, la tenía, lo sabes, bastaba el correspondiente hechizo o elixir... Una elección. Una elección que hay que respetar porque es el sagrado e irrenunciable derecho de cada mujer. Las emociones no tienen aquí el más mínimo significado. Tenía el irrenunciable derecho a tomar una decisión, la tomó. Pero pienso que el conocerla, el gesto que podría hacer en ese momento... eso me daría algo así como una alegría perversa, si sabes lo que quiero decir.

—Conozco perfectamente de lo que hablas. —Sonrió—. Pero no tienes la más mínima posibilidad de tener esa alegría. No soy capaz de decir tu edad, brujo, pero apuesto a que eres mucho más viejo de lo que podría parecer por tu aspecto. Por ello esa mujer...

—Esa mujer —le cortó con voz fría— seguramente parece ahora mucho más joven que yo.

266

—¿Una hechicera?

—Sí.

—Extraño. Pensaba que las hechiceras no podían...

—Seguramente ella pensaba lo mismo.

—Seguramente. Pero tienes razón, no vamos a discutir sobre el derecho de la mujer a decidir, porque es cosa fuera de toda discusión. Volvamos a nuestro problema. ¿No te vas a llevar al niño? ¿Decisión irrevocable?

—Irrevocable.

—¿Y si... y si el destino no es solamente un mito? ¿Y si existe de verdad, no temes que pueda vengarse?

—Si se vengara, entonces sería de mí —respondió sereno—. Soy yo el que actúa en contra de él. Tú has cumplido con tu parte de la obligación. Si el destino no es una leyenda, entre los niños que me mostraras debería elegir al verdadero. ¿Y pese a todo el niño de Pavetta está entre esos muchachos?

—Está. —Calanthe afirmó despacio con la cabeza—. ¿Quieres verle? ¿Quieres mirar a los ojos del destino?

—No. No quiero. Renuncio, desisto. Renuncio a ese muchacho. No quiero mirar a los ojos del destino porque no creo en él. Porque sé que para unir a dos personas el propio destino no basta. Hace falta algo más que el destino. Me río del destino, no voy a correr tras él como un ciego al que llevan de la mano, ingenuo e ignorante. Ésta es mi decisión irrevocable, Calanthe de Cintra.

La reina se levantó. Sonrió. Él no pudo adivinar lo que se escondía tras aquella sonrisa.

—Entonces que así sea, Geralt de Rivia. ¿Y no puede ser que tu destino fuera el de renunciar y desistir? Pienso que así fue. Has de saber que si hubieras elegido, si hubieras elegido siguiendo las reglas, habrías visto cómo ese destino del que te ríes se habría burlado cruelmente de ti.

Geralt miró a sus ojos de jade verde. Ella sonrió. Él no fue capaz de descifrar aquella sonrisa.

Junto al cenador crecía un rosal. Él quebró un tallo, tomó una flor, se arrodilló, se la ofreció con las dos manos, bajando la cabeza.

—Una pena que no te conociera antes, peloblanco —murmuró, tomando la rosa en su mano—. Levántate.

Se levantó.

—Si cambias de opinión —dijo, acercando la rosa a su rostro—. Si decides... Vuelve a Cintra. Te esperaré. Y tu destino también te esperará. Puede que no interminablemente, pero con seguridad todavía algún tiempo.

—Adiós, Calanthe.

—Adiós, brujo. Cuídate. Tengo... Tuve hace un instante un presentimiento... El extraño presentimiento... de que te veo por última vez.

—Adiós, reina.

V

Se despertó y advirtió con asombro que el dolor que le exasperaba el muslo había desaparecido, parecía también que había cesado de atormentarle la tumefacción que le hacía palpitar y le tiraba de la piel. Quiso alzar la mano, tocar, pero no pudo moverse. Antes de darse cuenta de que únicamente le inmovilizaba el peso de la piel con la que estaba cubierto, un frío y horrible terror le corrió por el estómago, se le clavó en las entrañas como unas garras de gavilán. Extendió y encogió los dedos, repitiéndose en su mente, no, no, no estoy...

Paralizado.

—Te has despertado.

Una afirmación, no una pregunta. Una voz bajita, pero clara, delicada. Una mujer. Joven, seguramente. Volvió la cabeza, jadeó al intentar incorporarse.

—No te muevas. Al menos no con tanta violencia. ¿Duele?

—Nnn... —La pátina que tenía pegada a los labios se quebró—. Nno. Las heridas no... La espalda...

—Las llagas. —Una afirmación desapasionada, fría, que no encajaba con aquella delicada voz de soprano—. Lo remediaré. Toma, bebe esto. Despacio, a pequeños tragos.

En el líquido dominaba el olor y el sabor del enebro. Un antiguo remedio, pensó. Enebro o menta, ambos ingredientes sin importancia, que sólo servían para enmascarar el verdadero contenido. Pese a ello reconoció el shitnasies, o puede que sieyigrona. Sí, seguramente sieyigrona, la sieyigrona neutraliza las toxinas, limpia la sangre contaminada por la gangrena o por la infección.

—Bebe. Hasta el final. Más despacio, no te atosigues.

El medallón en su cuello comenzó a vibrar ligeramente. Lo que quería decir que había también magia en la bebida. Dilató con esfuerzo la pupila. Ahora, cuando ella le sujetó la cabeza, pudo examinarla mejor. Era de constitución más bien pequeña. Llevaba ropa de hombre. Tenía el rostro pequeño y pálido en la oscuridad.

—¿Dónde estamos?

—En un claro de pegueros.

Cierto, en el aire se percibía el olor de la resina. Escuchó voces que le llegaban desde las hogueras. Alguien echó unas carrascas al fuego en aquel preciso momento, las llamas saltaron hacia arriba con un chasquido. De nuevo miró, aprovechando la luz. Tenía los cabellos

268

sujetos por una banda de piel de serpiente. Los cabellos...

Un dolor asfixiante en la garganta y en el esternón. Los dedos violentamente cerrados formando puños.

Los cabellos eran bermejos, bermejos como el fuego, a la luz de las llamas de la hoguera aparecían tan rojos como el cinabrio.

—¿Te duele? —Ella leyó sus emociones, pero se equivocaba—. Ya... Un momento...

Sintió de pronto el golpe del calor que surgía de las manos de ella, desplazándose por su espalda, fluyendo hacia abajo, hacia las nalgas.

—Te daremos la vuelta —dijo—. No lo intentes solo. Estás muy débil. ¡Eh! ¿Puede ayudarme alguien?

Pasos desde la hoguera, sombras, siluetas. Alguien se agachó. Yurga.

—¿Cómo os sentís, señor? ¿Mejor?

—Ayudadme a ponerle boca abajo —dijo la mujer—. Cuidado, despacio. Oh, así... Bien. Gracias.

Ya no tenía que mirarla. Estaba tendido boca abajo, no tenía ya que arriesgarse a mirar sus ojos. Se tranquilizó, controló el temblor de sus manos. Podía sentirlo. Escuchó cómo resonaban las hebillas de su bolsa, cómo golpeaban las redomas y los frasquitos de porcelana. Escuchó su respiración, sintió el calor de sus muslos. Estaba arrodillada justo a su lado.

—¿Era peligrosa mi herida? —dijo él, sin poder aguantar el silencio.

—Bueno, un poco. —Frío en la voz—. Suele pasar con las heridas de dientes. El tipo de lesiones más horroroso. Pero creo que para ti no es una novedad, brujo.

Lo sabe. Me rebusca en los pensamientos. ¿Lee? Creo que no. Y sé por qué. Tiene miedo.

—Sí, creo que no es nuevo —repitió, haciendo tintinear de nuevo unos cacharros de cristal—. He visto que tienes algunas cicatrices... Pero me las he arreglado. Soy, como ves, hechicera. Y sanadora al mismo tiempo. Mi especialidad.

Concuerda, pensó. No dijo ni una palabra.

—Volviendo a la herida —siguió ella serena—, hay que decir que te salvó tu pulso, cuatro veces más lento que el de un ser humano común. De otro modo no habrías sobrevivido, puedo afirmártelo con toda seguridad. Vi lo que tenías enrollado sobre la pierna. Se supone que tenía que imitar una venda, pero la imitaba con poca fortuna.

Él se mantenía en silencio.

—Luego —continuó, levantándole la camisa hasta la nuca— se produjo una infección, algo normal en heridas de mordiscos. Fue detenida. Por supuesto, ¿un elixir de brujo? Ayudó mucho. Sin embargo, no entiendo por qué al mismo tiempo tomaste un alucinógeno. Me harté de escuchar tus fantasías, Geralt de Rivia.

Lee, pensó, pese a todo, lee. ¿O puede que Yurga le haya dicho cómo me llamo? ¿Puede que yo mismo haya hablado de más durante el sueño por influjo de la «gaviota negra»? El diablo lo sabe... Pero nada saca con saber cómo me llamo. Nada. No sabe quién soy. No tiene ni idea de quién soy.

Percibió cuán delicadamente le ungía la espalda con una crema fría y sedante de penetrante olor a alcanfor. Tenía las manos pequeñas y muy blandas.

—Perdona que haga esto de forma más bien clásica —dijo ella—. Podría quitarte las llagas con ayuda de la magia, pero usé demasiadas fuerzas en la herida de la pierna y no me siento bien. En la pierna he unido y pegado lo que se podía, nada te amenaza ya. Sin embargo, no te levantes en los próximos dos días. Incluso a los puntos cosidos con magia les gusta saltarse, te sobrevendría una hemorragia terrible. La cicatriz, por supuesto, se queda. Una más para tu colección.

—Gracias... —Apretó las mejillas contra la pelliza para deformar su voz, para enmascarar su sonido tan poco natural—. ¿Puedo saber... a quién he de agradecérselo?

No lo dirá, pensó. O mentirá.

—Me llamo Visenna.

Lo sé, pensó.

—Me alegro —dijo Geralt despacio, aún con las mejillas contra la pelliza—. Me alegro de que se cruzaran nuestros caminos, Visenna.

—En fin, sólo el azar —dijo fría, arreglándole la camisa sobre la espalda y cubriéndole con el zamarrón—. La noticia de que se me necesitaba me la dieron los aduaneros de la frontera. Si se me necesita, voy. Tengo esta rara costumbre. Escucha, le dejaré la crema al mercader, pídele que te la unte por la mañana y por la noche. Si, como dice, le salvaste la vida, que te lo agradezca.

—¿Y yo? ¿Cómo podría agradecértelo a ti, Visenna?

—No hablemos de ello. No le cobro a los brujos. Puedes llamarlo solidaridad, si quieres. Solidaridad profesional. Y simpatía. En el marco de esta simpatía, un consejo de amigo o, si lo prefieres, la prescripción de una sanadora: deja de tomar alucinógenos, Geralt. Las alucinaciones no curan. Nada.

—Gracias, Visenna. Por la ayuda y por el consejo. Gracias por... todo.

Sacó la mano de por debajo de la piel, acarició la rodilla de ella. Ella se sobresaltó, después de lo cual le colocó la mano en su mano, apretó ligeramente. Él liberó con cuidado los dedos, los pasó por su mano, por su antebrazo.

Por supuesto. La suave piel de una joven muchacha. Visenna tembló aún más, pero no retiró la mano. Él volvió a poner los dedos en su mano, los unió con un apretón.

El medallón en el cuello vibraba, se retorcía.

—Gracias, Visenna —repitió, controlando los temblores de la voz—. Estoy contento de que se hayan cruzado nuestros caminos.

—El azar... —dijo ella, pero esta vez no había frialdad en su voz.

—¿O puede que el destino? —preguntó, asombrado porque la agitación y el nerviosismo habían escapado de él de pronto, sin dejar huella—. ¿Crees en el destino, Visenna?

—Sí —respondió al cabo de un instante—. Creo.

—¿En que —siguió él— las personas unidas por el destino siempre se encuentran?

—En esto también... ¿Qué haces? No te des la vuelta...

—Quiero ver tu rostro... Visenna. Quiero ver tus ojos. Y tú... tú tienes que ver los míos.

Ella hizo un movimiento como de ir a levantarse. Pero se quedó junto a él. Geralt se dio la vuelta con cuidado, apretando los labios del dolor. Había más claridad, alguien había vuelto a echar leña a la hoguera.

Ella no se movió más. Únicamente volvió la cabeza hacia un lado, mostrando su perfil, pero él vio con claridad cómo temblaban sus labios. Visenna apretó con más fuerza los dedos sobre la mano de él.

Él la miró.

No había parecido alguno. Tenía un perfil por completo distinto. Una nariz pequeña. Una barbilla estrecha. Se mantenía en silencio. Luego, de pronto, se inclinó, le miró directamente a los ojos. De cerca. Sin palabras.

—¿Te gustan? —preguntó él, sereno—. ¿Mis ojos mejorados? Tan... poco comunes. ¿Sabes, Visenna, lo que se hace con los ojos de los brujos para mejorarlos? ¿Sabes que no siempre se consigue?

—Déjalo —dijo con voz suave—. Déjalo, Geralt.

—Geralt... —Sintió de pronto cómo algo dentro de él estallaba—. Este nombre me lo dio Vesemir. ¡Geralt de Rivia! Incluso aprendí a imitar el acento rivio. Supongo que de la necesidad interior de tener una patria. Aunque fuera imaginada. Vesemir... me dio el nombre. Vesemir me confesó también el tuyo. Bastante de mala gana.

—Silencio, Geralt, silencio.

—Me dices que hoy crees en el destino. ¿Y entonces... entonces creías? Ah, sí, debías de creer. Debías de creer que el destino nos obligaría a encontrarnos. Así se explica el hecho de que tú misma por lo menos no hiciste nada para llegar a este encuentro.

Callaba.

—Siempre quise... Le daba vueltas a lo que te diría si por fin llegábamos a conocernos. Pensaba en las preguntas que te haría. Juzgaba que esto me produciría una alegría perversa...

Lo que brillaba en las mejillas de ella era una lágrima. Sin duda alguna. Él sintió cómo la garganta se le encogía hasta dolerle. Sintió cansancio. Sueño. Debilidad.

—A la luz del día... —gimió—. Mañana, a la luz del sol, te miraré a los ojos, Visenna... Y te haré mi pregunta. O puede que ya no la haga porque es demasiado tarde. ¿El destino? Oh, sí, Yen tenía razón. No basta con estar destinados el uno al otro. Hace falta algo más... Pero te miraré mañana a los ojos... a la luz del sol...

—No —dijo con una voz dulce, sosegada, aterciopelada que excavó, que arañó los estratos de la memoria, de una memoria que no existía ya, que nunca había existido y que, sin embargo, existía.

—¡Sí! —protestó él—. Sí. Lo quiero...

—No. Ahora vas a dormir. Y cuando te despiertes ya no lo querrás. ¿Por qué vamos a tener que mirarnos a la luz del sol? ¿Qué cambia esto? No se puede ya recuperar nada, cambiar nada. ¿Qué sentido tienen tus preguntas, Geralt? ¿Acaso el hecho de que no voy a saber responderlas te produce esa perversa alegría? ¿Qué vamos a obtener de hacernos daño mutuamente? No, no vamos a mirarnos a la luz del día. Duerme, Geralt. Y, entre nosotros, no fue Vesemir quien te dio tu nombre. Aunque esto tampoco cambie nada ni lo recupere, quería que lo supieras. Que te mejores. Cuídate mucho. Y no intentes buscarme...

—Visenna...

—No, Geralt. Ahora vas a dormir. Y yo... fui tu sueño. Cuídate.

—¡No! ¡Visenna!

—Duerme.

En la voz de terciopelo, una orden muda, que quebraba la voluntad, que la rompía como tela. Calor que de pronto surgía de sus manos.

—Duerme.

Dormía.

VI

—¿Estamos ya en los Tras Ríos, Yurga?

—Desde ayer, don Geralt. En breve el río Yaruga, y al otro lado, ya mi tierra es. Mirad, los mismos caballos van más vivos, las testas levantan. Sienten que la casa está ya cerca.

—La casa... ¿Vives en la villa?

—En los arrabales.

—Extraño. —El brujo miró a su alrededor—. Casi no se ven huellas de la guerra. Decían que este país estaba terriblemente destruido.

—Así es —dijo Yurga—. Otra cosa puede, pero ruinas acá no nos faltaron. Mirad más atento, en casi cada palloza, en cada cerca, nuevita es la madera toda. Y al otro lado del río, ya veréis, allá mucho peor fue, allá hasta los mismos cimientos quemaron todo... Mas en fin, la guerra es la guerra y vivir hemos. Hubieron los mayores revoltijos que se puedan dar, cuando correteaban los Negros por nuestra tierra. Cierto, pareció entonces que acá todo se tornaba en despoblado. Muchos de aquéllos que entonces escaparon nunca jamás volvieron. Pero nuevos vinieron en su lugar. Vivir hemos.

—Verdad —murmuró Geralt—. Vivir hemos. No importa lo que haya pasado. Vivir hemos...

—Razón tenéis. Venga, acá tenéis, ponéoslas. Os recosí las calzas, las eché un remiendo. Como nuevas están. Tal y como esta tierra, don Geralt. La guerra la estrozó, la atravesó como un rastrillo de yerro, la descosió, la anegó de sangre. Pero pronto estará como nueva. Y parirá aún mejor que antes. Incluso aquéllos que en esta tierra cayeron, para algo bueno habrán de servir, pues abonan la gleba. De momento arar es difícil, porque hay huesos y yerros por todos lados, pero la tierra y hasta con el yerro se atreve.

—¿No tenéis miedo de que los nilfgaardianos... los Negros, vuelvan? Una vez que ya conocen el camino...

—Así es, miedo tenemos. ¿Y qué? ¿Acularse y llorar, ponerse a temblar? Vivir hemos. Y que sea lo que sea. A lo que destinado estás, aunque te lo opongas no te escapas.

—¿Crees en el destino?

—¿Y cómo no he de creer? ¿Después de cómo en el puente nos encontramos, en los dólmenes, y de cómo vos de la muerte me salvasteis? Oh, señor brujo, veréis, mi Doradita a los pies se os va a echar...

—Tranquilo. Si te soy sincero, yo te debo más a ti. Allí, en el puente... Al fin y al cabo es mi trabajo, Yurga, mi especialidad. Al fin y al cabo defiendo a la gente por dinero. No por bondad de corazón. Reconócelo, Yurga, ¿has oído lo que la gente dice sobre los brujos? Que no se sabe quién es peor, si ellos o los monstruos que matan...

—No es verdad eso, señor, ni sé por qué en tal modo habláis. ¿Qué? ¿Que yo ojos no tengo? A vos de la misma piedra os hicieron que a la tal sanadora...

—Visenna.

—El nombre no nos dijo. Pero a toda prisa detrás de nosotros se vino, porque sabía que se la necesitaba, nos alcanzó por la noche, de vos se ocupó al punto, apenas se apeó de la silla. Oh, señor, y cómo se deslomó en curar la pierna vuestra, temblaba hasta el aire de la magia aquélla, y nosotros nos escapamos del propio miedo al monte. Y luego a ella la sangre de la nariz se le iba. Oh, con qué cuidado en vos se afanaba, en verdad, como una...

—¿Como una madre? —Geralt apretó los dientes.

—Así mismo. Bien habéis dicho. Y cuando os dormisteis...

—¿Sí, Yurga?

—Apenas en los pies se tenía, estaba blanca como un papel. Pero se allegó, preguntó si ayuda no necesitaba alguno de nosotros. Curó a un peguero la mano que con un tronco se había golpeado. Ni un duro tomó, y aun dejó algunas medicinas. No, don Geralt, por esos mundos mal se habla de los brujos y no mejor de los hechiceros. Pero no acá. Nosotros, los del Alto Sodden y la gente de Tras Ríos, lo sabemos bien. Demasiado a los hechiceros les debemos como para no saber cómo son. La memoria de ellos no en chuscos y chascarrillos la guardamos, sino en piedra labrada. Vos mismo lo veréis, apenas acabe la floresta. Al fin y al cabo, vos seguro mejor lo sabéis. Pues aquella batalla sonada fue en el mundo entero y poco más del año ha que tuviera lugar. Habréis oído de ella.

—No he estado por aquí —murmuró el brujo—. Desde hace un año. Estuve en el norte. Pero algo he oído... La Segunda Batalla de Sodden...

—Talmente. Presto veréis el monte y la peña. En otros tiempos nosotros, al monte, monte del Águila lo llamábamos, pero hoy día todos le dicen monte de los Hechiceros o monte de los Catorce. Porque veinte y dos de ellos había en aquel monte, veinte y dos allá lucharon y catorce cayeron. Aquélla fue una batalla terrible, don Geralt. La tierra se abría de bruces, del cielo fuego caía como si lluvia fuera, los rayos tronaban... Los muertos se amontonaban. Pero a los hechiceros de los Negros vencieron, rompieron la potencia que los traía. Y catorce de ellos cayeron en aquella grande ocasión. Catorce la vida dejaron... ¿Qué, señor? ¿Qué os pasa?

—Nada. Sigue hablando, Yurga.

—Oh, terrible fue la batalla, de no ser por los hechiceros del monte aquél, quién sabe, puede que no pudiéramos mantener este parlamento acá, según vamos a casa, porque casa no habría, ni yo y puede que vos tampoco... Sí, y esto gracias a los hechiceros. Catorce de ellos murieron por defendernos a nosotros, gentes de Sodden y Tras Ríos. Ja, seguro, otros también allí lucharon, guerreros y nobles, y hasta de los campesinos quien pudo tomó un bieldo o un hacha, o siquiera un palo... Todos como hombres aguantaron y más de uno cayó. Pero los hechiceros... Nada significa que muera el soldado, pues esto en su profesión entra y la vida, de cualquier modo, es corta. Pero los hechiceros pueden vivir tan largo como su voluntad sea. Y ellos no vacilaron.

—No vacilaron —repitió el brujo, limpiando la frente con la mano—. No vacilaron. Y yo estaba en el norte...

—¿Qué os pasa, señor?

—Nada.

—Sí... Y nosotros, los de los alrededores, flores allá llevamos, al monte, y por mayo, para Belleteyn, ardía allá un fuego. Y por los siglos de los siglos arderá. Y eternamente vivirán ellos en la memoria de las gentes, los catorce. Porque vivir así, en la memoria es... esto es... ¡algo más! ¡Más, don Geralt!

—Tienes razón, Yurga.

—Cada niño conoce acá los nombres de aquellos catorce, que están en la piedra que hay a la cima del monte grabados. ¿No lo creéis? Escuchad: Axel llamado el Mancebo, Triss Merigold, Atlan Kerk, Vanielle de Brugge, Dagobert de Vole...

—Déjalo, Yurga.

—¿Qué os pasa, señor? ¡Emblanquecisteis como la muerte!

VII

Subió la montaña poco a poco, con cuidado, atento al trabajo de los tendones y músculos de la herida curada por la magia. Aunque parecía sana por completo, aún protegía el pie y no se arriesgaba a apoyar en él todo el peso del cuerpo. Hacía calor, y el olor de la hierba se le subía a la cabeza, le aturdía, pero le aturdía agradablemente.

El obelisco no estaba en el centro de la plana cumbre del monte, sino que estaba al fondo, detrás de un círculo de piedras de agudos cantos. Si hubiera venido allí antes de la puesta del sol, la sombra del menhir habría caído sobre el círculo y marcado su centro con precisión, mostrando la dirección en que estaban vueltos los rostros de los hechiceros durante la batalla. Geralt miró en aquella dirección, en dirección a los campos montuosos y sin límites. Si había allí huesos de los caídos, y con toda seguridad los había, entonces los cubría la hierba, que estaba muy crecida. Un halcón giraba por encima, haciendo lentos círculos con sus alas muy desplegadas. Era el único punto en movimiento en un paisaje solidificado por el calor sofocante.

El obelisco era ancho en la base, para abrazarlo habrían tenido que unir los brazos al menos cuatro, cinco personas. Estaba claro que sin la ayuda de la magia no lo habrían subido a la cumbre. La cara del menhir que estaba vuelta hacia el círculo de piedra aparecía finamente pulida, sobre ella había esculpidos unos símbolos rúnicos.

Los nombres de aquellos catorce que habían muerto.

Se acercó despacio. Verdaderamente Yurga tenía razón. A los pies del obelisco yacían flores, corrientes flores de campo: amapolas, altramuces, malvas, nomeolvides.

Los nombres de los catorce.

Leyó despacio, empezando por arriba, y ante sus ojos iban apareciendo los rostros de aquéllos a los que conocía.

Triss Merigold, de cabellos castaños, alegre, con tendencia a reírse sin motivo, que tenía el aspecto de una cría. A él le gustaba. Y a ella él también.

Lawdbor de Murivel, con quien por poco no se había pegado en Wyzima, cuando pilló al hechicero haciendo trampas en el juego de dados con ayuda de una delicada telequinesis.

Lytta Neyd, llamada Coral. El apodo le venía del color del lápiz de labios que usaba. Lytta puso en su contra una vez al rey Belohun, de tal forma que pasó una semana en los calabozos. Cuando lo soltaron se fue a verla para preguntarle el porqué. Sin saber cómo ni cuándo aterrizó en su cama y allí pasó otra semana.

El Viejo Gorazd, quien había querido pagarle cien marcos porque le permitiera hacer una exploración de sus ojos y le ofreció mil porque le dejara diseccionarle «no necesariamente hoy», como entonces se había expresado.

Quedaban tres nombres.

Escuchó detrás de él un leve roce y se dio la vuelta.

Estaba descalza, llevaba un sencillo vestido de lino. Portaba también una guirnalda de margaritas trenzadas encima de los largos cabellos rubios que le caían libremente sobre los hombros y el pecho.

—Hola —dijo él.

Alzó hacia él unos fríos ojos celestes, no respondió.

Él advirtió que no estaba morena. Resultaba extraño que, ahora, al final del verano, cuando las mozas de las aldeas estaban normalmente quemadas por el sol, el rostro y los hombros de la muchacha tuvieran un ligero color dorado.

—¿Has traído flores?

Ella sonrió, bajó las pestañas. Él percibió frío. Le pasó sin decir palabra, se agachó a los pies del menhir, tocó con la mano la piedra.

—Yo no traigo flores —dijo, levantando la cabeza—. Pero éstas que están aquí son para mí.

Geralt la miró. Estaba agachada de tal modo que ocultaba a su vista el último nombre esculpido en la piedra del menhir. Sobre el fondo oscuro de la roca ella resaltaba luminosa, innatural y radiante de tan luminosa.

—¿Quién eres? —preguntó él muy despacio.

Ella sonrió, sopló un viento frío.

—¿No lo sabes?

Lo sé, pensó, mientras miraba al frío celeste de sus ojos. Sí, resulta que lo sé.

Estaba sereno. No sabía estar de otro modo. Ya no.

—Siempre quise saber qué aspecto tenías, señora.

—No tienes que titularme así —dijo en voz baja—. Al fin y al cabo nos conocemos desde hace años.

—Nos conocemos —confirmó él—. Dicen que me sigues paso a paso.

—Te sigo. Pero tú nunca miraste detrás de ti. Hasta hoy. Hoy miraste hacia atrás por primera vez.

Él guardó silencio. No tenía nada que decir. Estaba cansado.

—¿Cómo... cómo va a ser? —preguntó por fin, fríamente y sin emociones.

—Te tomaré de la mano —dijo, mirándole a los ojos—. Te tomaré de la mano y te llevaré por una pradera. Entre la niebla, el frío y la humedad.

—¿Y después? ¿Qué hay después, detrás de la niebla?

—Nada. —Sonrió—. Después ya no hay nada más.

—Me seguías, paso a paso —dijo—. Pero atrapaste a otros, a aquéllos que encontraba en mi camino. ¿Por qué? Se trataba de que me quedara solo, ¿verdad? ¿De que por fin comenzara a tener miedo? Te reconozco la verdad. Yo siempre te tuve miedo, siempre. No miraba detrás de mí porque tenía miedo. Porque estaba aterrado de que te vería ir tras de mí. Siempre tuve miedo, mi vida la he vivido aterrado. Te tuve miedo... hasta hoy.

—¿Hasta hoy?

—Sí. Hasta hoy. Estamos de pie, cara a cara, y yo no siento aprensión alguna. Me has quitado todo. Me has quitado hasta el miedo.

—¿Por qué están entonces tus ojos llenos de terror, Geralt de Rivia? Tus manos tiemblan, estás pálido. ¿Por qué? ¿Tanto miedo tienes de ese último nombre, del decimocuarto, que está labrado en la piedra del obelisco? Si quieres, puedo decirte cuál es ese nombre.

—No tienes que hacerlo. Sé qué nombre es. El círculo se cierra, la serpiente clava los colmillos en su propia cola. Y así ha de ser. Tú y ese nombre. Y las flores. Para ella y para ti. El decimocuarto nombre labrado en la piedra, un nombre que pronuncié en mitad de la noche, bajo la luz del sol, en el frío y el calor y en la lluvia. No, no tengo miedo de pronunciarlo ahora.

—Pronúncialo entonces.

—Yennefer... Yennefer de Vengerberg.

—Y las flores son para mí.

—Terminemos con esto —dijo él con énfasis—. Tómame... tómame de la mano.

Se levanto, se acercó a él, sintió el frío que exhalaba, un frío penetrante y agudo.

—No hoy —dijo ella—. Algún día. Pero no hoy.

—Me has quitado todo...

—No —le interrumpió—. Yo no quito nada. Yo sólo tomo de la mano. Para que nadie esté solo en ese momento. Solo entre la niebla... Hasta la vista, Geralt de Rivia. Algún día.

No respondió. Se dio la vuelta despacito y se fue. Entre una niebla que de pronto cubrió la cima del monte, entre una niebla en la que desapareció todo, entre una niebla blanca, húmeda, en la que se ahogó el obelisco, las flores a sus pies y los catorce nombres esculpidos en él. No había nada, sólo niebla y humedad, la hierba que brillaba de gotas de rocío a sus pies, una hierba

que olía hasta el aturdimiento, pesada, dulce hasta el punto de dolerle las sienes, hasta el olvido, el cansancio...

—¡Don Geralt! ¿Qué os pasa? ¿Dormido os habéis? Ya os dije, débil estáis aún. ¿Para qué salir corriendo hasta la cima?

—Me quedé dormido. —Se limpió el rostro con la mano, pestañeó—. Me quedé dormido, joder... No es nada, Yurga, es este calor...

—Así es, una calorina del diablo... Hemos de irnos, señor. Venid, os ayudaré a bajar la cuesta.

—Estoy bien...

—Bien, bien. ¿Entonces por qué os tambaleáis? ¿Por qué cojones al monte os subisteis con estos calores? ¿Los nombres queríais leer? Yo todos os podría haber dicho. ¿Qué os pasa?

—Nada... Yurga... ¿En verdad recuerdas todos los nombres?

—Claro.

—Voy a comprobar tu memoria... El último. El decimocuarto. ¿Qué nombre es?

—Pero vaya un incrédulo de vos. En nada creéis. ¿Queréis saber si no miento? Ya os dije, los nombres éstos acá hasta los críos los saben. ¿El último, decís? Así es, el último es Yol Grethen de Carreras. ¿Lo conocíais, puede?

Geralt pasó el dorso de la mano por las mejillas.

—No —dijo—. No lo conocía.

VIII

—¿Don Geralt?

—¿Sí, Yurga?

El mercader bajó la cabeza, calló durante algún tiempo, mientras enrollaba en un dedo los restos del fino cordel con el que había reparado la silla de montar del brujo. Por fin se levantó, tocó ligeramente con el puño en la espalda del criado que conducía el carro.

—Móntate en el animal de refresco, Púber. Yo llevaré el carro. Junto a mí sentaos, don Geralt, en el pescante. Y tú, ¿por qué todavía trapaceas junto al carro, Púber? Venga, vete alante. ¡Nosotros aquí charlar queremos, no necesitamos tus orejas!

Sardinilla, que iba junto al carro, relinchó, tiró de su soga, al parecer celosa de la yegua de Púber que galopaba por el camino real.

Yurga chasqueó la lengua, azotó ligeramente las riendas.

—Así es —dijo con indecisión—. La cosa es así, señor. Os prometí... Entonces, en el puente... Os prometí...

—No hace falta —le interrumpió el brujo con rapidez—. No hace falta, Yurga.

—Hace falta —dijo áspero el mercader—. Mi palabra no es humo. Lo que encuentre en casa y que no me espere, vuestro será.

—Déjalo. Nada de ti quiero. Estamos en paz.

—No, señor. Si acaso algo así en casa me encuentro, quiere decir que es el destino. Y si del destino te mofas, si lo engañas, entonces severo mandará un castigo.

Lo sé, pensó el brujo. Lo sé.

—Pero... Don Geralt...

—¿Qué, Yurga?

—Nada habrá en casa que no me espere. Nada, y de seguro no con lo que vos contabais. Señor brujo, escuchad: Doradita, mi mujer, no puede más tener hijos, después del último, y sea como sea, un crío en casa no va a haber. Mal, me parece, habéis tropezado.

Geralt no respondió.

Yurga también se mantuvo en silencio. Sardinilla relinchó de nuevo, tiró de la testa.

—Pero dos hijos tengo —dijo de pronto Yurga, mirando hacia delante, al camino—. Dos, sanos, fuertes e inteligentes. Al fin y al cabo, algún día habría de colocarlos de aprendices. Uno, pensaba, conmigo el oficio del comercio podría aprender. Y el otro...

Geralt callaba.

—¿Qué decís? —Yurga volvió la cabeza, lo miró—. En el puente, una promesa me pedisteis. Queríais un zagal para aprendiz de brujo, y no otra cosa. ¿Por qué el zagal habría de ser un inesperado? ¿Y un esperado no puede ser? Dos tengo, que uno estudie para brujo. Un oficio es un oficio. Ni mejor ni peor.

—¿Estás seguro —dijo en voz baja Geralt— que no peor?

Yurga entrecerró los ojos.

—Proteger gentes, salvar sus vidas, ¿cosa mala o buena es, según vos? ¿Esos catorce, en el monte? ¿Vos, en aquel puente? ¿Cómo obrasteis, bien o mal?

—No sé —dijo Geralt con énfasis—. No sé, Yurga. A veces me parece que lo sé. Y de vez en cuando albergo mis dudas. ¿Querrías acaso que tu hijo tuviera tales dudas?

—Que las tenga —dijo serio el mercader—. Que las tuviera. Porque justo eso es cosa humana y buena.

—¿El qué?

—Las dudas. Sólo el mal, don Geralt, nunca las tiene. Y a su destino nunca nadie escapa.

El brujo no respondió.

El camino real subía dando curvas por un empinado declive, bajo torcidos abedules que se sujetaban de un modo invisible al talud arenoso. Los abedules tenían hojas amarillas. El otoño, pensó Geralt, de nuevo el otoño. En el fondo relucía un río, brillaban las blancas empalizadas de un cuartelillo de guardias, los tejados de las casuchas, los palos desbastados de un embarcadero. Chirriaba una cabria. Una barcaza alcanzaba la orilla, provocando una ola delante de ella, rompía el agua con su proa roma, dispersaba las hojas y pajas que flotaban en la superficie, una verdadera e inmóvil alfombra de suciedad. Chirriaban los cables de los que los barqueros tiraban. La multitud apiñada en la orilla hacía ruido y en ese ruido estaba todo: gritos de mujeres, blasfemias de hombres, lloros de niños, bramidos de terneras, relinchos de caballos, balidos de ovejas. El monótono tono grave del miedo.

—¡Fuera! ¡Fuera, retroceded, hijos de puta! —aullaba un caballero con la cabeza envuelta por un trapo lleno de sangre. El caballo, metido en el agua hasta la barriga, se echó hacia atrás, levantó bien alto las patas delanteras, salpicó de agua a su alrededor. En el embarcadero, chillidos, gritos, unos escuderos expulsaban violentamente a la turba, golpeando al azar con las astas de sus lanzas.

—¡Fuera de la barcaza! —gritó el caballero, al tiempo que sacaba la espada—. ¡Sólo el ejército! ¡Largo u os romperé la testa!

Geralt tiró de las riendas, sujetó a la yegua, que danzaba junto al borde de la garganta.

Por la garganta, con las armas y las corazas brillando, avanzaba una columna de infantería pesada, la nube de polvo que levantaban escondía a los escuderos que corrían detrás de ellos.

—¡Geraaaalt!

Miró hacia abajo. En un carro roto y abandonado en el camino, que estaba lleno de cajas de madera, saltaba y saludaba con la mano un hombre delgado, vestido con un jubón color cereza y un sombrerillo con pluma de faisán. En las cajas se agitaban y graznaban una partida de pollos y gansos.

—¡Geraaaalt! ¡Soy yo!

—¡Jaskier! ¡Ven aquí!

—¡Largo, largo de la barcaza! —gritaba en el embarcadero el caballero de la cabeza vendada—. ¡La barcaza es sólo para el ejército! ¡Si queréis ir al otro lado, hijos de perra, tomad las hachas y al bosque, a frangollar unas almadías! ¡La barcaza es sólo para el ejército!

—Por los dioses, Geralt —resopló el poeta, arrastrándose por el talud de la garganta. Su jubón estaba salpicado por la nieve de plumas de pájaros—. ¿Ves lo que pasa? Los de Sodden deben de haber perdido la batalla, comienza la retirada. Pero, ¿qué digo, qué retirada? ¡Esto es una huida, simplemente una huida en desbandada! Tenemos que largarnos de aquí, Geralt. A la otra orilla del Yaruga...

—¿Qué haces aquí, Jaskier? ¿De dónde has salido?

—¿Que qué hago? —gritó el bardo—. ¿Y aún me preguntas? ¡Huyo como todos, todo el día rondo este carro! ¡Algún cabrón me robó el caballo por la noche! ¡Geralt, te lo ruego, sácame de este infierno! ¡Te digo, los nilfgaardianos pueden estar aquí en cualquier momento! Al que no ponga el Yaruga de por medio le cortarán el pescuezo. El pescuezo, ¿comprendes?

—No te dejes llevar por el pánico, Jaskier.

Abajo, en el embarcadero, relinchos de caballos que eran empujados a la barca con violencia, el ruido de los cascos sobre las tablas. Aullidos. Revoltijo. El chapoteo del agua en la que se había caído un carro roto, el mugido de los bueyes que sacaban los morros por encima de la superficie. Geralt vio cómo los fardos y los cajones del carro caían a la corriente, golpeaban contra la borda de la barcaza, seguían flotando. Aullidos, maldiciones. En la garganta una nube de humo, ruido de cascos.

—¡De uno en uno! —gritó el de los vendajes, echándose con el caballo sobre la gente—. ¡Orden, la perra que os parió! ¡De uno en uno!

—Geralt —jadeó Jaskier, agarrando el estribo—. ¿Ves lo que pasa allí? Jamás conseguiremos entrar en esa barcaza. Los milicos trasportarán en ella a todos los que puedan y luego la quemarán para que no pueda servir a los nilfgaardianos. Así se hace normalmente, ¿o no?

—Cierto —asintió Geralt—. Así se hace normalmente. No entiendo, sin embargo, ¿por qué ese pánico? ¿Es que es la primera guerra, nunca hubo otra? Como siempre, las tropas de los reyes se van a romper la cabeza mutuamente, y luego los reyes se pondrán de acuerdo, firmarán un tratado y, para festejarlo, ambos se cogerán una buena trompa. Para ésos que en este instante se están rompiendo las costillas en el embarcadero, nada cambiará, en esencia. Entonces, ¿por qué tanta violencia?

Jaskier lo miró con atención, sin soltar el estribo.

—Me da la sensación de que tienes una información de pena, Geralt —dijo—. O que no eres capaz de comprender su significado. Ésta no es una guerra común y corriente por la sucesión a un trono o un pedazo de tierra. Esto no es una peleílla de dos feudales que los campesinos observan sin dejar de segar la mies.

—¿Y qué es entonces? Ilumíname, porque de verdad que no sé de qué va. Entre nosotros, tampoco es que me importe demasiado, pero explícamelo, venga.

—Jamás hubo una guerra como ésta —dijo serio el bardo—. Los ejércitos de Nilfgaard dejan tras de sí tierra quemada y cadáveres. Campos enteros de cadáveres. Es una guerra de exterminación, de completa exterminación. Nilfgaard contra todos. La crueldad...

—No hay y no ha habido guerra sin crueldad —le interrumpió el brujo—. Exageras, Jaskier. Es como con esa barcaza: así se hace normalmente. Es, por así decirlo, una tradición militar. Desde que el mundo es mundo, los ejércitos que recorren un país matan, roban, queman y violan, no necesariamente en este orden. Desde que el mundo es mundo, los campesinos en tiempos de guerra se esconden en los bosques con las mujeres y los bienes que puedan llevar en las manos, y cuando todo se termina, vuelven...

—No en esta guerra, Geralt. Después de esta guerra no habrá quien vuelva ni adonde volver. Nilfgaard deja tras de sí cenizas, los ejércitos van como un torrente y acaban con todos. Horcas y estacas se suceden durante millas a lo largo de los caminos, el humo sube por el cielo hasta cubrir el horizonte. ¿Dijiste que desde que el mundo es mundo no ha habido algo como eso? Así es, acertaste. Sí, desde que el mundo es mundo. Nuestro mundo. Porque parece que los nilfgaardianos han cruzado las montañas para destruir nuestro mundo.

—Esto no tiene sentido. ¿A quién le puede interesar destruir el mundo? No se hacen las guerras para destruir. Las guerras se hacen por dos motivos. Uno es el poder, el otro el dinero.

—¡No filosofes, Geralt! ¡Lo que está pasando no lo cambiarás con tus filosofías! ¿Por qué no escuchas? ¿Por qué no ves? ¿Por qué no quieres entender? Créeme, el Yaruga no detendrá a los nilfgaardianos. En el invierno, cuando el río se hiele, seguirán adelante. Te digo, hay que largarse, hasta el norte, puede que no lleguen hasta allí. Pero incluso si no llegan hasta allí nuestro mundo no será nunca más el que era. ¡Geralt, no me dejes aquí! ¡No seré capaz de apañármelas solo! ¡No me dejes!

—Tienes que haberte vuelto loco, Jaskier. —El brujo se inclinó en la montura—. Tienes que haberte vuelto loco si has llegado a pensar que te iba a abandonar. Dame la mano, salta al caballo. Aquí no tienes nada que hacer, en ningún caso ibas a poder subir a la barcaza. Te llevaré río arriba, buscaremos un bote o una almadía.

—Los nilfgaardianos nos rodean. Están ya muy cerca. ¿Has visto a esos caballeros? Se ve que vienen directamente de la batalla. Vayamos río abajo, en dirección a la salida del Ina.

—No seas agorero. Nos las arreglaremos, ya verás. Río abajo también va toda esa multitud, ante cada barcaza va a pasar lo mismo que aquí, los botes seguramente los hayan arrampladro ya todos. Iremos río arriba, a contracorriente, no tengas miedo, te cruzaré aunque sea en un tronco.

—¡Apenas se ve la otra orilla!

—No refunfuñes. Te dije que te cruzaré.

—¿Y tú?

—Salta al caballo. Hablaremos por el camino. Eh, diablos, ¡pero no con ese petate! ¿Quieres que a Sardinilla le estallen los lomos?

—¿Ésta es Sardinilla? Sardinilla era un bayo y ésta es castaña.

—Todos mis caballos se llaman Sardinilla. Bien lo sabes, así que no me intentes distraer. Te he dicho que eches abajo ese petate. ¿Qué cojones tienes en él? ¿Oro?

—¡Manuscritos! ¡Versos! Y algo de picar...

—Tíralo al río. Escribirás nuevos versos. Y la comida la partiré contigo.

Jaskier hizo un gesto triste, pero no se lo pensó mucho rato, sino que lanzó con fuerza el saco al agua. Saltó sobre el caballo, se escurrió de acá para allá, hasta que se colocó en la montura, se sujetó al cinturón del brujo.

—En camino, en camino —le alentó intranquilo—. No perdamos tiempo, Geralt, metámonos en el bosque antes de que...

—Déjalo, Jaskier, tu pánico comienza a pegársele a Sardinilla.

—No insultes. Si hubieras visto lo que yo...

—Cierra el pico, joder. Vamos, querría que pasaras el río antes del anochecer.

—¿Yo? ¿Y tú?

—Yo tengo cierto negocio a este lado del río.

—Te has vuelto loco, Geralt. ¿No te gusta vivir? ¿Qué negocio?

—No es asunto tuyo. Voy a Cintra.

—¿A Cintra? Cintra ya no existe.

—Pero, ¿qué dices?

—Cintra ya no existe. Sólo quedan cenizas y un montón de ruinas. Los nilfgaardianos...

—Bájate, Jaskier.

—¿Qué?

—¡Baja! —El brujo se volvió con brusquedad. El trovador le miró a la cara y voló del caballo a tierra, retrocedió un paso, tropezó.

Geralt bajó lentamente. Echó agua sobre la testa de la yegua, se mantuvo un instante indeciso, luego se limpió el rostro con una mano enguantada. Se sentó al borde del talud, bajo una enorme sanguina de brotes de color rojo sangre.

—Ven aquí, Jaskier —dijo—. Siéntate. Y cuéntame lo de Cintra. Todo.

El poeta se sentó.

—Los nilfgaardianos llegaron allí a través de un desfiladero —comenzó, al cabo de un instante de silencio—. Eran miles. Rodearon al ejército de Cintra en el valle de Marnadal. Hubo una batalla que duró todo un día, del amanecer al ocaso. Los de Cintra combatieron valientemente, pero los diezmaron. El rey cayó y entonces su reina...

—Calanthe.

—Sí. No permitió que cundiera el pánico, no dejó que huyeran a la desbandada, sino que reunió alrededor del estandarte a quien pudo, se abrieron camino a través de los que los rodeaban, retrocedieron hacia el río, en dirección a la ciudad. Quien pudo.

—¿Y Calanthe?

—Con un puñado de caballeros cubrió el paso del río, la retirada. Dicen que se batió como un hombre, se echó como una loca en el mayor tumulto. La hirieron con picas cuando atacó a la infantería nilfgaardiana. ¿Qué hay en esa cantimplora, Geralt?

—Aguardiente. ¿Quieres?

—Pues claro.

—Habla. Sigue hablando, Jaskier. Todo.

—En realidad la ciudad no se defendió, no hubo cerco, pues no había nadie que hubiera podido estar en las murallas. El resto de los caballeros con sus familias, nobles y la reina... se parapetaron en el castillo. Los nilfgaardianos conquistaron el castillo simplemente a paso ligero, sus hechiceros convirtieron en polvo la puerta y parte de los muros. Sólo se defendió la torre del homenaje, a todas luces asegurada mágicamente porque resistió a los ataques de los hechiceros nilfgaardianos. Pese a ello, al cabo de cuatro días, los nilfgaardianos consiguieron asaltarla. No encontraron a nadie vivo. A nadie. Las mujeres mataron a los niños, los hombres mataron a las mujeres y se echaron sobre las espadas o... ¿Qué te pasa, Geralt?

—Sigue, Jaskier.

—O... como Calanthe... la cabeza para abajo, desde las almenas, desde arriba del todo. Dicen que pidió que... Nadie quiso. Así que se subió a las almenas y... la cabeza para abajo. Al parecer hicieron cosas horribles con su cuerpo. No quiero... ¿Qué te pasa?

—Nada. Jaskier... En Cintra había... una muchacha. La nieta de Calanthe, como de diez, once años. Se llamaba Ciri. ¿Has oído algo de ella?

—No. Pero en la ciudad y en el castillo hubo una terrible matanza y no quedó casi nadie con vida. Y de aquéllos que defendieron la torre no se salvó nadie, ya te he dicho. Y la mayor parte de las mujeres y los niños de las familias más importantes estaban justamente allí.

El brujo guardó silencio.

—Esa Calanthe —preguntó Jaskier—. ¿La conocías?

—La conocía.

—¿Y a la muchacha sobre la que has preguntado? ¿Ciri?

—También a ella.

Sopló un vientecillo desde el río, removió las aguas, agitó las ramas, de las ramas en centelleante remolino volaron hojas. Otoño, pensó el brujo, de nuevo otoño.

Se levantó.

—¿Crees en el destino, Jaskier?

El trovador alzó la cabeza, lo miró con los ojos muy abiertos.

—¿Por qué preguntas?

—Responde.

—Bueno... Creo.

—¿Y sabes que el destino solo es poco? ¿Que hace falta algo más?

—No entiendo.

—No sólo tú. Pero exactamente así es. Hace falta algo más. El problema estriba en que yo... yo ya nunca me enteraré de qué.

—¿Qué te pasa, Geralt?

—Nada, Jaskier. Ven, monta. Vámonos, no perdamos el día. Quién sabe cuánto tiempo nos llevará encontrar el bote, y necesitaremos uno grande. No voy a dejar a Sardinilla.

—¿Cruzaremos juntos? —se alegró el poeta.

—Sí. Ya no tengo nada que buscar a este lado del río.

IX

—¡Yurga!

—¡Doradita!

Ella salió corriendo desde la puerta, agitando los cabellos liberados del pañuelo, tropezando, gritando. Yurga le pasó las riendas al criado, saltó del carro, corrió a su encuentro, la agarró por el talle, con fuerza, la levantó, le dio vueltas, la hizo girar.

—¡Estoy aquí, Doradita! ¡Torné a casa!

—¡Yurga!

—¡Torné! ¡Venga, abrid las puertas! ¡El amo retornó! ¡Ah, Doradita!

Estaba mojada, olía a jabón. Debía de haber estado lavando. La dejó en el suelo, pero y aun así ella no le soltó, aferrada a él, desgreñada, cálida.

—Vamos a casa, Doradita.

—Dioses, tornaste... A las noches no dormía... Yurga... A las noches no dormía.

—Torné. ¡Eh, torné! Y rico torné, Doradita. ¿Ves el carro? ¡Eh, andando, cruzad la puerta! ¿Ves el carro, Doradita? De sobra mercaderías traigo para...

—Yurga, qué más me dan las mercaderías y el carro... Tornaste... sano... entero...

—Rico torné, te digo. Ahora verás...

—¿Yurga? ¿Y él quién es? ¿El de negro? Dioses, espada lleva...

El mercader se volvió. El brujo bajó del caballo, de espaldas, fingía colocar las guarniciones y faldoncillos. No los miró, no se acercó.

—Luego te contaré. Oh, Doradita, sin él... ¿Y los niños? ¿Sanos?

—Sanos, Yurga, sanos. Al campo salieron, a ensartar cuervos, pero los vecinos haranles de saber que en casa estás. Presto acudirán aquí, los tres...

—¿Los tres? ¿Qué es eso, Doradita? Acaso...

—No... Pero he de decirte algo que... ¿No te enojarás?

—¿Yo? ¿Contigo?

—Amparé a una moza, Yurga. De los druidas la tomé, sabes, de los que tras la guerra niños salvaban... Iban por los bosques y recogían a los que perdidos y sin hogar estaban... Apenas sobrevivió... ¿Yurga? ¿Te enojaste?

Yurga se puso la mano sobre la frente, se dio la vuelta. El brujo pasó despacio detrás del carro, llevando de la mano al caballo. No los miraba, todavía volvía la cabeza.

—¿Yurga?

—Oh, dioses —jadeó el mercader—. ¡Oh, dioses! Doradita, ¡algo que no me esperaba! ¡En casa!

—No te enojes, Yurga... Verás, la habrás de querer. Una mozuela lista, buena, trabajadora... Rara, un poco. No quiere decir de dónde es, llora al punto. Así que no pregunto. Yurga, sabes cuánto una hija siempre quise... ¿Qué te pasa?

—Nada —dijo en voz baja—. Nada. El destino. Todo el camino en sueños habló, deliró con la fiebre, nada, sólo el destino y el destino... Por los dioses... No es para la nuestra razón, Doradita. No nos es dado entender lo que los tales como él piensan. De qué sueñan. No es para la nuestra razón...

—¡Papa!

—¡Nadbor! ¡Sulik! ¡Pero qué grandes estáis, como toritos! Venga, a mí, presto...

Se interrumpió al ver al ser pequeño, delgado, de cabellos cenicientos que seguía a los muchachos muy despacio. La muchacha le miró, él vio unos grandes ojos verdes, como hierba de la primavera, brillando como dos estrellas. Vio cómo la muchacha de pronto se echó a correr, cómo corría, cómo... Escuchó cómo gritaba, con voz aguda, penetrante.

—¡Geralt!

El brujo se dio la vuelta, como un relámpago, con un hábil movimiento. Y corrió al encuentro. Yurga miró asombrado. Nunca hubiera pensado que un ser humano pudiera moverse tan rápido.

Se encontraron en el centro del corral. La muchachuela de cabellos cenicientos vestida con un trajecillo gris. Y el brujo de cabello blanco con la espada a la espalda, vestido todo de cuero negro con brillos de plata. El brujo con un paso ligero, la muchacha a trompicones, el brujo de rodillas, los finos bracitos de la muchacha alrededor de su cuello, los cabellos cenicientos, como de ratoncillo, sobre sus hombros. Doradita gimió sordamente. Yurga la abrazó, sin una palabra la atrajo hacia sí, con la otra mano apretó contra ellos a los dos niños.

—¡Geralt! —repitió la muchacha, pegada al pecho del brujo—. ¡Me has encontrado! ¡Lo sabía! ¡Siempre lo supe! ¡Sabía que me encontrarías!

—Ciri —dijo el brujo.

Yurga no veía su rostro cubierto por los cabellos cenicientos. Vio una mano embutida en un negro guante que abrazaba la espalda y los brazos de la muchacha.

—¡Me has encontrado! ¡Oh, Geralt! ¡Estuve esperando todo el tiempo! ¡Tan terríbilemente...! Estaremos ya juntos, ¿verdad? Ahora estaremos juntos, ¿sí? ¡Dilo, Geralt! ¡Para siempre! ¡Dilo!

—Para siempre, Ciri.

—¡Tal y como dijeron! ¡Geralt! ¡Tal y como dijeron...! ¿Soy tu destino? ¡Di! ¿Soy tu destino?

Yurga vio los ojos del brujo. Y se asombró mucho. Escuchaba el mudo llanto de Doradita, sentía el temblor de sus brazos. Miró al brujo y esperó, completamente tenso, a que respondiera. Sabía que no iba a entender esta respuesta, pero la esperó. Y la oyó.

—Eres algo más, Ciri. Algo más.

Índice